Praise for Ace My Language-Arabic Edition

I'm impressed with it (the book) and I do recommend it - based soley on having perused the reading portion (I haven't checked out the listening portion yet but the reading portion alone is great for what the book is intended to do). It is not a "learn Arabic" book. It's an improvement tool for folks who already have some Arabic. It is very well focused specifically on improving DLPT performance. I think the folks who could most benefit from this are those at the 1+ to 2 level who are serious about spending some time and effort getting to 3. This book will help them focus their effort and get the most DLPT improvement out of the time they invest. Casting a wide net in newspapers and internet and reading widely is another approach. But in this book Mr. Ghneim has already cast that wide net for you and collected the material in an easy to use format - plus taken the extra step of constructing DLPT-like questions about the material. He is clearly familiar not only with the kinds of materials that go into a DLPT, but also with the kinds of questions that are constructed around those materials. –Devin Hunter USAF

The comprehensive Arabic language tutorial package developed by Jabra F. Ghneim has proven to be an invaluable tool for students of Modern Standard Arabic (MSA). His work, which involves a vast amount of critical listening and reading question and answer exercises, has proven to be vital to the student that is required to grasp a wide range of global language knowledge. Mr. Ghneim has developed a masterful project that keenly recognizes the necessities for basic and expert understanding of MSA. The material is interwoven from subject to subject which enables the student to quickly transcend all subject matter barriers of learning a foreign language. –Jason E., Arabic Linguist, US Navy

Using Ace My Language-Arabic Edition I was able to raise my scores to their highest levels in 15 years. I highly recommend this material and intend to make it a part of my test preparation routine. –Loren B., Arabic Linguist, US Navy

FARSI

FIRST EDITION

Edited By
Jabra Ghneim

Global Language Systems

Copyright © Global Language Systems LLC, 2008, Published by Global Language Systems, PO Box 489. Bountiful, UT 84011-0489

All Rights Reserved
ISBN 0-9768404-0-4

No part of this publication (text or audio) maybe stored in a retrieval system, transmitted, or reported in any way, including but not limited to photocopy, photograph, magnetic or other record, without the prior agreement and written permission of the publisher.

ACE My Language is a Trademark of Global Language Systems LLC. Abu-Farid is a Trademark of Global Language Systems LLC.

CD Produced by Global Language Systems LLC.

Design & page layout by Global Language Systems LLC.

Manufactured in the United States of America

To Order, Please Contact Us:

Global Language Systems
PO Box 489
Bountiful, UT 84011-0489
Tel: 1 (800) 381-6545
Fax: 1 (866) 636-9616
info@glsnetwork.net
www.glsnetwork.net

Software License Agreement: Terms and Conditions

The media and/or any online materials accompanying this book, available now or in the future, contain programs and/or text files (the "Software") to be used in connection with the book. GLOBAL LANGUAGE SYSTEMS LLC ("GLS" or the "Owner(s)") hereby grants to you a license to use the Software, subject to the terms that follow. Your purchase, acceptance, or use of the Software will constitute your acceptance of such terms.

The Software compilation is the property of GLS unless otherwise indicated and is protected by copyright to GLS or other copyright owner(s) as indicated in the media files. You are hereby granted a single-user license to use the Software for your personal, noncommercial use only. You may not reproduce, sell, distribute, publish, circulate, or commercially exploit the Software, or any portion thereof, without the written consent of GLS and the specific copyright owner(s) any component software included on this media.

In the event that the Software or components include specific license requirements or end-user agreements, statements of condition, disclaimers, limitations or warranties ("End-User License"), those End-User Licenses supersede the terms and conditions herein as to that particular Software component. Your purchase, acceptance, or use of the Software will constitute your acceptance of such End-User Licenses.

By purchase, use or acceptance of the Software you further agree to comply with all export laws and regulations of the United States as such laws and regulations may exist from time to time.

Software Support

Components of the supplemental Software and any offers associated with them may be supported by the specific Owner(s) of that material but they are not supported by GLS. Information regarding any available support may be obtained from the Owner(s) using the information provided in the appropriate (readme) files or listed elsewhere on the media.

Should the manufacturer(s) or other Owner(s) cease to offer support or decline to honor any offer, GLS bears no responsibility. This notice concerning support for the Software is provided for your information only. GLS is not the agent or principal of the Owner(s), and GLS is in no way responsible for providing any support for the Software, nor is it liable or responsible for support provided, or not provided, by the Owner(s).

Warranty

GLS warrants the enclosed media to be free of physical defect for a period of ninety (90) days after purchase. The Software not available from GLS in any other form or media than that enclosed herein or posted to www.globallanguagesystems.com or www.glsnetwork.net. If you discover a defect in the media during this warranty period, you may obtain a replacement of identical format at no charge by sending the defective media, postage prepaid, with proof of purchase to:

Global Language Systems
PO Box 489
Bountiful, UT 84011-0489
USA

After 90-day period, you can obtain replacement media of identical format by sending us the defective media, proof of purchase, and a check or money order for $10, payable to GLS.

Disclaimer

GLS makes no warranty or representation, either expressed or implied, with respect to the Software or its contents, quality, performance, merchantability, or fitness for a particular purpose. In no event will GLS, its distributors, or dealers be liable to you other party for direct, indirect, special, incidental, consequential, or other damages arising out of the use of or inability to Software or its contents even if advised of the possibility of Image. In the event that the Software includes an online update feature, GLS further disclaims any obligation to provide the feature for any specific duration other than the initial posting.

The exclusion of implied warranties is not permitted by some states. Therefore, the above exclusion may not apply to you. This warranty provides you with specific legal rights; there may be other rights that you may have that vary from state to state. The pricing of the book with the Software by GLS reflects the allocation of risk and limitations on liability contained in this agreement of Terms and Conditions.

Software Distribution

This software may contain various programs that are distributed as shareware. Copyright laws apply to both shareware and any commercial software, and the copyright Owner(s) retain all rights. If you try a shareware program and continue using it, you are expected to register it. Individual programs differ on details of trial periods, registration, and payment. Please observe the requirements stated in appropriate files.

Copy Protection

Software in whole or in part may or may not be copy-protected or encrypted. However, in all cases, reselling or redistributing these files without authorization is expressly forbidden except as specifically provided for by the Owner(s) therein.

To My Wife, The Most Dear

برای خانمم عزیزترین

Acknowledgments

This project would not have been possible without the dedicated efforts of many people. I would like to thank **Mohammad Razaghi**, **Mohammad Reza Fajr** and **Ario Yosri** for their work on the corpus, linguistic advice, late nights and early morning hours they dedicated to this work and also for their patience and kindness. I would also like to thank **Shirinaz Bahrami** for her dedication to this work during a rough period in her life after the Virginia Tech massacre. Her punctuality, aspiration to perfection and honesty are exemplary. Her advice and feedback are always thorough and to the point.

I dedicate very special thanks to **Maryam Iman**, a very resourceful colleague who not only worked on item design but also on many linguistic aspects of this project and helped at various stages with finding other skilled resources. Sometimes it appears to me as if Maryam knows everyone in the linguistics community in the DC area. I am very grateful for her skills. I would also like to give special thanks to my dear friend and colleague **Kayvan Sadeqi** who worked efficiently and promptly on the audio recording project. Thanks to Kayvan, this part of the project was completed on time when things seemed to be hopeless. Kayvan has a deep and passionate love for language learning that is contagious. I am happy to call him my friend.

Finally, my deepest love, thanks and devotion go to my dear wife **Staci** who has persevered during this project and believed in its importance wholeheartedly. Without her support this project would have not been realized.

Introduction

My love for the Farsi language is actually an obsession that started with my father coming back from his business trips to Iran in the 70s and sharing stories about that magnificent land and its wonderful people. When I was about six years old my father framed a picture of Abu Ali Sina, a well known Iranian philosopher and scientist, and hung it in my room. I read all I can by and about Abu Ali Sina, or as Arabs call him Ibn Sina. I was fascinated by Ibn Sina and the land he came from. In 1988 I tried to learn the Farsi language but couldn't the main reason being lack of any Farsi learning material other than the occasional tourist book. This was before the Internet age and the Arab world was at war with Iran which made the situation harder. I held on to the dream and one of my first acts after settling in the United States was to locate all the Farsi language resources I can and design a self-study program for myself.

When I started managing this project I was not just a project planner in charge of making sure that the linguists followed the technical guidelines and delivered on time but also a love stricken sculptor working hard to make sure that the final product will be as perfect as humanly possible. I was blessed with linguists who not only are native speakers of the language but are also as enthusiastic about it as me. Thus, *Ace My Language, Farsi Edition*, is the product of over two years of intensive labor by a team of six linguists spanning three continents and four time zones. It builds on the success of the Arabic edition of the series, now used by major US government organizations such as the CIA, West Point Military Academy, the Defense Language Institute, JFK Special Warfare School and other major colleges and universities in addition to thousands of others who bought it on our website or on Amazon.com.

The goal of this series is very simple, first, to prepare the students for their standard language exams and second, to acquaint them with as much of the target language corpus as possible. In simple words, if you read any of the books in this series you will be acquainted with about 95% (2% margin of error) of the language found in newspapers and broadcast media. What this means is that when you go to take a standard test in the target language or read or listen to material in the target language, you will be able to understand about 95% of its content after mastering this volume.

Based on feedback we got from military users of the Arabic book, the variety they were exposed to in the book allowed them to prepare for their *Defense Language Proficiency Test (DLPT)* using only the book and accompanying CD. Almost 95% of the feedback we got was that the material in the book was enough preparation to allow them to get ILR scores of 3/3 (listening and reading) for the first times in their lives. Some of these users have been taking the DLPT for the past 10 or more years and were never able to attain a score of 3 in the reading section for some or in the listening section for others. After using *Ace My Language-Arabic Edition* they were able to attain a 3/3 in the test for the first time in their careers.

I also received some informal feedback from few instructors who said that that was not the case for them. When I asked how they used the book it turned out that they were picking, choosing and 'customizing' the contents of the book. Unfortunately, it doesn't work this way. The only way to use this book effectively is to do every single exercise and read every single article. This has to do with the methodology and statistical model used in organizing the materials. Instructors can still use it the way they wish, but to achieve results the readers have to do all the exercises without exception. It is irrelevant how many questions they get right or wrong as long as they read, listen, try to understand the material the best they can and then try to answer the questions the best way they can. It will be a waste of the readers' time to pick up the book and do a few exercises and think that they are ready. It simply does not work this way.

This books is not based on a specific standard language test or a specific version of a standard test. It follows scientific and statistical principles. If you follow my instructions above you will succeed in achieving your goals regardless of the test you are taking, whether it is the DLPT or the Foreign Service Test or any other standard test for the language. If you complete the contents of this book before taking a standard test, a well constructed and validated test should show an increase in your level every time you take it after using this book.

The results are not restricted to achievements in the testing room. Readers of the Arabic edition reported that they were better able to do their jobs by using the book as self-training material and reviewing it often. This book is designed so that you can use and reuse it many times and still benefit from it every time.

I am aware that many students of Arabic or Farsi can use the Internet to do reading and listening but what we have done for you, with the assistance of database technology, is sift through through thousands of articles and then pick from them those that give you the highest exposure possible to high frequency genres and lexical items. The skills you will enhance by using this material means that you will be able to use the Internet to communicate or produce content in the target language.

This book consists of three main parts. The first part is the reading section which contains the articles accompanied by the questions. These readings and questions will measure language skills ranging from survival language skills, the ability to understand descriptions of surroundings, formal and informal discourse, understanding hypothesis and constructing hypothesis, understanding topics that your are unfamiliar with, negotiating, advocating, making representations and material that only educated native speakers can process such as advanced economics, science, computer technology and literature. Despite our focus on presenting the highest frequency lexical items we made sure that the material was challenging and fun throughout the volume. You have here more than 300 questions covering 150 articles. This is the largest amount of language training material in any book in the market today. I wanted the reader to thoroughly test his/her skills in a varying range of topics.

The second section of this book consists of the questions without the articles. All the articles from the first section were recorded on the accompanying CD by native speakers of Farsi. If you want to focus on your listening skills start with this section. On the CD you have over 6 hours of audio. More listening material than in any book in the market today. Listening is the activity I recommend for serious language learners. A solid foundation in listening skills and an intense dedication to listening to as much of the language as you can will guarantee that all the other skills will follow or will be sharper.

The third section is a language glossary, a simple list of 4000 Farsi words and their meanings. This glossary focuses on high frequency lexical items, high frequency advanced vocabulary needed for understanding technical material and finally a selection of essential verbs in the language. I included this glossary based on feedback from users of the Arabic book who wondered about what dictionaries to buy. This glossary does not cover every word in the book but rather the items that you need to know. Try also to put words significant to you on index cards and work on memorizing them. As to providing the translated articles I am against that because I believe it will hinder the learning process. This book assumes that you had at least one year worth of Farsi and that you are seeking to elevate your skills.

Finally let's talk about Abu Farid. At the bottom of every page in the reading section you will find Abu Farid saying an Iranian proverb. It would be a great cultural and linguistic exercise if the reader took the time to decipher these. Encourage instructors to take the time to explain the meaning of these to students. Understanding these proverbs will give your linguistic skills a great depth.

So enjoy your experience with this book. Write and tell me how it helped you. I love feedback and I respond always. Farsi is a beautiful language. By speaking it you unlock the door to communicating with over 134 million people. According to a book I read recently it is one of the top five languages on the web. It has a very rich culture and history.

I hope that by publishing this book I will help my fellow countrymen and women in understanding the Persian culture and people better and that this knowledge will contribute to the triumph of peace and liberty in a time when men seem to be inclined towards war driven either by ages old dogma, ideology, tyranny or the love of power. The ancients understood well the necessity of harmony among men. In the words of the great poet Sa'adi

The Children of Adam are limbs of each other
Having been created of one essence.
When the calamity of time afflicts one limb
The other limbs cannot remain at rest.
If thou hast no sympathy for the troubles of others
Thou art unworthy to be called by the name of a man.

بنی آدم اعضاء یکدیکرند

که در آفرینش زیاک کوهرند

چو عضوی بدرد آورد روزکار

دکر عضوها را نماندقرار

تو کز محنت دیکران بی غمی

نشاید که نامت نهند آدمی

سعدی

هر کجا فارسی زبانی هست

از منش چند داستانی هست

SECTION 1
Passages and Questions

1

آخرین تحقیقات انجام شده توسط شرکت "ورایزون وایرلس" در مورد استفاده از تلفن همراه در شهرهای بزرگ ایالات متحده امریکا، نشان داده است که مردمی که در میامی و لس آنجلس زندگی می کنند، بیشتر از هر امریکایی دیگری از تلفن همراه خود برای گپ زدن با دوستان و آشنایان خود استفاده می نمایند. هر یک از شهروندان میامی، به طور میانگین ۲۹۸ تماس تلفنی در ماه برقرار نموده که روزانه بین ۹ تا ۱۰ تماس برای هر نفر خواهد بود و بدین ترتیب، این شهر در ردهٔ نخست قرار می گیرد. اهالی لس آنجلس نیز با ۲۶۰ تماس برای هر نفر در ماه، در این رده بندی در مقام دوم جای می گیرند.

در بین شهرهای دیگر این کشور که بیشترین استفاده را از تلفن همراه می نمایند، می توان به شهرهایی مانند دیترویت، ال پاسو، تگزاس و لاس وگاس اشاره نمود. "دیک لینچ"، یکی از کارمندان رده بالای شرکت "ورایزون وایرلس" در بخش فن آوری، عقیده دارد که مطالعهٔ انجام شده، دیدگاه جالبی را در مورد میزان وابستگی روزافزون مردم امریکا به تلفن های همراه مطرح می سازد. هر روز تعداد بیشتری از مردم این کشور، به استفادهٔ هرچه گستردهتر از تلفن همراه در خانه یا بیرون از خانه های خود روی می آورند. اما وضعیت در بخش های دیگر این کشور مانند واشنگتن و نیویورک متفاوت است.

طبق برآوردهای انجام شده، مردم این شهرها به شکلی غیرقابل انتظار، کمتر از تلفن های همراه خود استفاده می کنند که یکی از دلایل احتمالی آن می تواند ممنوع بودن استفاده از تلفن همراه دستی هنگام رانندگی در این شهرها باشد که از چند سال پیش به اجرا گذاشته شده است. جالب است بدانید که اهالی نیویورک در بین شهرهایی که استفادهٔ بالایی از تلفن همراه دارند، در ردهٔ یازدهم ایستاده است و واشنگتن، در بین ۳۰ شهر اول در این رده بندی قرار نمی‌گیرد.

لازم به تذکر است که در ایالت کالیفرنیا نیز ممنوع شدن استفاده از تلفن همراه دستی در هنگام رانندگی به زودی به اجرا در خواهد آمد و همین نکته به احتمال زیاد باعث خواهد شد تا استفاده از تلفن همراه توسط اهالی لس آنجلس که به رانندگی با خودروهای خود بسیار وابسته هستند، به شکلی چشمگیر کاهش پیدا کند. این قانون در سال ۲۰۰۸ میلادی به مرحلهٔ اجرا در خواهد آمد.

1.1 According to the article, please rate cell phone usage in the United States from highest usage to lowest usage:

a. Miami- Los Angeles- Washington- New York.

b. Miami- Los Angeles- New York— Washington.

c. New York- Washington- Los Vegas- Miami.

d. Los Angeles- Miami- New York- Detroit.

1.2 According to the author, which US city/cities has/have a statistically lower cell phone usage rate, and why?

a. Las Vegas, because it’s a tourist city and relatively few people live and work there.

b. Washington, because of the number of dropped calls.

c. New York and Washington, because hand-held cell phones have been banned while driving.

d. Miami and Los Angeles, because hand-held cell phones have been banned while driving.

2

شرکت معروف "مک دونالد" که رستوران های زنجیره ای همبرگر آن از در تمام دنیا شناخته شده است، بالاخره توانست نبرد پنج سالهٔ خود با یک رستوران کوچک در مالزی با نام "مک کاری" را به نفع

خود به پایان ببرد. این شرکت که مدت ها پیش در مورد شباهت نام این رستوران کوچک با نام مک دونالد به دادگاه شکایت کرده بود، توانست قاضی را متقاعد کند که رهگذران، ممکن است نام "مک کاری" را با نام "مک دونالد"، این غول بین المللی تند خوراک اشتباه بگیرند.

رستوران مک کاری که یک رستوران ۲۴ ساعته در فضای باز است، غذاهای مختلف هندی از جمله مرغ تنوری و ماهی با ادویهٔ کاری را با یک تابلوی بزرگ "مک کاری" در پایتخت مالزی در اختیار مشتریان قرار می دهد. قاضی این دادگاه در رسانه های محلی این کشور اعلام کرد که استفادهٔ متهم از واژهٔ "مک کاری" و به کارگیری علامت هایی که دارای رنگ و ظاهر مشابه با علامت تجاری متعلق به شاکی (مک دونالد) می باشند، تا جایی پیش رفته است که ممکن است باعث سردرگمی و فریب دادن مردم شود.

در جلسهٔ اخیر دادگاه، قاضی به این رستوران کوچک دستور داد تا بخش "مک" را از تابلوی رستوران خود حذف کند، اما خبرهای رسیده نشان می دهد که این رستوران، قصد دارد برای رای صادر شده درخواست فرجام نماید و ادعا می کند که نام "مک کاری"، کوته نوشت (مخفف) عبارت "جوجه کاری مالزی" می باشد.

2.1 What is McCurry?

- **a.** A 24-hour open air restaurant that sells a variety of Malaysian food.
- **b.** A 24-hour open air restaurant that sells a variety of Indian food.
- **c.** A fast food chain in Malaysia that sells food replicating the McDonald's menu.
- **d.** A fast food chain that replicates McDonald's sign but sells local Malaysian food such as the McCurry sandwich, an adaptation of the Big Mac to Malaysian tastes.

2.2 What was the jury's verdict?

- **a.** The court ordered to drop the "Mc" from their sign.
- **b.** The court ruled in favor of McCurry, arguing that "McCurry" was just an abbreviation for "Malaysian Chicken Curry".
- **c.** The court ruled in favor of McDonald's, arguing that McCurry had to cease selling curry flavored Big Macs.
- **d.** The court ruled in favor of McDonalds and ordered McCurry to be closed down and to pay a fine.

3

ده ها کودک، بعد از این که مقامات یک مدرسه در نپال اقدام به کشتن یک مار نمودند، دچار حالت حمله عصبی و بیهوشی شدند که به گفتهٔ شاهدان ماجرا، به نظر می رسد دلیل این پدیده، ایجاد حالت تشنج و برانگیختگی همگانی در بین کودکان مدرسه باشد. لازم به ذکر است که مار برای بیشتر هندوها، یک جانور مقدس به شمار می آید. از زمان کشتن مار، حداقل ۶۷ دانش آموز که سن آنها بین ۹ تا ۱۶ سال بوده است، دچار حمله عصبی شدید و بیهوشی گردیده‌اند.

بیشتر مردم کشور نپال – که به بام دنیا شهرت دارد – دارای مذهب هندو می باشند و بنابراین، مار را به عنوان یک جانور مقدس به حساب می آورند. بنا به اظهارات معاون مدیر این مدرسه، این کودکان ناگهان فریاد کشیده، گریه کرده و بیهوش می‌شوند. به گفتهٔ او، بعضی از دانش آموزان بعد از چند ساعت حالت عادی خود را به دست می آورند ولی بعضی دیگر هنوز کاملا خوب نشده اند. این مقام مدرسه همچنین به خاطر کشتن مار، از والدین بچه ها و همچنین از مردم این کشور عذرخواهی کرد. مقامات این مدرسه که در ۱۲۵ کیلومتری غرب کاتماندو، پایتخت این کشور واقع است، از روحانیون مذهبی این کشور درخواست کرده‌اند تا

مراسم مذهبی خاصی را برای بیرون راندن ارواح پلید ناشی از کشتن مار توسط مقامات مدرسه، انجام دهند.

پزشکان معالج کودکان به مدیران این مدرسه گفته‌اند که این حالت در کودکان، به دلیل حمله عصبی و برانگیختگی شدید ناشی از ترس از عذاب الهی به دلیل کشتن مار رخ می دهد. یکی از روزنامه نگاران محلی در اظهارات خود اعلام کرده است که روحانیون مذهبی، برای بیرون راندن روح مار از فضای مدرسه اقدام به پاشیدن برنج و آب مقدس در کلاس های درس نموده‌اند. لازم به تذکر است که هندوها، مار را یک جانور مقدس به شمار می آورند و شمایل "شیوا"، خدای ویرانی در مذهب هندو، یک مار به شکل حلقه بر دوش خود دارد.

3.1 Where did the story take place?
- **a.** In a Nepalese community in India.
- **b.** In a Hindu community on the border of India and Nepal.
- **c.** In a school 125 kilometers west of Katamandu, the capital of Nepal
- **d.** Katamandu, the capital of Nepal.

3.2 In Hindu culture, snakes are:
- **a.** The manifestation of the goddess Shiva on earth.
- **b.** The Hindu God of Destruction
- **c.** Sacred animals.
- **d.** The guardian of children.

4

دو نفر از فعالان حقوق حیوانات که یک اعتراض علنی را در خارج از یک رستوران در شهر سنگاپور ترتیب داده بودند، توسط پلیس این کشور دستگیر شدند. علت این دستگیری این بود که این دو نفر با بدن برهنه در مقابل رستوران دست به اعتراض به پایمال شدن حقوق حیوانات زده بودند. "اشلی فرونو"، که یک زن کانادایی ۲۰ ساله است، این اعتراض را در مقابل خروجی رستوران "جوجه سوخاری کنتاکی" (KFC) در مرکز شهر سنگاپور ترتیب داده بود و در حالی که هیچ لباسی به تن نداشت و کاملاً برهنه بود، تنها یک پارچه روی سینهٔ خود نصب کرده بود که روی آن نوشته شده بود: "حقیقت عریان KFC : جوجه ها را شکنجه می دهد ."

این زن، همراه با مدیر اجرایی "جمعیت رفتار مناسب با حیوانات(PETA) که "جیسون بیکر" نام دارد و یک مرد ۳۴ سالهٔ امریکایی است، توسط پلیس دستگیر شده و به مدت ۹ ساعت تحت بازجویی پلیس سنگاپور قرار گرفتند. لازم به ذکر است که این اطلاعات را "بیکر" در اختیار خبرنگاران قرار داده است و همچنین اظهار داشته است که پلیس در نظر دارد این دو نفر را از کشور سنگاپور اخراج نماید. یکی از مقامات پلیس سنگاپور در این رابطه به خبرنگاران گفت که این مسئله صحت دارد، اما از ارائه توضیحات بیشتر در این زمینه خودداری نمود. طبق گفته های "بیکر"، پلیس به این دو نفر گفته است که اجازه ورود دوباره به این کشور را به آنها نخواهد داد .

اعتراضات عمومی در این کشور بسیار نادر است و انجام هرگونه تظاهرات دسته جمعی و حتی هر گونه تجمع بیش از ۴ نفر در خیابان ها، نیاز به اجازه رسمی پلیس این کشور خواهد داشت. در پی این اقدام اعتراض آمیز، اقدامات امنیتی در رابطه با همایش های دیگری که در سنگاپور برگزار خواهد شد، شدت یافته است و پلیس با هرگونه تجمع غیر قانونی، برخورد خواهد کرد.

اعتراض به بد رفتاری با حیوانات، در بیشتر نقاط دنیا و به خصوص در کشورهای آزاد، امری رایج است و مردمی که طرفدار حقوق حیوانات هستند، اعتراض خود را به این گونه بد رفتاری ها به شکل های مختلفی بیان می کنند. اما به نظر می رسد این گونه اعتراض ها در کشور سنگاپور، سابقهٔ چندانی ندارد و البته این اقدام، عاقبت خوشی نیز برای اعتراض کنندگان در پی نداشت!

4.1 This article's main character is :
- **a.** A British Motorist
- **b.** An American driver
- **c.** A suicide bomber from the UK.
- **d.** An British police officer.

4.2 Critics of the speed camera argue that:
- **a.** The cameras malfunction too frequently to be effective.
- **b.** The cameras are a money-making opportunity.
- **c.** The cameras have failed to reduce accidents.
- **d.** The cameras have failed to deliver improved road safety and are little more than a moneymaking opportunity.

5

قیمت نفت در بازارهای جهانی روز به روز بالاتر می رود، تا جایی که "استیو جردن" که یک متخصص حفاری چاه های نفت است، تصمیم گرفته است در کنار خانهٔ خود و در نزدیکی "لیک چارلز" لوئیزیانا، دست به حفاری چاه نفت بزند!

آقای "جردن" که مردی ۵۲ ساله است، گفته است که این چاه نفت تا عمق ۸۵۰۰ فوت (۲۵۹۱ متر) پایین تر از خانه و استخر شنای او و زیر روخانهٔ "کالکاسیو" که در مجاورت آن قرار دارد، پیش خواهد رفت. او امیدوار است بتواند طی ۱۰ روز به نفت برسد و معتقد است در گذشته که قیمت نفت پایین تر بود، این حفاری نمی توانسته است مقرون به صرفه باشد. او در یک مصاحبهٔ تلفنی گفته است که سعی ندارد چیزی را ثابت کند، بلکه می خواهد پول بدست بیاورد.

"انجمن مستقل نفت امریکا" که آقای جردن عضو آن است، جزئیات این پروژه را به اطلاع عموم می رساند. آقای جردن ادعا می کند که امریکایی ها باید حفاری های بیشتری برای دستیابی به منابع نفت انجام دهند تا استقلال بیشتری در مورد منابع انرژی داشته باشند. او معتقد است که شرکت های نفتی امریکا، یکی از عوامل بالارفتن بی سابقهٔ بهای انرژی در این کشور می باشند.

البته آقای جردن قبول دارد که خانهٔ او با خانه های معمولی فرق دارد. خانهٔ ۸۰۰۰ فوت مربعی او در زمینی به مساحت ۶۳ جریب فرنگی (۲۵/۵ هکتار) قرار دارد که امکان عملیات حفاری و غیره را در این محیط وسیع فراهم می نماید. سکوی حفاری که حدود ۲۰۰ متر از درب ورودی ساختمان فاصله دارد، عملیات حفاری را انجام خواهد داد. آقای جردن امیدوار است بین ۲۰۰ تا ۳۰۰ هزار بشکه نفت و احتمالاً مقداری گاز طبیعی از این نقطه استخراج کند. حفاری این چاه نفت در حدود ۲ میلیون دلار هزینه خواهد داشت، اما او امیدوار است بتواند چند برابر سرمایهٔ اولیه ای که در این راه صرف می کند، سود کسب نماید. البته نتیجهٔ این اقدام صد درصد قطعی نیست و او قبلا نیز کار مشابهی را با هزینهٔ ۹۰۰ هزار دلار انجام داده بوده است. در این پروژه، او فقط توانست ۱۳۰ بشکه نفت استخراج نماید اما عقیده دارد که بازهم باید تلاش خود را در این رابطه انجام دهد. او معتقد است که بد نیست مردم سعی کنند خودشان این ذخایر نفتی کوچک را بازیابی نمایند.

5.1 Who is Steve Jordan?
- **a.** An oilman and homeowner in Louisiana.
- **b.** A Louisiana man who cannot afford gas prices.
- **c.** A fan of the show, Beverly Hill Billies.
- **d.** A founding member of the Independent Petroleum Association of America.

5.2 How much will the cost be for Steve Jordan to drill the well in his front yard?
- **a.** 900 thousand dollars.
- **b.** 2 million dollars.
- **c.** 2 thousand dollars.
- **d.** Between 200 and 300 thousand dollars.

6

یک گروه مسلح که احتمالاً از قاچاقچیان مواد مخدر بوده‌اند، در اقدامی که به نظر انتقام جویانه می رسد، در حالی که نقاب اسکی به صورت داشتند، پنج سر بریده شدهٔ انسان را روی سالن رقص یک کافه در غرب مکزیک انداختند و از محل خارج شدند. این گروه که حدود ۲۰ نفر مسلح به هفت تیر و تفنگ بوده و لباس سیاه به تن کرده بودند، کمی بعد از نیمه شب، به زور وارد کافه ای در شهر "اوروآپان" واقع در منطقهٔ "میکائوکان" شده و اقدام به شلیک تیر هوایی نمودند. آنها افراد حاضر در کافه را مجبور کردند تا روی زمین دراز بکشند و سپس، پنج سر بریده شده که متعلق به پنج مرد بود را از کیسه های پلاستیکی خارج کرده و آنها را همراه با یک نامهٔ دست نوشته، روی سالن رقص رها کردند.

این اقدام وحشتناک، چالشی را که در مورد مبارزه با مواد مخدر پیش روی "فلیپ کالدرون" رئیس جمهور آیندهٔ این کشور قرار دارد، بیش از پیش نمایان می سازد. یکی از مقامات محلی در این باره می گوید: "احتمالاً ریشهٔ این مشکل در قاچاق مواد مخدر نهفته است". او معتقد است که این اقدام، ممکن است یک کشتار انتقام جویانه در پاسخ به قتل دو زن باشد که مدتی قبل در همان شهر به قتل رسیده بودند. در این قتل وحشتناک، سر یکی از این دو زن بریده شده و انگشتان وی نیز قطع شده بود. روی نامه ای که همراه با سر بریده شدهٔ پنج مرد به داخل کافه انداخته شده بود نوشته شده بوده است: "عدالت الهی. این گروه برای پول اقدام به قتل نمی کند. این گروه، زنان و مردم بی گناه را به قتل نمی رساند. کسانی که کشته می شوند، کسانی هستند که باید بمیرند. همه باید بدانند که این عدالت الهی است".

به گفتهٔ پلیس محلی، کسانی که برای شناسایی سه نفر از قربانیان به محل آمده بودند، شرکت این افراد را در جنایت پیشین انکار کردند. پلیس به خبرنگاران گفته است که یکی از آنها کشاورز، دیگری یک مکانیک و نفر بعدی نیز یک نفر بیکار بوده است و هیچ یک از آنها افراد پولداری نبوده اند. دو تن از این قربانیان هنوز شناسایی نشده‌اند و پلیس، هنوز باقیماندهٔ جنازهٔ این پنج نفر را پیدا نکرده است. لازم به تذکر است که منطقهٔ "میکائوکان" که یک منطقهٔ بزرگ و کم جمعیت در حاشیهٔ اقیانوس آرام است، محل فعالیت قاچاقچیان مواد مخدر از قبیل کوکائین و ماری جوآنا برای قاچاق این مواد به ایالات متحده امریکا می‌باشد و تا به حال چندین نفر در این منطقه سر بریده شده‌اند.

6.1 Where did the incident mentioned in the story specifically take place?
- **a.** At the gang's headquarters, in Western Mexico
- **b.** At a coco field, in Northern Mexico.
- **c.** At a drug cartel's bar/café, in Northern Mexico.
- **d.** In a bar/cafe dance floor, in Western Mexico

6.2 According to the police, the victims of the gang were:
- **a.** Not wealthy people.
- **b.** Drug traffickers
- **c.** Politicians and other government authorities
- **d.** All farmers.

7

یک سازمان جهانی که در زمینهٔ تجارت الماس فعالیت می کند، به تازگی وارد یک جنبش اعتراضی بر علیه هرگونه تبلیغ منفی که از یک فیلم جدید هالیوودی و همچنین یک آهنگ رپ در مورد "الماس های خونین" سرچشمه می گیرد، گردیده است. دلیل این جنبش اعتراضی که به صورت مدارک چاپی و اینترنتی توسط "شورای جهانی الماس" آغاز شده است، به دلیل نگرانی جواهر فروشان از تاثیرات منفی فیلم

آفتابه و لولهنگ هر دو یک کار میکنند، اما قیمتشان موقع گرو گذاشتن معلوم میشه

الماس های خونین، الماس هایی هستند که به صورت غیر قانونی جهت تقویت مالی کشمکش های منطقه ای در نواحی که به دلیل جنگ دچار از هم پاشیدگی هستند، به خصوص در غرب افریقا، مورد معامله قرار می گیرند و اغلب با تجاوز به حقوق بشر، ارتباط دارند.

"الی ایژاکوف"، رئیس شورای جهانی الماس که در نیویورک واقع است و بیش از ۵۰ سازمان جهانی را در عضویت خود دارد، گفته است که صنعت الماس با آنچه که در این فیلم بیان شده است، مخالف است. او می گوید که این فیلم، بر اساس وقایع اواخر دههٔ ۱۹۹۰ یعنی زمانی که الماس های خونین حدود چهار درصد از فروش جهانی الماس را به خود اختصاص می داد ساخته شده است. اما امروزه وضعیت کاملا فرق کرده است زیرا یک سیستم گواهی دهی، که "فرآیند کیمبرلی" نام دارد، در سال ۲۰۰۰ تدوین گردیده و این الماس های خونین، اکنون کمتر از یک درصد از کل معاملات الماس در دنیا را به خود اختصاص می دهند. "ایژاکوف" می گوید نگرانی ما این است که این فیلم، مربوط به وقایع گذشته است و از آن زمان به بعد، فعالان صنعت، بخش های دولتی و سازمان های غیر دولتی، به شکلی جدی به این مشکل پرداخته‌اند. بنابراین محتوای این فیلم، واقعیت را به گونه ای دیگر برای مردم نشان خواهد داد. لازم به تذکر است که سازمان عفو بین‌الملل، که یک جنبش "روز والنتاین" را در سال جاری بر علیه الماس های خونین آغاز نموده است، می گوید که الماس های استخراج شده در نواحی بحران زدهٔ ساحل عاج در غرب افریقا، هنوز هم به بازار جهانی راه پیدا می کنند. شورای جهانی الماس، یک پایگاه اینترنتی جدید با آگاهی دادن به عموم در مورد جواهرات و چگونگی استخراج آنها تا زمانی که به دست مشتری می رسد، ایجاد کرده است. "ایژاکوف" اضافه می‌کند که صنعت الماس قصد مقابله با فیلم "دی کاپریو" را ندارد، اما می خواهد اطمینان حاصل شود که وقایع ذکر شده در این فیلم با واقعیت های تاریخی هماهنگی دارند.

7.1 How has the Kimberly Process affected the blood diamond industry?
- **a.** It has reduced global sales of blood diamonds.
- **b.** It has reduced the ratio of blood diamonds to total global diamond sales by more than a quarter.
- **c.** It has decreased crimes related to the diamond industry.
- **d.** It has not caused any affect on the diamond industry.

7.2 How is The World Diamond Council responding to the release of the Movie "The Blood Diamond"?
- **a.** It has launched an educational campaign indicating that the movie is based on purely false information.
- **b.** It has stated publicly that since 1990, they have resolved the issue by a certification process.
- **c.** It has increased diamond advertisements to counteract negative publicity.
- **d.** It has launched a website and a 10-million-dollar advertising campaign to address the historical perspective issues that the film overlooks.

8

کاربران اینترنتی خشمگین چینی، خواستار عذرخواهی رسمی یک هنرپیشهٔ تایوانی "جسی منگ" بعد از اقدام وی برای مسخره کردن توالت های عمومی چین و استفاده کنندگان از این توالت ها در یک نمایش تلویزیونی در تایوان گردیده‌اند. "جسی منگ"، که به عنوان یک هنرپیشه و مجری تلویزیونی شهرتی برای خود رقم زده است، در مورد توالت های عمومی چین و استفاده کنندگان از این توالت ها مطالب مزاح آمیزی به

زبان آورده است که با خنده های فراوان تماشاگران در این نمایش تلویزیونی به نام "توفان قرمز" همراه بود.

"منگ" در این رابطه گفته است: بسیاری از توالت ها در چین دارای در نیستند و حتی اگر در هم داشته باشند، بسیاری از مردم زحمت بستن در را به خود نمی دهند! او، خاطره ای در مورد توالتی در یک شهر چینی برای مهمانان این نمایش تلویزیونی تعریف کرد که "صدها نشیمنگاه لخت را که به صف در توالت ها ایستاده بودند" به چشم خود دیده است. نمایش تصویری تکثیر شدهٔ "دروازهٔ توالت" که از اجرای زندهٔ "منگ" تصویر برداری شده است و تلویزیون دولتی چین نیز آن را به صورت غیرقانونی مورد استفاده قرار داده است، در پایگاه های اینترنتی چین منتشر شده و خشم میلیون ها نفر کاربر اینترنتی چینی را برانگیخته است. یکی از وبلاگ نویسان چینی در این مورد به خانم "منگ" گفته است: اگر هنوز چینی بوده و کمی وجدان داشته باشی، باید عذرخواهی کنی! اما "منگ" می گوید از این حمله های اینترنتی و بدنامی هایی که برای او به بار آورده است، به شدت آزرده خاطر شده است. او می گوید: "هرگز تصور بروز این قبیل تهمت ها، اظهار نظرهای تحریک آمیز و ناآرامی های عمومی را بر علیه خودم نمی کردم." لازم به ذکر است که تلویزیون های رایگان تایوان در بین چینی ها و به خصوص افراد جوان دارای طرفداران بسیاری است زیرا برنامه های این تلویزیون ها، بسیار سرزنده تر و سرگرم کننده تر از برنامه های تلویزیون دولتی چین است که کنترل های شدیدی بر آنها اعمال می‌شود. مردم چین، این برنامه ها را از طریق اینترنت و یا ماهواره دریافت می کنند.

8.1 According to the article, who criticized Chinese public toilets?
- **a.** Taiwan's government controlled media.
- **b.** Jessie Mang
- **c.** Chinese internet surfers
- **d.** A and B

8.2 According to the article, the quality of Chinese state controlled television has caused:
- **a.** All foreign television programs to become popular among the entire Chinese population
- **b.** Internet use to rise, especially to download entertainment.
- **c.** Public toilets etiquette to be corrupted.
- **d.** A and B

9

یک فیلم جدید در کرهٔ جنوبی توانسته است رکورد جدیدی در فروش فیلم کسب نموده و البته نگرانی هایی نیز در مورد آلودگی های زیست محیطی ایجاد شده توسط پایگاه های نظامی ایالات متحده در این کشور ایجاد نماید. این فیلم که "میزبان" نام دارد، توانسته است با فروش بیش از ۱۲/۳ میلیون بلیت از زمان شروع نمایش آن در عرض یک ماه، بیشترین فروش را در تاریخ سینمای این کشور بدست آورد.

این میزان فروش برای یک کشور با جمعیت ۴۸/۵ میلیون نفر، بسیار چشمگیر است. این فیلم تا کنون توانسته است بیش از ۱۰۰ میلیون دلار درآمد کسب نموده و انتظار می رود که در آسیا، استقبال چشمگیری از آن به عمل آید. داستان فیلم "میزبان" با یکی از مسئولان بی توجه ارتش امریکا شروع می شود که به یکی از زیردستان خود دستور می دهد تا مواد شیمیایی سمی را به فاضلاب رها کند. این مواد شیمیایی به منبع اصلی آب پایتخت یعنی رودخانهٔ "هان" رسیده و در آنجا باعث ایجاد یک هیولای جهش یافته می شود.

این موجود، از آب های رودخانه سر برآورده و برای کشتن مردم در خیابان های سئول به راه می افتد و در این بین یک دختر کوچک را ربوده و او را به مخفیگاه خود می برد. خانوادهٔ این کودک که وضعیت اسف باری دارند، بعد از ماجراهای بسیار، این دختر را

نجات می دهند. "میزبان" در هنگ کنگ، ژاپن، سنگاپور و تایوان نیز به نمایش در می آید و برنامه هایی برای نمایش آن در اروپا و ایالات متحده نیز در نظر گرفته شده است. ساخت این فیلم، نگرانی هایی را در بین سینماگران محلی برانگیخته است. آنها بر این عقیده‌اند که فیلم "میزبان" از زمینهٔ فیلم های بومی این کشور خارج شده و تبدیل به فیلمی هالیوودی با جلوه های ویژه و کمدی سیاه گردیده است. پروفسور "کانگ هانسوپ" از انستیتو هنر سئول در این باره می گوید: "این فیلم، قانون همزیستی فیلم های کره ای و فرهنگ بومی را نقض نموده است."

فیلم "میزبان" که با بودجه ای معادل ۱۵/۵۹ میلیون دلار ساخته شده است، تحت تأثیر رویدادی بود که در آن، یک فرد بی توجه که برای ارتش ایالات متحده در سئول کار می کرد، اقدام به رهاسازی مقدار زیادی فرمالدئید که یک مادهٔ خطرناک شیمیایی است، در فاضلاب نموده بود و این اقدام باعث بروز خشم عمومی نسبت به ایالات متحده که بیش از ۶۰ سال است در کره جنوبی حضور نظامی دارد، گردید. دو دولت کره جنوبی و ایالات متحده، بیش از یک سال در مورد این که چه کسی مسئول پاکسازی آلودگی های شیمیایی در منطقه است، با یکدیگر مشغول مذاکره بوده‌اند.

البته مقامات کره معتقدند که این فیلم ممکن است به گفتگوهای بین واشنگتن و سئول در مورد بازگشت ۵۹ پایگاه نظامی به کره جنوبی، لطمه وارد سازد. یکی از کارشناسان مسائل کره نیز در مقاله ای که در نیویورک تایمز به چاپ رسید، گفته است که برخی سعی کرده‌اند از فیلم "میزبان" برای برانگیخته کردن احساسات سیاسی ضد امریکایی استفاده نمایند.

9.1 In what country/countries has the film "The Host" been shown?
- **a.** Japan, Hong Kong, Singapore, and Taiwan.
- **b.** North Korea.
- **c.** South Korea.
- **d.** Europe and the USA.

9.2 The people of which country have been offended by this film?
- **a.** South Korea.
- **b.** North Korea.
- **c.** France.
- **d.** The United States.

10

بنا به اظهارات پلیس محلی، یک رانندهٔ اهل سوئیس که به دلیل رانندگی با سرعت غیر مجاز در کشور کانادا دستگیر شده است، ادعا کرده است که دلیل سرعت بالای وی، رانندگی سریع بدون این که با بزها برخورد کند بوده است!

این رانندهٔ سوئیسی، مدتی قبل در حال رانندگی با سرعت ۱۶۱ کیلومتر در ساعت (۱۰۰ مایل در ساعت) در یکی از نواحی شرق "اونتاریو" در کانادا بود که توسط پلیس دستگیر شد. افسر مسئول ترافیک در این منطقه در این رابطه می گوید: "یک راننده اهل سوئیس، در حالی که با سرعتی سرسام آور در تپه ها و نواحی کوهستانی در حال رانندگی بود، ادعا کرده است که به خاطر رانندگی سریع بدون برخورد با بزها، اقدام به این کار نموده است."

پلیس محلی می گوید این اولین مرتبه ای است که چنین بهانه ای را از یک راننده در مورد سرعت غیر مجاز می شنود. سخنگوی پلیس، آقای "جوئل دویرون" در این رابطه می گوید: "من هرگز در کشور سوئیس نبوده ام، اما اطمینان دارم که در آن کشور نیز کسی چنین بهانه ای را نخواهد پذیرفت." ولی همچنین اضافه می کند که طی ۲۰ سال خدمتش در این منطقه، هرگز بزی را در جاده های شرق اونتاریو ندیده است.

البته بهانه ای که این رانندهٔ سوئیسی برای اقدام خود مطرح نمود،چندان کمکی به او نکرد زیرا پلیس،

یک برگ جریمه معادل ۳۶۰ دلار کانادا (۳۳۰ دلار امریکا) برای او صادر نمود.

10.1 What was so abnormal about the Swiss man's driving?

a. He was driving too fast, because he was not afraid of hitting goats.
b. He was driving too slowly, because he was afraid of hitting goats.
c. He was driving with goats in his vehicle.
d. He hit a goat because he was driving too fast.

10.2 What kind of penalty did the Canadian officer give the Swiss driver?

a. He gave him a ticket for 330 Canadian dollars.
b. He gave him a ticket for 360 Canadian dollars.
c. He did not give him a ticket.
d. He took away his goats and gave him a warning.

11

یک بانکدار معروف هنگ کنگی که علاقهٔ بسیاری به رقص نیز دارد، توانست در اقدام قانونی خود در مورد معلمان رقص "سالسا" در دادگاه، موفق شود و مبلغ ۶۲ میلیون دلار هنگ کنگ (معادل ۸ میلیون دلار امریکا) را از آنها بازپس بگیرد.

"مونیکا وونگ"، که دختر ۶۱ سالهٔ یکی از غول های بازرگانی در زمینهٔ کشتیرانی است و خودش نیز جزو مدیران بانک خصوصی HSBC در آسیا می باشد، مدتی پیش موافقت نمود تا مبلغ ۱۲۰ میلیون دلار هنگ کنگ به دو معلم رقص یعنی "میرکو ساکانی" و همسرش "گاینور فیرودر" بابت آموزش های نامحدود و شرکت در مسابقات، بین سال های ۲۰۰۴ تا ۲۰۱۲ پرداخت نماید. اما بعد از پرداخت ۶۲ میلیون دلار هنگ کنگ به عنوان پیش پرداخت، روابط آنها به تیرگی گرایید. "ساکانی" در دادگاه اعتراف کرد که خانم "وونگ" را در طول یک جلسه رقص در ماه اوت ۲۰۰۴، یک "گاو تنبل" خوانده و عبارات زشت دیگری را نیز در مورد او به کار برده است. خانم "وونگ" که از این توهین به شدت ناراحت شده بود، علیه این زوج شکایت کرده و درخواست بازپس گرفتن مبلغ پرداخت شده را نمود. اما این زوج نیز به ادعای قانونی متقابل دست زده و درخواست بقیهٔ پول خود را نمودند. اما دادگاه به نفع خانم وونگ رای داده و دستور داد تا مبلغ ۶۲ میلیون دلار هنگ کنگ به علاوه سود این پول، به این خانم برگردانده شود. قاضی دادگاه، توضیحات شاکی را بسیار پذیرفتنی تر از توضیحات متهمان اعلام کرده است.

در ابتدا، خانم "وونگ" تنها مبلغ ۱۰۰۰ دلار هنگ کنگ برای هر ساعت آموزش به این زوج پرداخت می کرد، اما بعد از مدتی چنان شیفتهٔ این کلاس های آموزشی گردید که حاضر شد یک معاملهٔ چند میلیون دلاری در مورد آن انجام دهد. روابط طرفین در ابتدا بسیار خوب بود و حتی خانم "فیرودر" که تا کنون ۱۵ بار قهرمان مسابقات رقص لاتین شده است، خانم "وونگ" را با عباراتی مانند "پروژهٔ کوچک من، عشق من و قلب من" نامیده بود.

البته این معامله برای خانم "وونگ" مزایایی نیز در پی داشت و او توانست در گروه بالای ۵۰ سال در مسابقات لس آنجلس در سپتامبر ۲۰۰۲، مقام نخست را کسب کند. این اقدام خانم "وونگ" در آن هنگام، بیشتر به عنوان یک فخر فروشی اشرافی در هنگ کنگ که ثروتمند ترین شهر چین به شمار می آید، شهرت یافت.

ثروتمندان بسیاری در منطقهٔ هنگ کنگ حضور دارند و این ناحیه توانسته است از یک دهکدهٔ ماهیگیری کوچک، به یک مرکز بانکداری و مالی بزرگ تبدیل شود و بانک HSBC نیز بزرگ ترین بانک این شهر می باشد.

قاضی این پرونده به خبرنگاران گفته است: "کاملا احتمال دارد که یک فرد حرفه ای، در زندگی خصوصی خود دست به اقداماتی بزند که کسی از او انتظار ندارد. شکی نیست که خانم وونگ، به دلیل علاقهٔ بیش از حد به رقص، دست به چنین اقدامی زده است."

11.1 Why did Monica Wong file a lawsuit against her salsa instructor?
- **a.** Because she did not receive the pre-paid service.
- **b.** Because she was still overweight after taking the lessons.
- **c.** Because she was called a lazy cow and treated disrespectfully by her instructors.
- **d.** Because her classes resulted in low self-esteem.

11.2 According to the judgment, how much money will the salsa instructor pay Wong in damages?
- **a.** HK $62 million.
- **b.** HK $120 million.
- **c.** HK $62 million.
- **d.** HK $62, plus interest.

12

هواداران پروپاقرص تیم "بوکا جونیور" آرژانتین که یکی از تیم های بسیار محبوب فوتبال این کشور به شمار می آید، از این به بعد می توانند در یک گورستان خصوصی که برای آنها در نظر گرفته شده است، به آرامش ابدی دست پیدا کنند. تیم "بوکا" که ستاره های زیادی مانند "دیه گو مارادونا" و دیگر چهره های شاخص فوتبال در آن حضور داشته اند، قبلاً اقدام به ساخت و ارائهٔ تابوت های مخصوص با رنگ های آبی و زرد این تیم به علاقه مندان نموده بود. در حال حاضر، هواداران این تیم می توانند یکی از سه هزار گور در نظر گرفته شده در گورستان "ایرائولا" را برای خود خریداری نمایند.

این گورستان، تقریباً ۳۷ مایل (۶۰ کیلومتر) از پایتخت این کشور فاصله دارد. "ماریا کریستینا دیاز" مدیر این گورستان در این رابطه می گوید: "ما در نظر داریم خدمات خوبی به علاقه مندان این تیم ارائه دهیم و به همین منظور، باید یک گورستان طراز اول داشته باشیم." درهای این گورستان دارای رنگ های آبی و زرد مخصوص این تیم متعلق به بوئنوس آیرس است و بعضی از بخش های آن نیز با چمن ورزشگاه این تیم با نام "بومبونرا" پوشانده خواهد شد.

بنا به گفته های مسئولان این گورستان در رادیوی محلی، بهای گور های در نظر گرفته شده برای علاقه مندان بین ۵۰۰ تا ۹۰۰ دلار در نظر گرفته شده است که بخشی از این درآمد در اختیار همین باشگاه قرار داده خواهد شد. لازم به ذکر است که حدود ۳۰۰ گور اختصاصی برای بازیکنان و مدیران این تیم در نظر گرفته شده است که بعد از مرگ، به صورت رایگان در آنها به خاک سپرده خواهند شد.

12.1 Who may be buried in the cemetery?
- **a.** Argentinean football players.
- **b.** Any football player.
- **c.** Argentinean soccer players who played in the Boca Juniors team.
- **d.** Fans, stars and club executives of the Argentinean Boca Juniors soccer team.

12.2 How does the cemetery fund itself?
- **a.** With commission charged for burying team fans.
- **b.** With team revenues.
- **c.** From the government.
- **d.** Diego Maradona is funding the cemetery.

13

اگر قرار باشد در یک قفس زندگی کنیم و امکان صحبت با هیچ کس را نداشته باشیم، با یک کابوس واقعی روبرو خواهیم بود. اما "یه فو"، یک شاعر چینی اهل شهر "بیجینگ"، تصمیم دارد به مدت ۱۰ روز همین کار را انجام دهد. او در نمایشگاه "فنگ شویی" که در چهارم ماه سپتامبر توسط موزهٔ هنرهای مدرن "زندای" در شانگهای برپا شده است، در یک قفس در معرض دید عموم قرار گرفته است. این اقدام بحث برانگیز، توجه بسیاری از بازدید کنندگان را به خود جلب نموده است و حتی بعضی افراد داوطلب شده اند که همراه با وی در این قفس که دارای ۴ متر طول و ۲ متر عرض است، زندگی کنند. یکی از این داوطلبان، یک خانم ۲۶ ساله به نام "لو زیانهوی" از بیجینگ است. ماه گذشته، هنگامی که این خانم آگهی "یه فو" را در مورد یک داوطلب برای مشارکت در این کار مشاهده کرد، تصمیم گرفت از کار خود کناره گیری کرده و برای کمک به وی به شانگهای برود. "یه" در چهارم سپتامبر و در زمان شروع نمایشگاه، وارد قفس شده است و برنامه این است که او و خانم "لو" به مدت ۱۰ روز در قفس باقی بمانند.

در این مدت، آنها نمی توانند با کسی صحبت کرده و یا لباس های خود را عوض کنند. هر روز، مقداری غذا که بیشتر از سبزیجات تشکیل شده است، در اختیار این هنرمند و هم سلولی اش قرار داده می شود. این دو نفر نه تنها نمی توانند با دیگران صحبت کنند، بلکه امکان صحبت با یکدیگر را نیز ندارند. اما آنها هر روز، یادداشت هایی روی قفس چوبی می نویسند و این روش، تنها راه برقراری ارتباط بین آنهاست.

این اولین باری نیست که "یه" دست به چنین کاری می زند. در آوریل سال ۲۰۰۵ نیز، او یک آشیانهٔ بزرگ پرنده ساخت و به مدت یک ماه در آن زندگی کرد. بسیاری از مردم، این کار را "غیر عادی" می دانند، اما "هوانگ یان" سرپرست نمایشگاه فعلی، این اقدام "یه" را ستوده است. او معتقد است که اقدام او، شیوهٔ زندگی مردم عصر جدید را به خوبی به تصویر می کشد. بیشتر مردم، در حقیقت در زندگی روزمرهٔ خود در قفس زندگی می کنند و هیچ ارتباط حقیقی با یکدیگر ندارند. "هوانگ" همچنین معتقد است که اقدام "یه"، در واقع یک اثر هنری زنده است و بیشتر افرادی که او را مشاهده می کنند، به پیامی که وی سعی دارد به مخاطبان انتقال دهد، پی می برند. البته قضیه به همین جا ختم نمی شود و "یه" قصد دارد بعد از نمایشگاه شانگهای، به "کینگداو" رفته و به مدت ۱۰ روز همراه با یک بچه شیر در یک قفس به سر برد. به گفتهٔ وی، این پروژه بسیار چالش برانگیز تر از اقدامات قبلی وی خواهد بود.

13.1 Why is Ye Fu living in a cage?
- **a.** Because he wants to learn what it is like to live like a bird .
- **b.** Because he does not want to talk to anyone.
- **c.** Because he has a passion of the arts.
- **d.** Because he is making an socio-artistic experiment.

13.2 What is Ye Fu's next project?
- **a.** He will live in a jungle with lions.
- **b.** He will live with a lion cub in a cage for 10 days.
- **c.** He will drink only milk and live with a child.
- **d.** He does not have a next project.

14

یک آتش سوزی در خانهٔ یکی از شاعران روسی قرن نوزدهم در خارج از شهر مسکو که اکنون تبدیل به موزه شده است، به بخشی از دارایی های این موزه خسارت جدی وارد آورده و باعث زخمی شدن دو نگهبان این موزه گردید.

طبق اظهارات سازمان آتش نشانی محلی، دلیل اصلی این واقعه، برخورد صاعقه در هنگام شب با ساختمانی که "فئودور تیوتچف" شاعر نامدار روسی و خانواده اش در قرن نوزدهم در آن زندگی می کرد، بوده است. این مکان در ۵۰ مایلی شمال مسکو قرار گرفته است.

یکی از مقامات فرهنگی این منطقه به خبرنگاران گفته است: "آتش سوزی باعث صدمه دیدن سقف، اتاق زیر شیروانی و تیرهای نگهدارندهٔ ساختمان گردیده است. ولی خوشبختانه وسایل عتیقهٔ داخل خانه، قبل از این که دچار آتش سوزی شوند، از خانه به بیرون حمل شده بودند."

دو نفر از نگهبانان این موزه در حالی که سعی داشتند لوازم داخل خانه را به بیرون ببرند دچار سوختگی نسبتا شدیدی شده اند اما طبق گزارشات رسمی، وضعیت آنها وخیم نبوده و خطری جان آنان را تهدید نمی کند. آقای "ایگور فدون" یکی از مقامات محلی گفته است که خسارات ایجاد شده به دلیل این آتش سوزی، هفتهٔ آینده مورد ارزیابی دقیق قرار خواهند گرفت.

"فئودور تیوتچف" در سال ۱۸۰۳ به دنیا آمد و در سال ۱۸۷۳ چشم از جهان فرو بست. او بخش قابل توجهی از دوران زندگی بزرگسالی خود را در خارج از روسیه و در زمینهٔ خدمات دیپلماتیک سپری نمود و تعداد بسیار کمی از شعرهای او در زمان حیات وی انتشار یافت. اما شعرهای وی با پیدایش نماد گرایی (سمبولیسم) در آغاز قرن بیستم میلادی مورد توجه و تحسین جامعهٔ هنری قرار گرفت و از آن تاریخ به بعد، او را یکی از بزرگ ترین شاعران روسیه می دانند.

14.1 Where did the fire take place?
- **a.** At the home of a 19th-century Russian poet's museum estate, which is located outside Moscow
- **b.** On the 19th floor of a Russian apartment complex, where a famous Russian singer lives.
- **c.** At the home of a Russian singer's estate, which is located outside of Moscow
- **d.** On the 19th floor of a Russian apartment complex, where a famous Russian poet lived.

14.2 What kind of damage did the fire inflict?
- **a.** Structural damage.
- **b.** Only superficial damage.
- **c.** Damage to antique furniture.
- **d.** No damage was inflicted.

15

مدیریت مراسم تدفین مردگان، ممکن است موضوع دلچسبی برای دانشجویان نباشد، اما یک دانشگاه در شانگهای چین، اعتقاد دیگری دارد.

"کیاو کوان یوان" پروفسور مدیریت در "انستیتو فن آوری شانگهای (SIT)" در این باره می‌گوید: "ما این رشتهٔ تخصصی را برای ارتقای سطح صنعت مراسم تدفین به یک سطح جدید، ایجاد نموده ایم."

این اقدام، برای اولین مرتبه است که در این کشور انجام می گیرد. "کیاو" عقیده دارد که استاندارد موجود برای مراسم تدفین مردگان، نمی تواند با توجه به ارتقای استانداردهای زندگی، نیازهای مردم را برآورده سازد و بنابراین بایستی راهی برای این مسئله پیدا شود. ایدهٔ آموزش افراد زبده در زمینهٔ مراسم تدفین حدود چهار سال پیش به ذهن "کیاو" رسیده بود، اما به گفتهٔ وی، جامهٔ حقیقت پوشاندن به این ایده، به خصوص در کشور چین، کار بسیار دشواری بوده است. او اضافه می کند: "غیر از احساس ناخوشایندی که مردم نسبت به وظیفهٔ تدفین مردگان دارند، بعضی افراد، هنوز هم در مورد گنجاندن این تخصص در بین تخصص های دانشگاهی تردید نشان می دهند." اما "کیاو" عقیده دارد که برای علم و دانش نباید حد و مرزی تعیین نمود و تدفین مردگان نیز مانند هر مسئلهٔ دیگری می تواند

اگر بپوشی رختی، بنشینی به تختی، تازه می بینمت بچشم آن وختی

مورد تحقیق و پژوهش قرار گرفته و به دانشجویان تدریس شود.

در حال حاضر دوازده کتاب درسی با عنوان های مختلف از قبیل اخلاق، مدیریت و روان شناسی برای این رشتهٔ تحصیلی در نظر گرفته شده و ۳۳ دانشجو نیز برای شرکت در این دوره، اعلام آمادگی نموده اند. این دوره، مدت دو سال به طول انجامیده و هزینه ای معادل ۲۰ هزار یوآن (۲۶۰۰ دلار امریکا) برای دانشجویان خواهد داشت.

همچنین هشت استاد در دانشگاه SIT برای نوشتن کتاب های درسی مرتبط، در نظر گرفته شده‌اند. در این کتاب های درسی، مواردی مانند حفاظت از محیط زیست در زمینهٔ تدفین و سوزاندن مردگان گنجانده خواهد شد. تمام دانشجویانی که در این دوره شرکت خواهند کرد، باید حداقل دارای مدرک کارشناسی باشند اما محدودیتی برای رشتهٔ تحصیلی آنها در دورهٔ کارشناسی وجود ندارد.

یکی از دانشجویانی که برای شرکت در این دوره تمایل نشان داده است، عقیده دارد که تخصص تدفین مردگان، بیش از آن که خدمت رسانی به مردگان باشد، به افراد زنده می‌پردازد. بنابراین، چنین تخصصی آنقدر که بعضی مردم تصور می کنند وحشتناک نیست، به خصوص که بیشتر افراد مجبور نیستند جسد مرده را ببینند. این دانشجو، علت انتخاب این رشته را فرصتی برای ورود به این صنعت خاص می بیند.

کسانی که در زمینهٔ تدفین مردگان فعالیت می کنند، بین ۳۰ تا ۵۰ هزار یوآن در سال دریافت می کنند که درآمدی بالاتر از میانگین برای این شهر به شمار می آید. هر ساله، حدود ۵۰ هزار نفر در مرکز شانگهای فوت می کنند، اما فقط سه مرکز دولتی برای رسیدگی به این حجم بالای تقاضا وجود دارد.

15.1 The article describes a discrepancy in the establishment of:

- **a.** Funeral services held at the Shanghai Institute of Technology.
- **b.** An advanced funeral management training program at the Shanghai Institute of Technology.
- **c.** A controversial professor at the Shanghai Institute of Technology.
- **d.** A new management class at the Shanghai Institute of Technology.

15.2 Who was/were questioning the necessity of the program ?

- **a.** Qiao Kuanyuan.
- **b.** University staff.
- **c.** University staff and the general public.
- **d.** The people.

16

یک کودک ۱۱ سالهٔ هندی، موفق شد ۲۵۵ موضوع گوناگونی را به خاطر سپرده و رکورد جدیدی در کتاب رکورد های "گینس" ثبت نماید.

"نیشال نارایانام" که دانش آموز یک مدرسه ابتدایی در حیدرآباد هندوستان است، ورود نام خود به کتاب رکورد های گینس را در یک کنفرانس خبری و بعد از دریافت گواهی از شرکت رکورد های جهانی گینس، اعلام نمود. این پسر، در حضور گروهی از افراد سرشناس که به عنوان داور حضور داشتند، توانایی خود را برای گینس به نمایش گذاشت. او نه تنها موفق شد ۲۵۵ موضوع مختلف که به صورت تصادفی دسته بندی شده بودند را به خاطر آورد، بلکه توانست شمارهٔ تخصیص یافته به هریک از این موضوعات را نیز ذکر کند.

"نیشال" از این موفقیت بسیار خوشحال است و آن را مدیون تلاش های مادرش می داند که در واقع آموزگار اصلی او نیز بوده است. مادر نیشال، که یک زن خانه دار با مدرک دکترا در زبان سانسکریت است، مدتی پیش به حافظه و استعداد شگرف پسرش در ریاضیات پی برد و به همین دلیل، تصمیم گرفت از یک معلم

خصوصی برای پرورش این استعداد استفاده کند. معلم "نیشال" نیز قبلا در سال گذشته موفق شده بود با به خاطر سپردن ۲۰۰ موضوع، رکورد قبلی را بهبود بخشد.

نیشال معتقد است که برای کسب این موفقیت، علاوه بر استفاده از روش های علمی، به تمرکز، جدیت و ارادهٔ قوی نیاز است. او مسائل ریاضی را به کمک "رویکرد جهانی سیستم حساب ذهنی (UCMAS)" حل می کند. او همچنین در کار با چرتکه و بازی شطرنج با چشمان بسته نیز مهارت خاصی دارد.

او روش هایی نیز برای کمک به کودکان جهت یادگیری سریع ریاضیات ابداع کرده است که به نام Math Lab شهرت دارد. این روش در قالب شش جلد کتاب و همچنین تعدادی منابع کمک آموزشی ارائه شده است. پنج جلد اول، چهار عمل اصلی ریاضیات را توضیح داده و جلد ششم نیز مفاهیم اولیهٔ ریاضیات را با سرعت و سهولت بیشتری به کودکان یاد می دهد.

16.1 Whom does Nischal primarily accredit for his personal accomplishment?

a. His mother.
b. His mentor.
c. His primary school teacher.
d. The Math lab.

16.2 What did Nischal publish?

a. The Guinness Book of World Records in Sanscrit .
b. A 6-volume book with a set of methods to help children learn mathematics quicker and easier .
c. A 6-volume book with a set of methods to help children memorize random objects quicker and easier .
d. A book about his recent accomplishments.

17

دانشگاه "یانان" در چین، به تازگی روشی را برای بررسی وضعیت شرکت دانشجویان در کلاس های درس، با استفاده از ساعت حضور و غیاب، به کار گرفته است. به گفتهٔ یکی از روزنامه های محلی، از نیمسال تحصیلی بعدی، دانشجویان بایستی قبل از شروع کلاس، ورود خود را توسط ساعت حضور و غیاب ثبت نمایند. استادان این دانشگاه، برنامه ریزی این طرح جدید را از سال قبل شروع کردند. آنها تعداد ۱۰ ساعت حضور و غیاب و بیش از ۴۰۰ کارت مغناطیسی مخصوص این ساعت ها را در تعطیلات تابستانی خریداری نموده‌اند و قرار است دانشجویان دانشکدهٔ هنر و طراحی این دانشگاه، به صورت آزمایشی از این سیستم در نیمسال تحصیلی آینده استفاده نمایند. در آغاز این نیمسال تحصیلی، مقامات دانشگاه به استادان این دانشکده اعلام نمودند که این طرح اجرا شده و دانشجویان باید قبل از ورود به کلاس، کارت ساعت خود را وارد نمایند و البته این مسئله، بحث های فراوانی را بین استادان و دانشجویان به وجود آورده است.

پروفسور "نونگ وی" از دانشکدهٔ هنر و طراحی این دانشگاه، یکی از کسانی است که ایدهٔ استفاده از ساعت حضور و غیاب را برای ثبت حضور دانشجویان مطرح کرده است. او معتقد است که به این روش، دانشگاه میتواند سوابق حضور دانشجویان را به شکلی دقیق و به موقع ثبت نموده و همچنین از تبانی دانشجویان با استادان برای تغییر این سوابق حضور، جلوگیری نماید. "نونگ" همچنین اظهار می دارد: "قبلا کار حضور و غیاب دانشجویان در حدود ۱۰ دقیقه طول می‌کشید، اما حالا این کار بیش از ۲ دقیقه زمان نیاز ندارد."

به نظر مقامات دانشگاه، این روش یک راهکار بازدارندهٔ موثر برای دانشجویانی است که سعی دارند از کلاس ها فرار کنند و بعد از اجرای این طرح، سوابق حضور دانشجویان، شکل بسیار بهتری به خود گرفته است.

اگر دانی که نان دادن ثواب است - تو خود میخور که بغدادت خرابست

این دانشگاه، یک نظرسنجی نیز در این رابطه در بین دانشجویان انجام داده است، اما نتایج بدست آمده چندان امیدوار کننده نیستند. طبق قوانین این دانشگاه، دانشجویی که بیش از سه بار در یک کلاس غیبت داشته باشد، از دادن امتحان محروم خواهد بود. اما این قانون کارآیی چندانی نداشت، زیرا استادان این دانشگاه، غیبت دانشجویان را چندان جدی نمی‌گرفتند.

بنابراین، نیاز شدیدی به اجرای این طرح احساس می‌شد و البته بیشتر استادان نیز از این طرح استقبال کرده‌اند و عقیده دارند که سیستم ساعت حضور و غیاب، می تواند نظم دانشجویان و همچنین استادان را بهبود ببخشد. یکی از استادان دانشکدهٔ هنر و طراحی، عقیده دارد که وجود این ساعت ها، باعث می شود تا استادان نیز کلاس های خود را به موقع شروع نمایند. یکی از دانشجویان نیز گفته است که به دلیل وجود این سیستم، دیگر هرگز دیر بر سر کلاس حاضر نمی‌شود.

هرچند که تعداد طرفداران این طرح از مخالفان آن بیشتر است، اما واکنش های نامطلوبی نیز به این طرح وجود داشته است. چندی پیش، یک تماس تلفنی ناشناس از سوی دانشجویان انجام شد که در آن، تماس گیرنده گفته بود که این روش، باعث تحقیر دانشجویان می شود و با حقوق دانشجویی منافات دارد.

17.1 Which of the following is not a specific, direct benefit of the new time card system implemented at Yunan University?

a. It saves money
b. It prevents students from skipping class
c. It improves student-instructor relations
d. It saves time.

18

بسیاری از مردم تصور می کنند که زندگی کسی که برندهٔ جایزهٔ نوبل شده است، بسیار هیجان انگیز و دلفریب است. اما "رابرت ماندل" برندهٔ جایزه نوبل در رشته اقتصاد در سال ۱۹۹۹، این مسئله را به گونه ای کاملا متفاوت شرح می دهد. او معتقد است که ۱۸ ساعت کار روزانه، تمام زندگی انسان را به خود اختصاص خواهد داد.

"ماندل" برای شرکت در "گردهمایی بزرگداشت برندگان جایزه نوبل در بیجینگ" که توسط "آکادمی علوم چین" برگزار می شود، در کشور چین به سر می برد.

"ماندل" در این رابطه می گوید: "کسی نمی تواند فقط با تلاش زیاد به جایزهٔ نوبل دست پیدا کند، بلکه باید در این زمینه علاقمند بوده و خلاقیت به خرج دهد."

با توجه به پافشاری دولت چین در مورد به کارگیری یک سبک جدید در زمینهٔ رشد اقتصادی، که به جای کار زیاد و ارزان بر روی نوآوری و درون انگیزی تمرکز دارد، اظهارات "ماندل" بسیار مناسب به نظر می رسد. هنگامی که "ماندل" در مورد خلاقیت و نگرش خود در مورد مسائل علمی صحبت می کند، همیشه از لذت بخش بودن و شورانگیز بودن تحقیقات علمی سخن می گوید. او معتقد است: "برندگان جایزهٔ نوبل، این سبک زندگی را دوست دارند (۱۸ ساعت کار مداوم در روز) و به هیچ وجه احساس خستگی نمی کنند.

هفت برندهٔ جایزه نوبل شرکت کننده در این گردهمایی عبارتند از "لی تسونگ دائو" برنده جایزه نوبل فیزیک در سال ۱۹۵۷، "رابرت ماندل"، "رابرت هوبر و هارتموت میشل" که جایزه نوبل شیمی در سال ۱۹۸۸ را به طور مشترک بردند، "فرید مراد و لویی ایگنارو" که جایزه نوبل پزشکی سال ۱۹۸۸ را به طور

مشترک از آن خود کردند، و همچنین "آرون سیشانوور" که جایزۀ نوبل شیمی در سال ۲۰۰۴ را به خود اختصاص داده است.

"ماندل" در این گردهمایی گفت که تحقیقات علمی از نظر او، تمرکز بر روی جزئیات، تلاش بی وقفه، خلاقیت و استعداد است. تفکر خلاق و شخصیت اخلاقی انسان نیز در این بین دارای اهمیت است. اما او خاطر نشان می سازد که در این زمینه نیز مانند هر فعالیت دیگری، سرقت ایده ها و یافته ها و دزدی های علمی وجود دارد. او معتقد است که اصلاحات آموزشی، یکی از راه های مبارزه با این دزدی های علمی است.

در طول این گردهمایی سه روزه، "ماندل" سخنرانی اصلی را در زمینۀ پیشرفت هماهنگ بشریت ایراد نموده و دیگران نیز سخنرانی هایی در زمینۀ آیندۀ علمی کشور چین در زمینه های مختلف خواهند داشت. در کشور چین، "ماندل" را به عنوان "پدر یورو" می‌شناسند. اما پسر هشت سالۀ او به نام "نیکولاس" که در طول مصاحبۀ مطبوعاتی در کنار او نشسته بود، ظاهراً توجه چندانی به شهرت پدرش نشان نمی داد و به نظر او، "ماندل" ۷۴ ساله فقط یک پدر خوب است. نیکولاس می گوید: "پدرم یک نابغۀ فوتبال است و می‌داند چگونه تنها با استفاده از انگشتان پایش، فوتبال بازی کند!"

18.1 Why has Robert Mundell traveled to China?
- **a.** To visit tourist sights.
- **b.** To attend a round table forum for Nobel recipients.
- **c.** To propagate his views on science.
- **d.** To receive his Nobel prize.

18.2 For how long will Robert Mundell be in China?
- **a.** 3 days.
- **b.** 4 days.
- **c.** One week.
- **d.** I don't know.

19

طبق اظهارات مقامات محلی، دولت استان "شانگزی" کشور چین در نظر دارد مبلغ ۵۰۰ میلیون یوآن (معادل ۶۲/۵ میلیون دلار امریکا) در زمینۀ حفاظت از میراث فرهنگی این منطقه هزینه نماید. این استان که در شمال غرب کشور چین واقع است، زادگاه سربازان سفالی به شمار می آید که از شهرت جهانی برخوردار هستند.

به گفتۀ "ژائو رونگ"، مدیر ادارۀ میراث فرهنگی "شانگزی"، این پول صرف حفاظت از "چانگ آن"، پایتخت پیشین سلسله پادشاهان "هان" و "تانگ" و نیز "قصر اپانگ" که توسط اولین امپراتور چین در ۲۲۰۰ سال قبل ساخته شد، خواهد گردید. منطقۀ "شانگزی" دارای ۱۰۴۹۷ منطقۀ تاریخی و ۴۳۶۸ گور باستانی است که شامل گور معروف "کینشی هوانگ" اولین امپراتور چین نیز می گردد. در این نقطه بود که سربازان سفالی توسط باستان شناسان کشف شدند.

به گفتۀ "ژائو"، لطمه هایی که انسان ها به این میراث عظیم فرهنگی وارد می کنند، بزرگ ترین خطری است که این میراث تاریخی را تهدید می کند. با این بودجۀ تخصیص یافته، دولت محلی می تواند محیط این بخش های تاریخی را بهبود بخشیده، بعضی از ساختمان های ابتدایی را جایگزین نموده و در اطراف نقاط مهم، نرده های محافظ کار بگذارد تا از تخریب این محل باستانی توسط افراد غیر مسئول جلوگیری به عمل آید.

19.1 On what is the provincial government of the Chinese Shaanxi Province spending 500 million Yuan?
- **a.** Protecting cultural relics.
- **b.** Promoting tourism.
- **c.** Building roads.
- **d.** Promoting Han history.

19.2 Who is Zhao Rong?
- **a.** The mayor of Han and Tang cities in China.
- **b.** Director of the Shaanxi Cultural Relics Bureau.
- **c.** The mayor of Shaanxi.
- **d.** The first Chinese emperor.

20

چندی پیش، تعداد شش کفش چرمی که عمر آنها در حدود ۲۰۰۰ سال تخمین زده می شود، در منطقه "دون هوانگ" در استان "گانسو" که در شمال غربی این کشور واقع شده است، کشف گردید. به گفتهٔ "هی شوانگ کوانگ" یکی از باستان شناسان استان "گانسو"، این کفش های چرمی که متعلق به سلسله پادشاهی "هان" (سال ۲۰۵ قبل از میلاد تا سال ۲۲۰ بعد از میلاد مسیح) می باشند، قدیمی ترین کفش های چرمی یافت شده در چین به شمار می آیند و نشان می دهند که تاریخچهٔ ساخت کفش های چرمی درکشور چین، حدود ۱۰۰۰ سال قدیمی تر از چیزی است که قبلاً تصور می شده است.

به گفتهٔ "هی" که سرپرستی گروه باستان شناسی محلی را برای حفاری در منطقه باستانی "زوان کوانزی" در صحرای "دون هوانگ" به عهده داشته است، این کفش های تازه کشف شده که دارای وضعیت خوبی نیز هستند، برای بچه های کوچک بین ۳ تا ۶ ساله ساخته شده اند. این کفش های زرد رنگ از پوست دباغی شدهٔ حیوانات ساخته شده و دارای کف تخت می باشند. یکی از این کفش ها دارای بند نیز می باشد. این چرم، جلا داده نشده است و بنابراین، هنوز می توان رگه های چرم را روی آنها مشاهده نمود.

"هی" همچنین اضافه می کند: "می توان دید که صنعت ساخت کفش در آن زمان، به صنعت امروزی آن بسیار نزدیک است." لازم به ذکر است که اشیای قدیمی ارزشمند دیگری نیز مانند کتاب ها، نامه ها، باقیماندهٔ حیوانات و گیاهان و همچنین لوازم شخصی افراد در این حفاری باستان شناسی کشف گردیده اند.

20.1 According to the article, what does the discovery of these shoes signify?
- **a.** That children wore shoes in China 1,000 years ago.
- **b.** That the first pair of shoes was invented in China's Gansu Province.
- **c.** That leather shoes were first invented in China.
- **d.** That the history of China's leather shoe-making is some 1,000 years longer than previously believed.

20.2 How does the article describe the shoe?
- **a.** The shoes have shoelaces.
- **b.** They are yellow-colored children's shoes made from cattle hide.
- **c.** The shoes have flat soles.
- **d.** All of the above.

21

تابلوی "نبرد آنگیاری"، یکی از معروف ترین نقاشی های دوران رنسانس است که توسط نقاش نامدار ایتالیایی یعنی "لئوناردو داوینچی" خلق شده است. "نبرد آنگیاری"، جنگ بین جمهوری فلورانس و یک ارتش از میلان را در منطقهٔ توسکانی به تصویر می کشد. این تابلو، شهرتی مانند تابلوی معروف "مونا لیزا" دارد، اما به مدت ۴۰۰ سال مفقود شده بوده است. بعد از این که دانشمندان متوجه شدند که این تابلو در داخل دیوار ساختمان دولتی فلورانس مخفی شده است، یک گروه ویژه برای کاوش این اثر بزرگ هنری تشکیل گردید.

"نبرد آنگیاری"، که خشونت انسان در جنگ را به تصویر در آورده است، یکی از مهم ترین نقاشی های لئوناردو داوینچی به شمار می آید. این نقاشی در ساختمان دولتی فلورانس در آن زمان، توسط داوینچی کشیده شد. "مارتین کوئپ" که پروفسور دانشگاه آکسفورد و هماهنگ کنندهٔ برگزاریی یک نمایشگاه از نقاشی های داوینچی در انگلستان است، می گوید که

هریک از کارهای هنری داوینچی، تاثیر به سزایی در دنیای هنر داشته است. تابلوی "مونا لیزا"، نحوۀ کشیدن تابلو از صورت انسان را دگرگون ساخت، تابلوی "شام آخر" روایت گویی در نقاشی را به ارمغان آورد و تابلوی "نبرد آنگیاری" نیز نحوۀ توصیف خشونت در نقاشی را متحول نمود. اما در سالهای ۱۵۶۰ و در طول بازسازی این ساختمان دولتی، مردم متوجه شدند که یک نقاشی جدید، نقاشی اصلی "نبرد آنگیاری" را پنهان کرده است. تاریخ نگاران هنری، ثابت کردند که یک فاصله خالی به اندازۀ یک اینچ در پشت نقاشی جدید وجود دارد و تابلوی "نبرد آنگیاری" می تواند در آن مخفی شده باشد. این ادعا باعث شگفتی علاقه مندان به نقاشی در سراسر دنیا گردید. مردم انتظار داشتند که شاهکار اصلی "نبرد آنگیاری" را ببینند.

21.1 Which painting is the main subject of this article?

- **a.** "The Battle of Anghiara" by Leonardo DaVinci.
- **b.** Mona Lisa by Leonardo DaVinci.
- **c.** The Battle of Anghiara by Rubens.
- **d.** None of the above.

21.2 What does Martin Koepp think about the painting which is the subject of this article?

- **a.** It changed the way portraits were painted.
- **b.** It transformed narration in paintings.
- **c.** It altered the way paintings describe violence.
- **d.** All of the above.

22

دو نفر از کار آفرینان چینی، مبلغ ۲۰۰ میلیون یوآن (معادل ۲۵ میلیون دلار امریکا) برای ساخت ساختمان یک موزه سرمایه گذاری کرده‌اند که مبلمان های عتیقه و هنر به کار رفته در آنها را به نمایش می گذارد. ساخت این موزه در "سوژو" که یک شهر توریستی در شرق استان "جیانگ سو" در چین است، به زودی آغاز خواهد شد. این دو نفر سرمایه گذار، یکی در زمینۀ ساخت مبلمان گران قیمت فعالیت داشته و دیگری مالک یکی از فروشگاه های زنجیره ای جواهرات است و طبق ادعای آنان، انگیزۀ این طرح، علاقۀ زیاد به هنر بوده است. این موزه که بازدید آن برای عموم رایگان است، مبلمان های ساخته شده توسط استادان "سوژو" را در زمان سلسله پادشاهی "مینگ" (۱۳۶۸ تا ۱۶۴۴ میلادی) و "کینگ" (۱۶۴۴ تا ۱۹۱۱) به نمایش می گذارد. این مجموعه توسط همین افراد از سراسر کشور جمع آوری شده است. در این موزه، اتاقی نیز برای نمایش دادن روش های جدید برای نسخه برداری از وسایل عتیقه در نظر گرفته شده است.

نسخه برداری از مبلمان ساخته شده در این دوران، در فهرست میراث فرهنگی حفاظت شدۀ این کشور قرار داده شده است.

یکی از سرمایه گذاران این موزه به خبرنگاران گفته است که کل این موزه، به سبک معماری دوران "مینگ" و "کینگ" ساخته خواهد شد و وسایل داخل موزه نیز مطابق آنچه که در کتاب های تاریخی توصیف شده است، در هر اتاق قرار خواهند گرفت.

در این موزه، همچنین آموزش های رایگان در مورد ساخت مبلمان عتیقه برای افراد معلول در نظر گرفته شده است. متخصصان مربوطه، این روش ها را به طور منظم در این موزه در اختیار علاقه مندان قرار خواهند داد. هر دو سرمایه گذار این موزه اعلام کرده‌اند که با توجه به درآمدی که از فعالیت های تجاری خود دارند، این توانایی را خواهند داشت تا این موزه را به صورت رایگان در معرض دید عموم قرار دهند.

یکی از این سرمایه گذاران در این باره گفته است: "از سه سال پیش که ایدۀ ساخت چنین موزه ای به ذهن ما رسید، به هیچ وجه در فکر سود اقتصادی

نبودیم و تکیهٔ اصلی ما بر روی ارتقای هنر باستانی سرزمین چین بوده است.“

اما بعضی افراد عقیده دارند که با وجود این که بازدید از این موزه برای عموم رایگان است، بازهم وجود چنین موزه ای برای سازندگان آن سودآوری خواهد داشت. یکی از شهروندان این شهر می گوید: ”انتظار می رود که هزاران نفر توریست و همچنین مردم محلی از این موزه که در ناحیهٔ مرکزی شهر قرار گرفته است، بازدید نمایند و بدین ترتیب، افراد بیشتری اقدام به خرید محصولات ساخته شده توسط سرمایه گذاران این موزه خواهند نمود.“ ولی افراد دیگری نیز هستند که از ساخت چنین موزه هایی استقبال می کنند و معتقدند وجود آنها باعث آشنایی بیشتر مردم با فرهنگ باستانی این کشور خواهد شد.

”سوژو“ که شهری با میراث فرهنگی بسیار غنی است، دارای چندین موزهٔ خصوصی است که هنرهای سنتی این کشور را برای علاقه مندان به نمایش می گذارد.

22.1 Where is the museum receiving its funding from?
- **a.** From museum entrance fees.
- **b.** From the stable incomes of the two investors' respective businesses.
- **c.** From public donations.
- **d.** From the investors' savings.

22.2 Where will the museum be built?
- **a.** In Pingjiang District, China.
- **b.** In downtown Suzhou, China.
- **c.** In an Eastern Chinese tourist city.
- **d.** All of the above.

23

ساکیامونی پاگودا که بلندترین سازهٔ چوبی دنیا به شمار می آید، نهصد و پنجاهمین سالگرد ساخت خود را در بین نگرانی هایی که در مورد کج شدن این برج در بین مهندسان معماری وجود دارد، جشن می گیرد. خیابان های مقابل معبد فوگونگ که پاگودا در آن واقع شده است، مملو از جمعیت ۳۰ هزار نفری بود که با پرچم های قرمز و بادکنک های رنگی، این سالگرد را جشن گرفته بودند. در حدود ساعت ۱۰ صبح، تعداد سه هزار پرندهٔ صلح از این محل به آسمان رها شدند. مدتی بعد، یک ناقوس هفت تنی برای ۱۰۸ مرتبه به صدا در آمد. این کار، نمادی از باورهای بودایی است که می گوید این اقدام می تواند ۱۰۸ نگرانی را از افراد دور کند.

در بین شرکت کنندگان در این جشن، بیش از ۲۰۰ راهب بودایی و پیروان این مذهب دیده می‌شدند که از تایوان برای شرکت در این جشن که در استان شمالی شانگزی چین برگزار می‌شود، به این منطقه سفر کرده بودند.

اما متخصصان معماری در مورد آیندهٔ این برج چندان خوش بین نیستند و معتقدند که این برج تاریخی ممکن است در اثر بروز یک زمین لرزه یا توفان شدید، از پای در آید. در حال حاضر، یک کج شدگی محسوس بین طبقات اول و دوم این برج دیده می شود و ترک هایی نیز در ستون های چوبی داخل آن مشاهده شده است. طبق گفتهٔ مقامات معماری سنتی این منطقه، حدود ۳۰۰ نقطه از این برج نیاز به تعمیر دارد.

این مقامات معتقدند که وضعیت کلی برج در شرایط خطرناکی قرار دارد و بنابراین به نظر نمی‌رسد که این برج بتواند در مقابل زمین لرزه ها یا توفان های شدید در آینده دوام بیاورد. این برج که ۶۷/۳۱ متر ارتفاع دارد و به صورت هشت ضلعی ساخته شده است، نه تنها بلندترین، بلکه قدیمی ترین برج چوبی در چین به شمار می آید. این برج، ۱۱۵ سال قدیمی تر و ۱۱/۳۶ متر بلندتر از ”برج کج پیزا“ در ایتالیا می باشد. این برج مدت های طولانی است که به عنوان بلندترین برج چوبی دنیا و با ارزش های معماری، مذهبی و تاریخی منحصر به فرد خود، مورد ستایش قرار گرفته است.

حدود ۱۷ سال پیش، چین در مورد تعمیر این برج به بررسی پرداخت، اما فرآیند این اقدام بسیار آهسته بوده است. گروهی از متخصصان نامدار در مورد معماری باستانی در مورد چگونگی تعمیر این برج به بحث و تبادل نظر پرداخته‌اند. البته طبق اظهارات مقامات مسئول، این متخصصان هنوز به اتفاق نظر دست پیدا نکرده‌اند. بسیاری از این متخصصان با ساخت مجدد این برج مخالفت کرده‌اند و معتقدند که بدین ترتیب، از ارزش تاریخی آن به میزان قابل توجهی کاسته خواهد شد. اما کسانی نیز هستند که از این نظریه پشتیبانی می کنند. اما واقعیت این است که این بحث های بی پایان، دردی را از این برج تاریخی دوا نمی کند و همه نگران هستند که شاید این برج نتواند به عمر هزار سالگی خود برسد.

23.1 What is the biggest fear among architectural scholars about the Sakyamuni Pagoda?

a. That the tilting tower will succumb to the next major quake or hurricane

b. That any repairs will dramatically reduce the religious value of the site

c. That the lack of consensus among scholars will prevent the necessary restoration

d. Both A and B

23.2 In Buddhist belief, ringing the seven-ton bell 108 times:

a. Brings good luck.

b. Dispels a person's 108 worries.

c. Creates world peace.

d. Allows people to reassess their life up to now.

24

معبد شائولین که در شهر سونگ شان در استان هنان چین واقع است، اولین نمایشگاه هنری خود را در سوم ماه سپتامبر در معرض دید عموم قرار داده است. این نمایشگاه شامل تصاویری از هنرمند تایوانی با نام کای ژی ژونگ است و هدف از برپایی این نمایشگاه نیز، یکپارچه سازی فرهنگ باستانی معبد شائولین با فرهنگ مردم پسند امروزی اعلام شده است.

شی یونگ زین یکی از مقامات این معبد به خبرنگاران گفته است که این معبد، قبلاً نیز به خاطر لوحه های سنگی که دارای تصاویر و واژه هایی با بیش از هزار سال قدمت می باشند، به اندازه کافی معروف بوده است. هر دورهٔ تاریخی دارای یک لوحهٔ خاص خود می باشد و این آثار هنری که به صورت نقش های کاریکاتور بر روی سنگ نگاشته شده اند نیز نمایانگر دورهٔ فرهنگی امروزی می باشند. او امیدوار است که این اثر های هنری جدید بتوانند جنبه های فرهنگی معبد شائولین در عصر جدید را ارتقا بخشند.

24.1 What is the stated purpose of the art exhibit at the Shaolin Temple?

a. To unite ancient Shaolin culture with popular culture.

b. To draw attention to the plight of the ancient Shaolin culture.

c. To display the works of a Taiwanese artist named Cai Zhi Zhong.

d. Both A and C.

24.2 According to the temple abbot, what has made the temple famous for centuries?

a. Stone steles that depict various eras of the temple's history.

b. Caricatures on stone that depict the temple's modern history.

c. The temple's openness to various forms of art.

d. Both A and B.

25

دانشمندان به تازگی اعلام کرده اند که موفق به کشف فسیلی از دندان یک پاندای بزرگ در ناحیهٔ مرکزی چین گردیده اند. این کشف، اولین نشانهٔ وجود پانداهای بزرگ در این منطقه به شمار می آید.

به کچله گفتند : چرا زلف نمیزاری ؟ گفت : من از این قرتی گیریها خوشم نمیاد

به گفتهٔ هوانگ وانبو، محقق انستیتو دیرین شناسی مهره داران از آکادمی علوم چین، فسیل دندان این پاندای بزرگ در ماه ژوئن در منطقه باستانی لینگ جینگ در شهر زو چانگ در استان هنان کشور چین کشف شده است. انجام تحقیقات دقیق به منظور شناسایی این فسیل، در حدود دو ماه به طول انجامیده است. هوانگ که چهرهٔ شاخصی در این تحقیقات به شمار می آید، می گوید که این دندان تقریبا شکل گرد داشته و متعلق به سمت راست فک پایینی پاندای بزرگ می باشد. بر روی مینای دندان کشف شده در قسمت تاج آن و همچنین بر روی سطح این دندان، آثار صدماتی نیز دیده می شود.

طبق اظهارات هوانگ، این برآمدگی ها را نمی توان بر روی گونه های دیگر خرس ها مشاهده نمود. این برآمدگی ها به این دلیل به وجود آمده اند که پاندای بزرگ، از گیاه خیزران تغذیه می کرده است. متخصصان باستان شناسی، از این کشف جالب به هیجان آمده اند زیرا این کشف ثابت می کند که پانداهای بزرگ در فاصله بین ۱۲۰۰۰ تا ۱۲۸۰۰۰ سال قبل، در این ناحیه زندگی می کرده اند.

25.1 What observation led Huang to conclude that the fossil tooth belonged to a giant panda?
- **a.** Discovery of ancient bamboo in close association with the discovered tooth.
- **b.** Damages on the enamel on the crown and surfaces of the tooth in compliance with the known diet of the giant panda.
- **c.** Discovery of the tooth in a province well known for having been home to giant pandas.
- **d.** The fact that giant pandas have been known to have roamed in the area from about 12,000 to 128,000 years ago.

25.2 According to Huang, what was the major food source for giant pandas?
- **a.** Shoots and leaves.
- **b.** Mosses.
- **c.** The bamboo plant.
- **d.** Both A and C.

26

نمایشگاه دوسالانهٔ شانگهای با نام "طراحی ماورایی"، آثاری از ۲۵ کشور مختلف جهان شامل آثار تصویری، نقاشی و مجسمه سازی را در معرض دید عموم قرار خواهد داد. بعضی از این آثار دارای ویژگی کنش متقابل هستند و بدین ترتیب، بازدیدکنندگان می توانند از جنبه های تفریحی نیز در این نمایشگاه برخوردار شوند. مدتی پیش، ساختمان این نمایشگاه در دست بازسازی بود تا نمایشگاه آینده به بهترین شکل برگزار شود و تمام تلاش ها و آماده سازی ها، در راستای برگزاری یک نمایشگاه باشکوه می‌باشد. این رویداد دوسالانه را شاید بتوان مهم ترین نمایشگاه هنر معاصر در چین و یا حتی آسیا به شمار آورد. حدود ۱۰۰ اثر هنری مختلف از نقاط مختلف دنیا در این نمایشگاه، توجه بازدیدکنندگان را به خود جلب خواهد نمود. علاوه بر ساختمان اصلی موزهٔ هنرهای شانگهای، مکان های دیگر مانند "پارک مردم" نیز پذیرای بعضی از آثار هنری خواهد بود که به دلیل بزرگی بیش از حد، قابل نمایش در داخل موزه نیستند.

موضوع امسال نمایشگاه، "طراحی ماورایی" است و به همین دلیل، بیشتر آثار موجود در این نمایشگاه، برای به چالش کشیدن قوهٔ تخیل بازدیدکنندگان خلق شده‌اند. این نمایشگاه دوسالانه که در سال ۲۰۰۰ میلادی بنا نهاده شده است، هرچند در مقایسه با نمایشگاه های دوسالانهٔ دیگر مانند نمایشگاه ونیز بسیار جوان تر است، اما توانسته است موفقیت قابل توجهی در این زمینه کسب نماید. این نمایشگاه، یکی از بهترین نمایشگاه های دوسالانه در آسیا به شمار می آید و به نظر بازدیدکنندگان، این نمایشگاه در سطح

نمایشگاه های بین‌المللی برگزار می‌گردد. سرپرست این نمایشگاه به خبرنگاران گفته است: "هرگز فراموش نمی کنم که یکی از سرپرستان نمایشگاه ونیز در ده سال پیش گفته بود که هنر معاصر در چین بی معناست و غیر از برخی داروهای گیاهی و مقداری ابزارهای جادوگری، چیز دیگری در آن پیدا نمی شود. اما امروزه، همه به این رویداد مهم هنری در چین توجه نشان می دهند." برگزاری نمایشگاه های دوسالانه، چنان که در غرب رایج است، در شرق دنیا با مشکلاتی همراه است زیرا خلق یک اثر هنری ساده با فلسفه و حکمت عمیق شرقی کار ساده ای نیست. یکی از مقامات برگزار کنندهٔ این نمایشگاه می گوید: "این بار، ما تحقیقات مفصلی در مورد سنت های گذشته انجام داده ایم تا به برخی مفاهیم طراحی ماورایی برسیم. این همان عاملی است که ما را از نمایشگاه های غربی متمایز می‌کند. گاهی اوقات، ما بیش از حد به طراحی های نوین می اندیشیم، در حالی که ایده های بسیاری در طراحی های قدیمی نهفته است." مثالی از این گونه موارد، نمونه ای از سازه های معماری متعلق به دوران سلسله پادشاهی "تانگ" (۶۱۸ تا ۹۰۷ میلادی) است که در خارج از موزهٔ هنرهای شانگهای برپا شده است. این سازه، بدون استفاده از فن آوری امروزی و تنها با استفاده از دست و طراحی دقیق ساخته شده است. همچنین، چندین وسیله نقلیهٔ عجیب در این نمایشگاه گنجانده شده‌اند که شبیه به تراکتورهای قدیمی هستند، اما در واقع موتورسیکلت هایی کاملاً قابل استفاده می‌باشند.

26.1 According to the article, why are some of the art works displayed outside of the Shanghai Museum?

- **a.** They are far too large to be displayed inside the Museum.
- **b.** Their subject matter has been deemed inappropriate by the government.
- **c.** They do not fall under the category of “Hyper Design”.
- **d.** They were intended to be displayed in the People’s Park.

26.2 The Western concept of biennial exhibitions is difficult to implement in the East because:

- **a.** The Chinese strongly hold on to their rich history.
- **b.** It's not an easy task to infuse a simple art piece with profound Oriental philosophy and wisdom.
- **c.** In the West, China is well-known for its herbal medicines and witchcraft, which causes Westerners to not take it seriously.
- **d.** The concept of modern art and “Hyper Design” are too foreign for the Chinese.

27

با گسترش روز افزون اینترنت و بازی های اینترنتی در جامعهٔ چین، مقامات این کشور تصمیم دارند از معتاد شدن جوانان این کشور به اینترنت جلوگیری به عمل آورند. در بیانیه ای که توسط کمیته مرکزی جامعه جوانان چین متعلق به وزارت فرهنگ این کشور منتشر شده است، آمده است که باید تلاش های زیادی برای ایجاد بازی های اینترنتی "سبز" که برای جوانان و نوجوانان مناسب است انجام گیرد و این بازی ها به شکلی فعال، به جوانان توصیه گردد.

در این بیانیه، ده روش شامل مواردی چون تالیف و انتشار کتاب ها و فیلم های مناسب و همچنین سازمان دهی فعالیت های مرتبط با اینترنت برای جوانان و نوجوانان به چشم می خورد. این مقامات اعلام کرده‌اند که در نظر دارند علاقه مندان جوان به بازی های رایانه ای و اینترنتی را به تشکیل یک ائتلاف جهت ارتقای سرگرمی های اینترنتی تشویق نمایند.

در نظر سنجی که در سال ۲۰۰۵ انجام شد، مشخص گردید که ۱۳ درصد از کاربران جوان اینترنت،

معتاد بوده و ۹۰ درصد از جرایم مربوط به جوانان به اعتیاد به اینترنت مربوط می شود.

متخصصان بر این باورند که خشونت، گپ زنی اینترنتی، تصاویر غیر اخلاقی و قمار در اینترنت، جزو جذابیت های عمدهٔ این دنیای مجازی به شمار می آیند. در بیانیهٔ فوق همچنین آمده است که روش های فنی برای بازداری جوانان از دستیابی به اطلاعات ناسالم موجود در اینترنت و کمک به جوانان در زمینهٔ اعتیاد به این شبکهٔ جهانی، در دست بررسی و اقدام می باشد. این مقامات همچنین برای برپایی مراکز بازپروری و درمان برای جوانان معتاد، دست به اقدامات گسترده ای زده است. همچنین، مراکزی برای رسیدگی به شکایات و گزارشات مربوط به رفتارهای ناهنجار در زمینهٔ اینترنت تشکیل خواهند شد. در کشور چین حدود ۱۱۱ میلیون نفر کاربر اینترنت وجود دارد و پس از ایالات متحده امریکا، دومین بازار بزرگ اینترنت در سراسر جهان به شمار می آید.

27.1 According to the article, what are "green" on-line games?

- **a.** Games that promote environmentally-friendly behavior.
- **b.** Games that require less energy.
- **c.** Games that are suitable for young adults and youth.
- **d.** Games that prevent the youth from becoming addicted to on-line gaming.

27.2 According to experts, what are the major attractions of the internet to users?

- **a.** Violence, on-line chatting, pornography, and on-line gambling.
- **b.** Alliances between game players that promote healthy on-line entertainment.
- **c.** On-line shopping, bidding, and networking.
- **d.** Both A and C.

28

طبق گفته های یکی از مقامات سازمان ملل، بازسازی مدرسه ها و مراکز آموزشی پس از زلزلهٔ شدیدی که چندی پیش مناطق مختلف کشور پاکستان را لرزاند، پیشرفت های قابل توجهی داشته است اما هنوز هم با مشکلات بسیاری مانند محدودیت رفت و آمد به دلیل خرابی جاده ها و ناپایداری مناطق کوهستانی روبروست که باعث شده است معلمان ورزیده نتوانند به این مناطق دسترسی داشته باشند.

طبق اظهارات مسئول یونیسف در منطقه‌ای از کشمیر که تحت کنترل پاکستان می باشد، یونیسف، بازگشایی حدود ۲۸۰۰ مدرسه را با توزیع بیش از ۵۸۰۰ چادر پشتیبانی نموده است که بدین ترتیب، حدود ۲۵۰ هزار دانش آموز توانسته‌اند آموزش های خود را دنبال نمایند. یونیسف، همچنین نقش عمده ای در فعالیت های بازسازی این مناطق زلزله زده ایفا می‌کند. در هشتم اکتبر سال ۲۰۰۵ میلادی، زلزله ای با قدرت ۷/۶ در مقیاس ریشتر مناطق مختلفی از پاکستان را به لرزه درآورد و باعث کشته شدن ۷۰ هزار نفر و بی خانمان شدن بیش از ۳/۳ میلیون نفر گردید.

در بیانیهٔ منتشر شده توسط یونیسف آمده است که تا کنون تعداد ۱۲۶۳۸۵ پسر و ۱۱۴۲۱۷ دختر با تامین مواد درسی مدارس ابتدایی توانسته‌اند به آموزش های خود ادامه دهند و تعداد ۹۹۰۰ معلم نیز برای پشتیبانی از این طرح در نظر گرفته شده‌اند.

به گفتهٔ مسئول یونیسف در این منطقه، چالش های مختلفی در این زمینه پیش روی افراد این سازمان بوده است. روستای مظفر آباد که یکی از مناطقی بوده است که شدیدترین آسیب ها را در این زلزله متحمل شده است، یکی از نمونه های بارز مشکلات موجود برای بازسازی مناطق زلزله زده و از سر گیری آموزش کودکان در این منطقه به شمار می آید. به دلیل خراب شدن بیشتر مدارس، بازگرداندن کودکان به مدرسه و

creating a learning-friendly environment year-round.
d. Both B and C.

ایجاد فضای آموزشی مناسب در زمستان و تابستان، یک چالش بزرگ فنی و لجستیکی به شمار می آید.

به دلیل بروز زلزله، شیب های کوهستانی بسیار ناپایدار و خطرناک بوده و مشکلات فراوانی برای رفت و آمد مردم در این منطقه ایجاد نموده است. بنا به گفته های مسئول یونیسف، بازسازی مدرسه ها در مناطق زلزله زده سالها به طول خواهد انجامید، زیرا این مدرسه های جدید بایستی با کیفیت مناسب، در محل مناسب و مقاوم در برابر زلزله ساخته شوند.

یکی از چالش های جدی که در این زمینه مطرح است، کیفیت آموزش هایی است که برای دانش آموزان در نظر گرفته شده است. از مهم ترین اولویت های موجود، می توان به تقویت ظرفیت معلمان برای آموزش کودکان، آموزش این معلمان، مدیریت کلاس درس و غیره اشاره نمود که به دلیل مشکلات موجود در منطقه، کار آسانی نخواهد بود.

28.1 The progress of education recovery work in Pakistan's quake-hit areas is:
- **a.** Impressive.
- **b.** Insufficient.
- **c.** A nearly-impossible task due to the mountainous conditions and the near-complete destruction of the roads.
- **d.** Progressing satisfactorily, but is impeded by the mountainous conditions and the near-complete destruction of the roads.

28.2 According to the article, what were the major logistical and technological challenges of bringing children back to school in Pakistan following the earthquake?
- **a.** The parents lack of value for education and refusal to bring their children to school.
- **b.** Qualified teachers' refusal to travel to badly-hit areas.
- **c.** The destruction of many schools, returning children to school, and

29

یاکوب لوکاکا، که در پایان سال جاری از دانشگاه نایروبی فارغ‌التحصیل خواهد شد، اکنون توانسته است شغلی در یک آژانس مسافرتی چینی در کنیا به عنوان راهنما برای خود دست و پا کند.

او به تازگی توانسته است مدرک یک دوره آموزشی زبان چینی را از انستیتوت کنفسیوس این دانشگاه که یک آموزشگاه غیر انتفاعی در زمینهٔ زبان چینی و ارتباطات فرهنگی است، دریافت نماید. لوکاکا که رشته تحصیلی وی در زمینه ارتباطات است، همیشه علاقهٔ ویژه ای به کشور چین و فرهنگ این کشور داشته است. او معتقد است که کشور چین به سرعت در حال رشد است و اکنون یکی از قدرت های بزرگ در دنیا، چه از نظر اقتصادی و چه از نظر سیاسی، به حساب می آید.

دولت کنیا، یک سیاست "توجه به شرق" را در دستور کار خود قرار داده است و شکی نیست که از این کار، سود قابل توجهی خواهد برد. از آنجایی که افراد چینی بسیاری در کنیا به تجارت مشغول هستند و کالاهای چینی در این کشور (مانند بسیاری دیگر از کشورهای دنیا) در حال گسترش می باشند، آقای لوکاکا فرصت های بسیار مغتنمی را در ارتباط نزدیک بین این دو کشور دیده است و متوجه شده است که اگر بخواهد از این فرصت ها به بهترین نحو استفاده کند، ابتدا باید زبان این کشور را فرا بگیرد.

در مجموع، ۱۸ دانشجو از اولین دوره آموزشی انستیتوت کنفسیوس که در اواخر سال گذشته آغاز به کار نمود، فارغ‌التحصیل شده اند. این دانشجویان که به مدت ۹ ماه مشغول یادگیری این زبان بوده اند، اکنون می توانند زبان ساده چینی را صحبت نموده و حتی آواز

هایی را به زبان چینی بخوانند. اما به نظر این دانشجویان، هنوز تا تسلط کامل به این زبان، فاصلهٔ زیادی وجود دارد و باید سالها در این زمینه مطالعه نمایند.

آقای لوکاکا در این رابطه می گوید: "امیدوارم بتوانم شانسی برای گرفتن مدرک فوق لیسانس در رشته روابط بین‌الملل در کشور چین پیدا کنم".

29.1 According to Lukaka, what is China's role on the international stage?

- **a.** It plays an important role due to its tourist attractions and history.
- **b.** It is experiencing rapid growth and quickly becoming a political and economic world power.
- **c.** It is the forefront of the import/export industry in the world.
- **d.** None of the above.

29.2 Why has Kenya adopted a Sino-centric approach?

- **a.** A large number of Chinese immigrants have moved to Kenya in recent years.
- **b.** Many Kenyan youth are interested in Chinese culture and language, and want to emigrate to China.
- **c.** There are many Chinese importer/exporters that are expanding their business to Kenya.
- **d.** Both A and C.

30

فارغ‌التحصیلان چینی که نمی‌توانند بعد از پایان تحصیلات خود شغلی پیدا نمایند، ارائه درخواست به دولت جهت کارهای کم درآمد و سطح پایین برای تامین حداقل نیازهای زندگی خود را کاری شرم آور می دانند.

یکی از فارغ‌التحصیلان دانشگاه کشاورزی هنان در این رابطه می گوید: "عدم موفقیت در یافتن کار به اندازه کافی وجههٔ ما را مخدوش ساخته است و درخواست کارهای پست برای تامین حداقل نیازهای زندگی، وضعیت را از این نیز بدتر خواهد کرد."

او که هنوز هم به دنبال کار می گردد، ترجیح می دهد با انجام کارهای نیمه وقت، مقداری درآمد داشته باشد و این کار را بهتر از ثبت نام در فهرست بیکاران برای کارهای پست و کم درآمد می داند.

در ماه ژوئن سال جاری، اطلاعیه ای توسط مقامات دولتی چین منتشر شد که در آن ذکر شده بود کسانی که از دانشگاه فارغ‌التحصیل شده و نتوانسته‌اند کاری پیدا کنند، می توانند برای کارهای مختلفی مانند کارهای بدنی، آموزش و غیره ثبت نام کرده و حداقل مستمری در نظر گرفته شده برای زندگی روزمره خود را دریافت نمایند. حداقل مستمری که برای خانواده های نیازمند در نظر گرفته می شود در شهرهای مختلف چین متفاوت است. در بیجینگ، حداقل مستمری معادل ۳۱۰ یوآن (۳۸ دلار امریکا) در ماه می باشد ولی در ژنگ ژو که مرکز استان هنان است، این مستمری معادل ۲۲۰ یوآن (۲۷ دلار امریکا) در ماه در نظر گرفته شده است.

یکی از دانشجویانی که به تازگی تحصیلات خود را در مقطع فوق لیسانس در دانشگاه ژنگ ژو به پایان برده است، معتقد است که این سیاست می تواند فشار روحی موجود برای فارغ‌التحصیلان را کمتر کند زیرا این افراد می توانند تا زمانی که کار مناسبی پیدا نکرده‌اند، درآمدی داشته باشند.

در سال های اخیر، تعداد بسیار زیادی از دانشجویان در دانشگاه های چین فارغ‌التحصیل شده‌اند و همین مسئله باعث کمبود فرصت های شغلی و رقابت شدید در بین افراد تحصیل کرده شده است.

نرخ استخدام دانشجویان چینی، طبق آمار انتشار یافته توسط مقامات این کشور، در حدود ۷۳ درصد است. اما بسیاری از فارغ‌التحصیلان دانشگاهی تمایلی به درخواست کارهایی با حداقل مستمری ماهیانه نشان نمی دهند. به گفتهٔ مسئولان، تلاش های بسیار

بیشتری باید برای ایجاد فرصت های شغلی جهت افراد تحصیل کرده انجام گیرد تا این دانش آموختگان بتوانند کاری با درآمد مناسب برای خود پیدا نمایند.

حداقل مستمری در نظر گرفته شده توسط دولت، تنها برای تامین خوراک افراد کافی است و نمی تواند نیازهای اساسی دیگر را برطرف نماید. همین مسئله، ناامیدی بسیاری را در بین دانشجویان و کسانی که تحصیلات دانشگاهی خود را به پایان برده و هنوز کار مناسبی برای خود پیدا نکرده‌اند، ایجاد نموده است. یکی از همین دانشجویان معتقد است که اگر دانش آموختگان به این درآمدهای پایین قناعت کرده و به زندگی با آن عادت نمایند، انگیزه خود را از دست داده و قادر به پیشرفت نخواهند بود.

30.1 According to one of the graduates of the University of Hunan, what is even worse than not finding a career after graduation?

- **a.** Applying for low-level jobs and social assistance that hurt graduates' confidence even further.
- **b.** Being forced to work as a Postal Service employee.
- **c.** Not being able to pay for the costs of living.
- **d.** Both A and B.

30.2 According to another university graduate, what is the major drawback for graduates who apply for assistance?

- **a.** Hopelessness and lack of respect from their peers.
- **b.** Settling for the lower wages strips the graduates of their confidence and impedes their future progress.
- **c.** They become lazy and give up looking for real careers.
- **d.** They will not be able to make ends meet.

31

دانشگاه های رومانی تا کنون نتوانسته اند مکانی در بین ۵۰۰ موسسهٔ برتر در سراسر جهان برای خود کسب نمایند و این مسئله، واقعیتی است که هشداری جدی برای مراکز تحصیلات عالی در این کشور به شمار می آید. این اظهارات را چندی پیش رئیس جمهور رومانی ترائیان باسسکو در سخنان خود اظهار داشته است.

وی که در مراسم گشایش سال تحصیلی ۲۰۰۷-۲۰۰۶ که در دانشگاه ترانسیلوانیا سخن می گفت، چنین بیان داشته است: "هیچ یک از دانشگاه های رومانی نتوانسته اند حتی نیمی از امتیاز لازم برای گنجانده شدن در بین ۵۰۰ دانشگاه اول دنیا را کسب نمایند و این امر بدین معناست که ما هنوز راه بسیار درازی پیش رو داریم."

وی همچنین اضافه می کند: "ایجاد زیر ساخت های مناسب برای آموزش در سال جاری در مقایسه با سال قبل، ۱۷/۵ برابر بیشتر بوده است." به نظر وی، سیستم آموزشی با کارآیی بالاتر به همراه وجود یک سیستم سالم، برای رشد جامعهٔ این کشور امری حیاتی به شمار می آید. در این راستا، سه شاخص اصلی یعنی کیفیت آموزش، قابلیت رقابت و برابری فرصت های موجود در این زمینه بایستی در تمام زمینه های آموزشی به کار گرفته شود.

31.1 According to the Romanian president, what are two changes necessary for the positive growth of the Romanian society?

- **a.** Having a Romanian university in the top 500 universities in the world.
- **b.** A highly performing education system.
- **c.** A better healthcare system.
- **d.** Both B and C.

31.2 According to the article, three important factors in improving Romania's higher education system are:
- **a.** Improving the quality of education, competitiveness, and the equality of opportunities.
- **b.** Improving the health of the students, hiring better teachers, and spending more money on developing school infrastructure.
- **c.** Opening more universities, better educational tools, and guaranteed job placement after graduation.
- **d.** None of the above.

32

اولین فستیوال بین المللی هنرهای فراگیر هنگ کنگ در ماه دسامبر سال جاری برگزار خواهد شد. و مراسم طبل زنی که برای گشایش این فستیوال در نظر گرفته شده است، سعی دارد رکورد جهانی گینس را بشکنند.

یکی از مقامات مسئول دولتی هنگ کنگ به تازگی در مصاحبه خود با خبرنگاران در این رابطه گفته است که بالغ بر ۱۱ هزار شرکت کننده در دو طرف بندر ویکتوریا برای این مراسم گشایش که با نواختن طبق همراه است شرکت خواهند کرد. این مراسم نواختن دسته جمعی همراه با ارکستر چینی هنگ کنگ به رهبری یان هویچانگ اجرا خواهد شد.

مراسم گشایش این فستیوال در دوم دسامبر و همراه با تبلیغات مربوط به "روز بین المللی معلولین" برگزار می گردد.

در این فستیوال بزرگ اجراهای عالی، تلفیق موسیقی چینی و غربی، مراسم رقص و نمایش و همچنین نمایش استعدادهای هنری هنرمندان داخلی و خارجی بعضی از آنها دارای معلولیت جسمی بوده و بعضی دیگر فاقد این معلولیت ها هستند، در نظر گرفته شده است.

این فستیوال به گونه ای طراحی شده است که خلاقیت های هنری تمام افراد، صرف نظر از توانایی ها و مشکلات مختلف آنان، بتواند قابلیت ها و استعدادهای آنان را به نمایش بگذارد.

مقامات برگزار کنندهٔ این فستیوال اعتقاد دارند که هنر، روشی عالی برای ارتقای درک و علاقه در بین مردم به شمار می آید و برگزاری چنین فستیوال هایی برای افراد معلول جهت همبستگی آنان با دیگر افراد جامعه بسیار مفید بوده و به ارتقای استانداردهای زندگی در بین جامعه نیز کمک خواهد نمود.

سازمان بهداشت، رفاه و غذا و همچنین مقامات مسئول در زمینهٔ مسائل معلولین هنگ کنگ، به طور مشترک این فستیوال بزرگ را به مرحله اجرا در خواهند آورد.

32.1 What other important international day is being promoted during the festival?
- **a.** International Day of Disabled Persons.
- **b.** International World Peace Day.
- **c.** International World Music Day.
- **d.** Both A and B.

32.2 According to the article, what is the main aim of this festival?
- **a.** To break the Guinness World record.
- **b.** To showcase the work of various artists with and without disabilities.
- **c.** To promote the integration of disabled people into the community.
- **d.** To promote creativity among disabled people.

33

بنا به گزارش رسانه های محلی، یک دختر اهل کشور ونزوئلا در رقابت های زیباترین دختر دنیا که در بوترینت در جنوب آلبانی برگزار گردید، موفق شد عنوان زیباترین دختر در این رقابت بین المللی را به خود

اختصاص دهد. ویویان لیسبث راموس پوما که ۱۶ سال سن دارد و اهل کشور ونزوئلا می باشد، موفق شد تاج مربوط به زیباترین دختر را بر سر بگذارد و در عین حال، ماریان کاریان کابررا که یک دختر ۲۴ ساله اهل اسپانیا می باشد مقام دوم را به خود اختصاص داده و سیلوی اسکندراج از آلبانی نیز در مکان سوم قرار گرفته است.

در مجموع، ۴۲ شرکت کننده از سراسر دنیا در این رقابت بین المللی با شکوه شرکت کردند و حدود ۱۵۰۰ تماشاچی نیز در تئاتر باستانی بوترینت به تماشای این رویداد زیبا پرداختند. مسابقه زیباترین دختر دنیا، یک مسابقه زیبایی است که هر ساله در منطقه شرق مدیترانه به اجرا در می آید.

33.1 Where did the Beauty Contest take place?
- **a.** Butrint, Spain.
- **b.** Butrint, Venezuela.
- **c.** Butrint, Albany.
- **d.** None of the above.

33.2 What is the correct order of winners in the Beauty Contest?
- **a.** Viviane Lisbeth Ramos Puma, Silvi Skenderaj, Karian Cabrera.
- **b.** Karian Cabrera, Viviane Lisbeth Ramos Puma, Silvi Skenderaj.
- **c.** Silvi Skenderaj, Viviane Lisbeth Ramos Puma, Karian Cabrera.
- **d.** Viviane Lisbeth Ramos Puma, Karian Cabrera, Silvi Skenderaj.

34

سفارت چین در کشور مالزی، چندی پیش پذیرای مراسم بزرگداشت پنجاه و هفتمین سالگرد تولد جمهوری خلق چین بود.

بیش از ۶۰۰ نفر شامل مقامات دولتی کشور مالزی، سفارت خانه های خارجی در مالزی، چینی های مقیم این کشور و همچنین مدیران شرکت های چینی که در این کشور استوایی به فعالیت می پردازند، برای برگزاری این مراسم گرد هم آمدند. بعد از نواختن سرود ملی هر دو کشور، چنگ یونگ هوآ سفیر چین در مالزی و فونگ چان اون وزیر منابع انسانی کشور مالزی، جام های خود را به سلامتی این دو کشور و خوشبختی مردم آنها بالا برده و نوشیدند. در تالاری که برای این مراسم در نظر گرفته شده بود، رنگ سنتی سرخ چینی به عنوان جالب توجه ترین رنگ خود نمایی می کرد و تزئیناتی که برای این تالار در نظر گرفته شده بود شامل فانوس ها و پرده های بزرگ قرمز رنگ بود. بسیاری از سازمان های دو ملیتی و شرکت های چینی که در مالزی مشغول فعالیت بودند، سبد های بزرگ گل را به نشانه بزرگداشت این روز به این مراسم آوردند.

34.1. This article is about:
- **a.** The celebration of the 57th birthday of the People's Republic of China in Malaysia.
- **b.** The celebration of the 57th birthday of the People's Republic of China in China.
- **c.** The celebration of economic ties between Malaysia and Chine.
- **d.** None of the above.

34.2 Cheng Yong Hua is:
- **a.** Malaysian Minister of Human Resources.
- **b.** Chinese Ambassador to Malaysia.
- **c.** Chinese Minister of Human Resources.
- **d.** Malaysian Ambassador to China.

35

بنا به اظهارات ریچارد لوین مدیر دانشگاه ییل، به تازگی هدیه ای به ارزش پنجاه میلیون دلار امریکا برای بهبود همکاری های این دانشگاه با چین در زمینه های مهم، در اختیار این دانشگاه قرار گرفته است. این دانشگاه طی بیانیه ای اعلام نموده است که موریس گرینبرگ از طریق موسسهٔ خانوادگی خود و همچنین موسسهٔ استار، هر کدام مبلغ ۲۵ میلیون دلار به دانشگاه ییل برای ایجاد طرح همکاری های این دانشگاه در زمینهٔ چین، به این دانشگاه اهدا نموده اند.

لوین در این رابطه اظهار داشته است: "ما بسیار خرسندیم که ارتباطات نیرومندی که دانشگاه ییل با چین ایجاد نموده است، برای موسسه گرینبرگ و استار این اعتماد را ایجاد کرده است که این دانشگاه، نیرویی اتکاپذیر برای تغییرات مثبت فکری، اجتماعی و اقتصادی در چین و سراسر دنیا به شمار می آید."

وی همچنین اضافه می کند: "مشارکت موسسهٔ گرینبرگ به عنوان یکی از پیشگامان تجارت در چین، ارزش مشارکت فعال مردم این کشور را به نمایش می گذارد." موریس گرینبرگ مدیر عامل و رئیس هیئت مدیره بازنشستهٔ شرکت امریکن اینترنشنال گروپ بوده و در حال حاضر مدیر عامل و رئیس هیئت مدیریهٔ سی وی استار اند کمپانی می باشد. گرینبرگ، شرکت امریکن اینترنشنال گروپ را تبدیل به یکی از بزرگ ترین شرکت های بیمه در سراسر دنیا نمود. وی همچنین رئیس پیشین جامعه آسیا و قائم مقام افتخاری مدیر شورای روابط خارجی بوده است. موسسه استار در سال ۱۹۵۵ توسط کرنلیوس وندر استار پایه گذاری شد. آقای استار که یکی از پیشگامان جهانی نمودن فعالیت های تجاری است، اولین شرکت بیمه خود را در شانگهای چین در سال ۱۹۱۹ ایجاد کرد. او در سال ۱۹۶۸ و در سن ۷۶ سالگی فوت کرد و ثروت خود را برای این موسسه به جای گذاشت.

35.1 According to Levin, Yale's connection to China has given Maurice Greenberg and the Starr Foundation confidence in what?

a. That Yale will continue superior education in matters related to China.
b. That Yale will allot the $50 million to improving relations with China.
c. That Yale will be force for positive intellectual, social, and economic change in China and around the world.
d. Both A and C.

35.2 Maurice Greenberg is:

a. The Chairman and CEO of the Retirement Funds of American International Group.
b. The Founder of American International Group.
c. The Chairman and CEO of C.V. Starr & Company.
d. Both A and C.

36

یک بازی جدید ژاپنی با نام "بردگان عمارت قرمز" با انتقاد های متعددی از سوی فعالان اینترنتی چینی و همچنین یکی از اساتید دانشگاهی چین روبرو شده است. "رویای عمارت قرمز" یکی از چهار رمان کلاسیک در چین است و به عنوان یکی از گنجینه های تاریخ ادبیات چین به شمار می آید.

بازی ژاپنی فوق نه تنها از نام این رمان تاریخی استفاده کرده است، بلکه حتی نام شخصیت آن نیز مشابه رمان فوق است و لین دایو که شخصیت زن اصلی در این داستان است، در این بازی نیز به چشم می خورد. در این بازی، حتی این شخصیت دارای ویژگی های مشابه شخصیت اصلی داستان است.

هرچند این بازی به صورت آشکار در چین به فروش نمی رسد، اما از طریق فروش اینترنتی به چین رسیده و باعث بروز اعتراضاتی در بین علاقه مندان چینی به بازی های اینترنتی شده است. یکی از علاقه مندان چینی به بازی های اینترنتی، توضیحی در اینترنت منتشر کرده است که می گوید: "اگر فقط از نام لین دایو استفاده می گردید مسئله ای نبود، اما چرا از نام عمارت قرمز برای این بازی که جنبه های شهوانی در آن دیده می شود استفاده کرده اید؟ این یک اهانت آشکار به این گنجینهٔ ادبی چین به شمار می آید." او همچنین می گوید که به عنوان یکی از طرفداران این داستان سنتی، هرگز پدید آورندگان این بازی را نخواهد بخشید.

یکی دیگر از استفاده کنندگان اینترنت می گوید که "رویای عمارت قرمز" افتخار میراث ادبیات چین به شمار می آید و جایگاه ویژه ای در فرهنگ چین دارد. این اقدام ژاپنی ها برای تولید این بازی مبتذل در واقع به احساسات چینی ها توهین کرده است.

به همین دلیل، بسیاری از افراد درخواست اقدام قانونی برای تحریم این بازی را نموده اند در حالی که دیگران نیز می خواهند از شرکت نرم افزاری که این بازی را ارائه داده است بخواهند تا فروش این بازی را متوقف ساخته و از مردم چین عذرخواهی نماید.

زو هونگ هو استاد دانشگاه نیز از تبدیل شدن این داستان تاریخی به یک بازی مبتذل بسیار خشمناک است. او می گوید: "رویای عمارت قرمز" کمال ادبیات چین به شمار می آید و نمادی خاص در فرهنگ چین محسوب می شود. این اقدام ژاپنی ها برای تولید این بازی با نام این داستان تاریخی، توهین آشکار به فرهنگ چین بوده و رویای عمارت قرمز را تبدیل به یک بازی مبتذل نموده است."

36.1 What kind of game is “Slaves of the Red Mansion”?

a. An erotic game.
b. An on-line game.
c. A historical game.
d. Both A and B.

36.2 Why are the Chinese irate about “Slaves of the Red Mansion”?

a. Because it distorts their history.
b. Because the Chinese romance novel “Dream of the Red Mansion” is major symbol of Chinese literature.
c. Because the Japanese game shows disrespect to the Chinese nation by spoofing the title and characters of the romance novel “Dream of the Red Mansion”.
d. Both B and C.

37

دنیس سایمون شاید اهل نیویورک باشد، اما مخاطبان بسیار علاقه مندی را در چین برای خود پیدا کرده است. این اقتصاد دان ۵۴ ساله هر ماهه به دالیان در استان شمال شرقی لیائونینگ در کشور چین سفر می کند تا سخنرانی هایی برای کارآفرینان محلی و مقامات دولتی این کشور برگزار نماید.

دنیس که قائم مقام مدیر امور آکادمیک در دانشگاه ایالتی نیویورک است، به دلیل مشارکت عمده ای که در امور دالیان داشته است، عنوان ویژه ای از سوی مقامات چین دریافت کرده است. او می گوید: "بسیار خوشوقتم که استان لیائونینگ، مرا به عنوان 'دوست لیائونینگ' مفتخر کرده است. کشور چین، در حال تجربه کردن بزرگ ترین اصلاحات در تاریخ کشورها می باشد و فرصت های بسیار زیادی در اینجا به چشم می خورد."

او تنها کارشناس بین المللی نیست که شنوندگان علاقه مندی را در کشور چین پیدا نموده است. به گفتهٔ ژانگ بایلین، وزیر کار چین در کنفرانس تبادل متخصصان بین المللی در سال ۲۰۰۶، این کشور به شکلی روز افزون در حال جذب استعدادهای خارجی از سراسر دنیا می‌باشد. این کنفرانس سه روزه، برای کمک به متخصصان بین المللی جهت یافتن فرصت های مناسب در چین برای ارتقای پیشرفت های فنی این کشور ترتیب داده شده بود. بین از ۸۰۰ متخصص خارجی از ۳۰ کشور مختلف جهان در این کنفرانس شرکت کردند که در بین آنها نمایندگانی از کشورهای روسیه، ایالات متحده امریکا و ژاپن دیده می شدند.

ژانگ بایلین همچنین اضافه می کند: "توسعهٔ کشور چین نمی تواند از توسعهٔ فن آوری و علوم در دیگر نقاط دنیا مجزا باشد و البته دنیا نیز به چین احتیاج دارد. چین به عنوان یک کشور باز، بایستی از دیگر کشورهای دنیا در زمینهٔ پیشرفت های فنی بیاموزد."

استان لیائونینگ در شمال شرقی چین، اهمیت بسیار زیادی برای تخصص های بین المللی قایل شده است. آمارهای بدست آمده از اداره کار محلی نشان می دهند که این استان توانسته است تقریباً ۴۰۰۰ متخصص را از خارج از کشور جهت کار در زمینه های مختلف جذب نماید.لین گوئوجون قائم مقام جانشین اداره کار این استان در این رابطه می گوید: "این کارشناسان بین المللی، نقش بسیار مهمی در کمک به فعالیت های اقتصادی محلی و ارتقای فن آوری و همچنین مهارت های مدیریتی بازی می کنند."

37.1 What is Dennis Simon's primary occupation?

- **a.** Economist.
- **b.** Vice-president of academic affairs at New York State University.
- **c.** Entrepreneurial visiting lecturer in Dalian.
- **d.** Both A and B.

37.2 According to Zhang Bailin:

- **a.** China's development is in isolation from other countries.
- **b.** China's development is independent from the development of other countries.
- **c.** China's progress needs the world, and the world needs China.
- **d.** All of the above.

38

بحث جاری در مورد حجاب زنان مسلمان در کشور انگلستان که توسط یکی از مقامات دولتی این کشور آغاز گردید، همچنان یکی از بحث های داغ محافل انگلستان به شمار می آید. این بحث زمانی به وجود آمد که جک استراو رئیس مجلس عوام انگلستان گفته بود از بازدید کنندگان دفتر خود خواسته است تا روسری خود را قبل از ورود بردارند، زیرا به نظر وی این اقدام، یک اعلام قابل رویت مبنی بر جدایی و اختلاف به شمار می آید.

اظهارات جک استراو باعث برانگیختن خشم مسلمانان، بروز تنش های سیاسی و اظهار نظرات مختلف عمومی گردیده است. یکی از رهبران مسلمان در این رابطه اظهار داشته است که بیانات استراو، می تواند عاملی برای حمله به یک زن مسلمان در شهر لیورپول به شمار آید. در این اقدام خشونت آمیز، روسری این زن مسلمان پاره شده و وی مورد خشونت های نژادی قرار گرفته است.

بعد از علنی شدن اظهارات آقای استراو، رهبران مسلمان حوزه بلک برن در شمال غربی کشور انگلستان گفته اند که بسیاری از زنان مسلمان این اظهارات را توهین آمیز و مشکل آفرین می دانند.

جان پرسکات معاون نخست وزیر در این رابطه می گوید که زنان مسلمان باید برای انتخاب پوشش خود انتخاب آزادانه ای داشته باشند و وی اظهار نگرانی کرده است که شاید این بحث ها باعث بروز اختلافات نژادی و مذهبی گردیده و به آرامش جامعه صدمه وارد نماید. وی گفته است که از روش آقای استراو پیروی نکرده و از زنانی که قصد ملاقات با او را دارند نخواهد خواست تا حجاب خود را بردارند. او در این رابطه می گوید: "من فکر می کنم اگر زنی بخواهد یک روسری به سر داشته باشد، چرا نباید بتواند چنین کند؟ انتخاب با خود افراد است و شاید این مسئله یک اختلاف فرهنگی به شمار آید، اما به هرحال انتخاب خود افراد بایستی محترم شمرده شود."

38.1 According to Jack Straw, what is the negative significance of veiling?

- **a.** It is a visible symbol of separation and difference.
- **b.** It is a negative political symbol in British government offices.
- **c.** It allows for racial and cultural discrimination against women who veil.
- **d.** It is a symbol of an unwillingness to assimilate.

38.2 According to the article, how has the Muslim community responded to Straw’s comments?
- **a.** Political dissent and anger.
- **b.** Racial and cultural attacks on the British.
- **c.** Removal of the veil prior to entrance into British government offices.
- **d.** Increased veiling.

39

الکساندر لوکاشنکو رئیس جمهور چندی پیش اظهار داشت که کشور بلاروس (روسیه سفید) آماده است تا در ساخت یک انبار ضایعات هسته ای در کشور لیتوانی مشارکت نماید، اما با تعیین محل آن در نزدیکی مرز این کشور مخالف است.

نیروگاه هسته ای ایگنالینا در کشور لیتوانی که قرار است در سال ۲۰۰۹ استفاده از آن متوقف شود، شبیه به نیروگاه معروف چرنوبیل در اوکراین است که وحشتناک ترین سانحهٔ هسته ای در جهان را در سال ۱۹۸۶ رقم زد. نخست وزیر لیتوانی در اوایل ماه سپتامبر گفته بود که این کشور در نظر دارد یک نیروگاه جدید هسته ای را برای حل معضل انرژی که با بسته شدن نیروگاه فعلی در سال ۲۰۰۹ به وجود خواهد آمد بسازد و الزامات ایمنی هسته ای که توسط اتحادیه اروپا درخواست شده است را در آن رعایت نماید.

آقای لوکاشنکو در این رابطه گفته است: "بلاروس آماده است تا از نظر اقتصادی، دیپلماتیک و مالی در این طرح مشارکت کند تا مسئلهٔ ساخت یک تاسیسات انبارش ضایعات هسته ای در کشور لیتوانی بدین ترتیب حل شود." وی همچنین اضافه نمود که کشورش با ساخت این تاسیسات در نزدیکی مرز بلاروس موافقت نخواهد کرد. وی گفت که کشور لیتوانی در صدد ساخت یک تاسیسات خاص برای انبارش ضایعات هسته ای حاصل از فعالیت های نیروگاه ایگنالینا در پنج کیلومتری مرز مشترک بین لیتوانی و روسیه سفید بوده است. وی می افزاید: "ما شیوه های کافی برای اطمینان از این که این تاسیسات در نزدیکی مرز بلاروس ساخته نشوند در اختیار داریم. تصمیم برای ساخت این تاسیسات باید با در نظر گرفتن علایق هر دو طرف اتخاذ گردد."

وی گفت که امیدوار است این دو کشور بتوانند این مسئله را به شکلی مناسب و منطقی حل و فصل نمایند. لیتوانی و استونی چندی پیش گزارشاتی را در مورد ساخت یک تاسیسات ذخیره سازی مشترک برای ضایعات هسته ای در استونی منتشر ساخته بودند. رسانه های محلی گزارش داده اند که مقامات لیتوانی به دفعات پیشنهاد داده اند که استونی، لتونی و لیتوانی می‌توانند به طور مشترک، مسئولیت ذخیره سازی ضایعات هسته ای را به عهده بگیرند. این سه کشور بالتیک موافقت کرده اند که تا سال ۲۰۱۵ یک نیروگاه هسته ای در کشور لیتوانی ساخته شود.

39.1 What is one major concern regarding the scheduled 2009 shutdown of Ignalia power plant?
- **a.** It is similar to Chernobyl where the world's worst nuclear accident happened in 1986.
- **b.** b. Preventing an energy crisis by building a new power plant to replace Ignalia.
- **c.** Building a nuclear waste storage facility near Ignalia.
- **d.** Creating a diplomatically, financially, and economically sound solution to the nuclear waste problem.

39.2 According to Alexander Lukashenko, where should the nuclear waste storage facility be built?

- **a.** Within five kilometers of the Belarus-Lithuania border.
- **b.** Near the center of Lithuania.
- **c.** In Estonia.
- **d.** Not near the Belarus-Lithuania border.

40

شرکت هواپیمایی مشهور اروفلوت به تازگی اعلام کرده است که به زودی پروازهای عادی مسافربری خود را از مسکو به مقصد بیروت از سر خواهد گرفت. این اقدام در حالی صورت می گیرد که به دلیل ناآرامی های منطقه در پی جنگ بین اسرائیل و لبنان، این پروازها به مدت دو ماه معلق شده بودند. به گزارش مقامات مطلع، از تاریخ هشتم اکتبر، شرکت "اروفلوت" دوباره پروازهای عادی خود را به پایتخت لبنان از سر خواهد گرفت. این پروازها در روزهای پنجشنبه و یکشنبهٔ هر هفته با استفاده از هواپیماهای A-319 انجام خواهد شد.

به دلیل ویران شدن منطقه جنوب لبنان پس از حمله اسرائیل، و در پی به اسارت گرفتن دو سرباز اسرائیلی از سوی حزب الله لبنان، اروفلوت در اوایل ماه ژوئیه پروازهای خود را به لبنان به مدت دو ماه معلق کرده بود. لازم به ذکر است که قبل از آتش بس در تاریخ ۱۴ اوت، عملیات نظامی اسرائیل باعث کشته شدن بسیاری از مردم لبنان گردیده و بخش های زیرساخت بسیاری از این کشور را تخریب نمود. حدود ۱۶۰ تن اسرائیلی نیز در این جنگ کشته شدند. سازمان ملل متحد، نیروهایی را به جنوب لبنان اعزام نموده و کنترل اجرای آتش بس را در این منطقه به عهده دارد.

40.1 Why had Aeroflot suspended its flights from Moscow to Lebanon?

- **a.** The war between Israel and Lebanon.
- **b.** The imprisonment of two Lebanese soldiers by the Israeli government.
- **c.** Russia's disagreement with the Hezbollah.
- **d.** Both A and C.

40.2 In the last sentence of the article, what does the word "آتش بس" mean?

- **a.** Firing squad.
- **b.** Cease fire.
- **c.** Passenger airplane fire regulation.
- **d.** None of the above.

41

نخست وزیر روسیه به تازگی اعلام نموده است که دولت متبوعش در نظر دارد راهکارهایی را برای مدیریت صنعت کشاورزی این کشور و توسعهٔ تولید ماشین آلات کشاورزی به مرحلهٔ اجرا بگذارد.

کشاورزی در این کشور از پشتیبانی قابل توجهی از سوی دولت برخوردار است، و با راه اندازی یک پروژه اولویت ملی برای توسعه بخش صنایع کشاورزی، از اهمیت بیشتری نیز برخوردار گردیده است. میخائیل فرادکوف در مراسم افتتاحیهٔ یک نمایشگاه صنایع کشاورزی در مسکو اظهار داشته است: "تلاش های مشترکی برای گسترش دانش کشاورزی، بهینه سازی سیستم مدیریتی، و توسعهٔ ساخت ماشین آلات کشاورزی در این کشور مورد نیاز است تا کیفیت محصولات تولیدی بتواند قابل رقابت با استانداردهای جهانی باشند. در عین حال، این صنایع باید از نظر بوم شناسی (اکولوژی) مناسب باشند و بتوانند مشتریان داخلی و خارجی را جذب نمایند."

41.1 According to Mikhail Fradkov, what important factors must be kept in mind when attempting to improve Russia's farming technologies?
- **a.** The spread of farming knowledge and improvement of the management system.
- **b.** The improvement of production of consumer goods.
- **c.** Production of eco-friendly consumer goods that attract consumers.
- **d.** Both A and C.

41.2 Agriculture in Russia:
- **a.** Is strongly backed by government subsidies.
- **b.** It is not a priority of the government.
- **c.** Is receiving considerable attention due to new projects in development of farming technologies.
- **d.** Both A and C.

42

بنا به گفتهٔ ولادیمیر پوتین رئیس جمهور روسیه، ورود سرمایه های خارجی در بخش خصوصی این کشور در طول نه ماه اول سال ۲۰۰۶ به ۲۷ میلیارد دلار بالغ شده است. او در طول جلسه ای که با وزیر مالی این کشور داشت گفت: "بنا بر گفته رئیس بانک مرکزی الکسی کوردین، که در حال ثبت یک ورود سرمایهٔ خارجی بزرگ از بخش خصوصی است، طبق برآوردهای انجام شده میزان سرمایه گذاری خارجی به ۲۷ میلیارد دلار در نه ماه اول سال ۲۰۰۶ بالغ خواهد شد."

وزیر مالی روسیه گفته است که این ورود سرمایه در نتیجهٔ سرمایه گذاری های مستقیم انجام شده در ماه های اخیر بوده و با ۲/۷ میلیارد دلار افزایش، از ۱۸/۱ میلیارد دلار به ۲۰/۸ میلیارد دلار در سال ۲۰۰۶ رسیده است. از نظر سرمایه گذاری های مستقیم، روسیه توانسته است از کشورهایی مانند ژاپن، کانادا و دیگر کشورهای پیشگام در سال ۲۰۰۶ سبقت بگیرد.

کوردین در این رابطه می گوید: "این واقعیت نشان می دهد که مسائل اقتصادی و فعالیت های صنعتی در حال مدرن شدن هستند. هدف ما این است که این سرمایه های ورودی را به بخش تولید هدایت کنیم. دولت در حال حاضر مشغول کار بر روی این زمینه است."

وی همچنین عقیده دارد که روسیه بایستی موسسات مالی را پرورش دهد برای محض تنزیم کردن منابع مالی کشور تا نرخ تبادل ارز از پایداری بیشتری برخوردار شود. کوردین اضافه می کند که در ماه اوت سال جاری، دولت روسیه از روش های اقتصادی برای تثبیت ارزش روبل (واحد پول این کشور) استفاده کرده و قصد دارد افزایش ارزش پول ملی این کشور را در محدودهٔ ۴/۷ درصد از نرخ موثر میانگین آن در سال جاری حفظ کند.

42.1 How do Russia's direct investments in the private sector compare to that of other leading countries?
- **a.** It has outpaced countries such as Japan and Canada.
- **b.** It lags far behind other countries such as Japan and Canada.
- **c.** It is on par with those of Japan and Canada.
- **d.** It is the equivalent of the combined direct investments of Japan and Canada.

خار را در چشم دیگران می بینه و تیر را در چشم خودش نمی بینه

$377.7 million in securities, and $7.4 in cash deposits.
d. $270.1 million in securities, $377.7 million in cash and deposits, and $4.4 million in reserve in the International Monetary Fund.

43.2 According to the National Bank of Moldova, the currency reserves:
a. Have grown at a monthly rate $46.78 million throughout 2006.
b. Have grown at a monthly rate $64.78 million up to September 2006.
c. Have grown at a monthly rate of $6.6 million up to September 2006.
d. Have grown $647.8 in 2006 alone.

44

شرکت سیبنفت که واحد اصلی تولید شرکت نفتی روسیه با نام "گاز پروم نفت" به شمار می آید، توانست ۲۰/۳۵ میلیون تن (۱۴۹ میلیون بشکه) نفت خام در نه ماه اول سال ۲۰۰۶ تولید نماید. این میزان ۳/۸ درصد از پیش بینی های انجام شدهٔ قبلی بیشتر است. این خبر اخیراً توسط مقامات شرکت سیبنفت منتشر شده است. اما لازم به یادآوری است که تولید ماه سپتامبر این شرکت معادل ۶/۹ درصد کمتر از هدف ماهیانهٔ تعیین شده بود. تولید میانگین روزانه در ماه سپتامبر معادل ۵۷ هزار تن نفت خام (۴۱۷/۸ میلیون بشکه) بوده است.

42.2 According to the Finance Minister, Alexei Kudrin, what measures should be taken to prevent inflation?
a. Encouraging further inflow of foreign investment in the private sector.
b. Developing financial institutions that strictly ensure the stabilization of currency exchange rates.
c. To increase the value of the Russian ruble by 4.7% in the current fiscal year.
d. Both A and C.

43

بنا به گفتهٔ بانک مرکزی کشور مولداوی، ذخایر ارزی این کشور با رشد ماهیانهٔ ۶/۶ میلیون دلار به ۶۴۷/۸ میلیون دلار در ماه سپتامبر رسید. نمایندگان بانک مرکزی این کشور که قبلاً جزو شوروی سابق بوده است، گفته اند که ذخایر ارزی این کشور از ابتدای سال ۲۰۰۶ میلادی معادل ۴۶/۷۸ میلیون دلار افزایش داشته است.

بنا بر یک گزارش، این بانک ۲۷۰/۱ میلیون دلار از مبالغ ارزی خود را حفظ نموده، ۳۷۷/۷ میلیون دلار را به صورت نقدی و سپرده گذاری در آورده، و ۷/۴ میلیون دلار را در صندوق بین المللی پول ذخیره نموده است.

43.1 The allotment of the funds at the National Bank of Moldova is as follows:
a. $270.1 million in securities, $377.7 million in cash and deposits, and $7.4 million in reserve in the International Monetary Fund.
b. $270.1 million in cash and deposits, $377.7 million in securities, and $7.4 million in reserves in the International Monetary Fund.
c. $270.1 million in reserves in the International Monetary Fund,

44.1 How does the September production compare with the monthly target?
a. The actual production was 3.8% higher than expected.
b. The actual production was 6.9% lower than expected.
c. The actual production exceeded the monthly target by 57,000 metric tons.
d. The actual production was 6.9% higher than expected.

44.2 How much crude oil did Sibneft produce in the first month of 2006?
a. 417.8 million barrels.
b. 57 million barrels.
c. 149 billion barrels.
d. 149 million barrels.

45

شرکت کاماز که یکی از بزرگ ترین شرکت های تولید کامیون در کشور روسیه به شمار می آید، موفق شد یک وام ۱۰۰ میلیون دلاری از اتحادیهٔ مربوطه دریافت نماید. این اتحادیه توسط یکی از بانک های معتبر روسیه تحت پوشش قرار دارد. این وام سندیکایی که در آینده نزدیک پرداخت خواهد شد، به مدت ۱۲ ماه در اختیار کاماز قرار گرفته و در قالب دو ارز مختلف پرداخت می گردد. این وام به صورت ۵۰ میلیون دلار و ۴۰ میلیون یورو و با نرخ سود ۱/۵ درصد در سال و بدون وثیقه پرداخت می گردد. به گفتهٔ مقامات این بانک، شرکت کاماز از این وام برای توسعه شرکت و افزایش تولید خود استفاده خواهد نمود. یکی دیگر از تامین کنندگان اعتبار این وام، بانک نارودنی مسکو می باشد. لازم به یادآوری است که مقدار ۳۴ درصد از سهام شرکت کاماز متعلق به دولت روسیه است.

45.1 In what form is the loan being dispersed to Kamaz Trucking Incorporated?
a. 40 million dollars and 50 million Euro.
b. 50 million dollars and 40 million Euro.
c. 100 million dollars.
d. 100 million Euro.

45.2 What type of loan is Kamaz receiving from its lending banks?
a. Savings loan from a major Russian bank.
b. Interest-only loans from various banks including Narodniy Bank.
c. A loan from the parent company Sindika and its subsidiary Narodniy Bank.
d. A syndicated loan from various Russian banks including Narodniy Bank.

46

شرکت کالینا به تازگی اعلام نموده است که سود خالص این شرکت در نیمه اول سال ۲۰۰۶ با ۲ درصد رشد نسبت به مدت مشابه سال قبل همراه بوده و به ۱۵/۱۶ میلیون دلار رسیده است. این محاسبه با توجه به استانداردهای بین المللی حسابداری تهیه شده است.

درآمد این شرکت که یکی از پیشگامان تولید محصولات آرایشی و بهداشتی در روسیه است، برای دورهٔ مذکور با ۳۶/۳ درصد رشد همراه بوده و به ۱۸۰/۲ میلیون دلار بالغ می شود. به همچنین، سود ناخالص این شرکت با ۲۵/۶ درصد افزایش به ۷۹ میلیون دلار رسیده است. شرکت کالینا که دفتر مرکزی آن در شهر اورالس واقع شده است، دارای یک کارخانهٔ بزرگ در سیبری بوده و نمایندگی هایی نیز در مناطق دیگر دنیا از جمله اوکراین، سوئیس و هلند دارد.

لازم به ذکر است که این شرکت، سهام قابل توجهی از شرکت معتبر آلمانی دکتر شلر کازمتیکس که تولید کنندهٔ لوازم آرایشی و بهداشتی است، را نیز در اختیار دارد.

خال مهرویان سیاه و دانه فلفل سیاه – هر دو جانسوز است اما این کجا و آن کجا ؟

46.1 What is the growth rate of Kalina's gross profit for the first half of 2006?
- **a.** Two percent growth in comparison to the same fiscal period the previous year.
- **b.** Two percent annual growth rate.
- **c.** Two percent growth in the last quarter.
- **d.** Two percent capital loss in comparison to the same fiscal period the previous year.

46.2 What has been Kalina's gross profit for the first half of 2006?
- **a.** 15.16 million dollars.
- **b.** 180.2 million dollars.
- **c.** 79 million dollars.
- **d.** 25.6 million dollars.

47

بنا به گفتهٔ وزیر اقتصاد کشور روسیه، توسعهٔ همکاری در زمینه هایی غیر انرژی بایستی در مناسبات دوجانبهٔ کشورهای روسیه و آذربایجان در اولویت قرار گیرد. وی پس از جلسه ای که با رئیس جمهور آذربایجان آقایهٔ ایلخام علیاف داشت گفت: "هدف اصلی ما و همچنین موضوع اصلی بحث جاری، توسعهٔ مناسبات تجاری در بخش های غیر انرژی می باشد."

روابط تجاری بین روسیه و آذربایجان در سال ۲۰۰۵ با افزایش سالیانهٔ ۴۴ درصدی روبرو بوده و از ۱ میلیارد دلار فراتر رفته است. روسیه و آذربایجان جزء یازده کشور اعضای اتحادیهٔ اقتصادی دریای سیاه می باشند. اجزاء دیگر این اتحادی آلبانی، ارمنستان، بلغارستان، گرجستان، یونان، مولداوی، رومانی، ترکیه و اوکراین هستند. در طول این مذاکرات، طرفین در مورد پروژه های مختلف در زمینه هایی مانند فن آوری های پیشرفته و صنایع برق، تولید خودرو از جمله یک واحد تولیدی کامیون در آذربایجان به تبادل نظر پرداختند. در این مذاکرات، مسائلی مانند مونتاژ کامیون های کاماز برای فروش در بازار محلی مورد توجه قرار گرفته است زیرا این شرکت در حال حاضر به دنبال مکانی در آذربایجان برای ساخت یک واحد مونتاژ کامیون می باشد. لازم به ذکر است که شرکت های روسی توجه ویژه ای نیز به طراحی و مدیریت تأسیسات تولید برق و شبکه های توزیع در آذربایجان نشان می دهند تا این کشور آسیای مرکزی بتواند مشکلات تامین برق خود را حل نماید. در مجموع، ۳۹۵ شرکت و سازمان مختلف با سرمایه روسیه در آذربایجان به ثبت رسیده اند که تعداد ۹۵ شرکت در بین این تعداد، ۱۰۰ درصد متعلق به روسیه می باشند. از این شرکتها، ۱۷۶ از نوع مشارکت تجاری بوده و ۱۲۴ به صورت نمایندگی و دفتر فروش مشغول به کار هستند. وزیر اقتصاد روسیه همچنین خاطر نشان می سازد که روسیه در جستجوی حوزه هایی است که بتواند گوناگونی فعالیت های تجاری بین دو کشور را به همراه داشته باشد. در این صورت، روابط بین این دو کشور از پایداری هرچه بیشتری برخوردار میشود و تنها به مسائل نفت و انرژی محدود نمیشود.

47.1 What did Ilham Aliyev say was the main aim of the cooperation between Russia and Azerbaijan?
- **a.** Finding a development site in Azerbaijan for energy production.
- **b.** Expansion of trade outside of the sphere of energy.
- **c.** Increased cooperation between the 11 countries of the Black Sea Economic Cooperation Alliance.
- **d.** All of the above.

47.2 What form of energy does Azerbaijan have difficulties in developing and distributing?
- **a.** Nuclear.
- **b.** Petroleum.
- **c.** Electric.
- **d.** wind and solar.

48

رئیس جمهور روسیه ولادیمیر پوتین پیش نویس قانونی را به مجلس این کشور ارائه داده است که در آن مجموعهٔ جدیدی از قوانین برای صنعت بازی در این کشور در نظر گرفته شده است. ارائه این پیش نویس در پی عملیات مخفیانه ای بود که توسط وزارت امور داخلهٔ این کشور برای بررسی مدارک مالی و مالیاتی تعدادی از مراکز قماربازی در پایتخت این کشور که با مافیای گرجستان در ارتباط هستند، صورت گرفت.

موج بستن کازینوها و رستوران های متعلق به اتّباع گرجستان در مسکو در پی رسوایی جاسوسی بین روسیه و گرجستان صورت گرفت که طی آن، چندین مقام روسی به اتهام جاسوسی دستگیر شدند. در صورتی که مجلس این قانون را تصویب نماید، قوانین جدید از اول ژانویه سال ۲۰۰۹ به مرحله اجرا در خواهند آمد. به همچنین، تدارک دو قلمرو قمار بازی که انجام قمار تنها در آنها مجاز خواهد بود، دیده شده است. نوع اول، قلمرو قمار بازی در مناطق مسکونی است. این قلمروها میتوانند در مناطق مشخص شدهٔ داخل و خارج از شهر تعیین شوند. دولت فدرال، اقدام به صدور مجوز قمار در این مناطق، طبق هماهنگی با مقامات محلی خواهد نمود. این مجوزها برای مدت پنج سال صادر شده و به هر تشکیلاتی اجازه خواهند داد تا یک مجموعهٔ قمار بازی به ازاء هر مجوز تاسیس نماید. نوع دوم، مشتمل بر قلمروهای قمار بازی ساخته شده در بخش های متعلق به مقامات فدرال و یا شهرداری است که برای توسعه شهری و خارج از شهری در نظر گرفته نشده اند. این بخش ها توسط دولت روسیه به مالکان تجارت قمار اختصاص داده خواهد شد. پیش نویس این قانون همچنین نیازمندی های مربوط به دارندگان مجموعه های قمار بازی را مشخص نموده است. مالکان بایستی موجودیت های قانونی باشند که توسط دولت روسیه یا مقامات محلی ایجاد نشده و دارایی خالص آنها کمتر از ۶۰۰ میلیون روبل (حدود ۲۲/۴ میلیون دلار) نباشد. تمام فعالیت های قمار که نتوانند الزامات تعیین شده در این پیش نویس را برآورده نمایند، بعد از اول ژوئیه سال ۲۰۰۷ تعطیل خواهند شد.

48.1 What sparked the Russian federal government's efforts to draft new gaming laws?

- **a.** Investigations into charges of Russian espionage in Georgia.
- **b.** The wave of shutting down casinos and restaurants affiliated with the Union of Georgia in Moscow.
- **c.** Russian Mafia's involvement in Georgian espionage through gaming facilities in Russia.
- **d.** All of the above.

48.2 How will the new kind of gaming permit affect gambling in residential areas?

- **a.** The federal government takes full charge of issuing permits for the construction and operation of casinos in a given residential area.
- **b.** The federal government issues permits for the construction and operation of casinos in residential areas that must be also approved by the local government.
- **c.** The federal government gives up land that is not earmarked for urban development to gaming facilities that meet the minimum requirements for operation.
- **d.** All of the above.

49

اژانس خبری رایان در نظر دارد یک ویراستار بایگانی خبری برای پیوستن به گروه خبری خود در مسکو در زمینهٔ اخبار انگلیسی استخدام نماید. ریا نووستی یکی از مراکز معتبر اخبار بلادرنگ روسیه است که مشتریان خود را در سراسر دنیا از آخرین اخبار روسیه و کشورهای مشترک المنافع مطلع می نماید.

خاله سوسکه به بچه اش میگه : قربون دست و پای بلوریت

متقاضیان این فرصت شغلی باید دارای ویژگی های زیر باشند: دارای زبان مادری انگلیسی با تسلط کامل به تمام جنبه های زبان روسی، دو سال سابقه در زمینهٔ فعالیت های رسانه ای، علاقه به روسیه، مسائل بین المللی و سیاسی، قابلیت کار با ضرب‌الاجل های فشرده و تحت فشار، داشتن ابتکار عمل در کار.

متقاضیان بایستی همچنین افرادی علاقه مند بوده و بتوانند به کار گروهی بپردازند و در کار با رایانه نیز مهارت کامل داشته باشند. مسئولیت های اصلی این موقعیت شغلی عبارتند از: مدیریت روزانهٔ اخبار انگلیسی زبان، انتخاب و توزیع موارد خبری برای مخاطبان هدف و آماده کردن هشدارهای خبری.

برای این فرصت شغلی، حقوق مکفی در نظر گرفته شده است.

49.1 What kind of language skills should a person applying for this position have?
- **a.** Native Russian and fluent English.
- **b.** Native English and fluent Russian.
- **c.** Native English and Russian.
- **d.** Fluent in English and Russian.

49.2 What type of salary does the position offer?
- **a.** A stipend.
- **b.** Entry-level.
- **c.** Competitive.
- **d.** The article does not mention the type of salary.

50

بنا به گزارش پلیس، یک شهروند ترکیه در حالی که یک بمب دست ساز را حمل می کرد، مدتی پیش در مسکو توسط پلیس دستگیر شد. طبق اظهارات پلیس، ماموران موفق شدند یک خودرو متعلق به یک بازرگان ترک را در یک ایستگاه بازرسی در نزدیکی شهر کراسنوزنامنسک در خارج از پایتخت روسیه متوقف کنند. ماموران پلیس در خودروی فولکس واگن این شخص، یک بمب دست ساز که حاوی ۴۰۰ گرم ماده منفجرهٔ TNT بود، همراه با سیستم فعال کنندهٔ بمب پیدا کردند. بررسی های بیشتر در مورد این حادثه در جریان است. لازم به تذکر است که کراسنوزنامنسک مرکز فرماندهی تاسیسات فضایی روسیه است که شبکه ای از ماهواره های فضایی را اداره نموده و هماهنگی های مربوط به فعالیت های دیگر مراکز را انجام می دهد.

50.1 What did Russian police officers find near the city of Krasnoznamensk?
- **a.** A murder victim.
- **b.** Dynamite.
- **c.** A Vehicle Born Improvised Explosive Device.
- **d.** A Turkish businessman who had links to Al-Qaeda.

50.2 How was the Turkish government involved in the incident described in the article?
- **a.** They provided TNT to Russia's Space Forces.
- **b.** They were intentionally shipping bomb-laden vehicles to Russia.
- **c.** The Turkish government was not directly involved in the incident.
- **d.** d. The Turkish government arranged with Russian forces to investigate a crime committed by a Turkish citizen on Russian territory.

51

یک مارگیر تایلندی موفق شد ۱۹ مار کبرای بسیار سمی را بوسیده و یک رکورد جهانی جدید در این رابطه از خود به جای بگذارد. این مارها، تک تک به روی صحنه ای که برای این منظور در یکی از شهرهای تفریحی تایلند آماده شده بود، آزاد شده و این مارگیر، هریک از این جانوران وحشتناک را می بوسید و سپس به سراغ مار دیگر می رفت.

به گفتهٔ برگزار کنندگان این مراسم، برای این منظور، اقدامات امنیتی شدیدی در نظر گرفته شده بود. چهار مارگیر دیگر در چهار گوشهٔ صحنه آمادهٔ برخورد با

هر گونه حادثه ای بودند و یک تیم پزشکی نیز با سرم و تجهیزات لازم، آمادۀ ارائۀ خدمات پزشکی در صورت نیش زدن این مارها بودند. مدیر برگزاری این نمایش به خبرنگاران گفته است که فرد مارگیر قصد داشته است یک رکورد جهانی در کتاب رکوردهای گینس به نام خود به ثبت برساند. رکورد قبلی در این زمینه متعلق به یک فرد امریکایی بود که در سال ۱۹۹۹ موفق شده بود تعداد ۱۱ مار سمی و خطرناک را ببوسد. این مارگیر تایلندی کار مارگیری را به صورت پاره وقت انجام می دهد و بیش از ۱۲ سال در این کار تجربه دارد. او در حین نمایش به کودکان و دیگر تماشاچیان اخطار کرد که هرگز خودشان اقدام به انجام چنین کار خطرناکی نکنند. او می گوید: "من خودم تا به حال چندین بار توسط مارها گزیده شده ام. همیشه داستان قدیمی مارگیری که از نیش مارها به هلاکت رسید را به یاد داشته باشید."

51.1 What is this article about?
- **a.** Thailand's mysterious creatures—the kissing snakes
- **b.** About a man named Maargyr Tayland and his new world record.
- **c.** About children who died of venomous scorpion bites.
- **d.** About a snake charmer who set the world record in kissing highly poisonous king cobras.

51.2 What was the name of the main character in the article?
- **a.** Maargyr Tayland.
- **b.** Khum Chaibuddee.
- **c.** Tak Tak.
- **d.** The article does not mention the main character's name.

52

چندی پیش، سرگئی لاورف وزیر امور خارجه روسیه طی یک بازدید رسمی از لهستان که برای احیای روابط تیرۀ دیپلماتیک بین دو کشور ترتیب داده شده بود، با یک اشتباه شرم آور از سوی میزبانان خود روبرو شد. هنگامی که آقای لاورف در ورودی ساختمان وزارت امور خارجه لهستان مورد استقبال قرار گرفت، متوجه شد که حیاط ساختمان به جای این که با پرچم کشور روسیه تزئین شده باشد، پرچم جمهوری چک در آن مورد استفاده قرار گرفته است. کارمندان وزارت خارجه به سرعت متوجه اشتباه خود شدند و پرچم ها را با پرچم های روسیه تعویض کردند و البته طرف روسی نیز هیچ اشاره ای به این موضوع نکرد.

اما این اشتباه تبدیل به موضوع اصلی رسانه های لهستانی در آن روز گردید و باعث گردید تا این اشتباه فاحش از سوی رسانه ها به تمسخر گرفته شود. از سویی دیگر، یکی از روزنامه های دولتی روسیه، با طعنه در این باره نوشت که قطع ارتباط بین ورشو و مسکو آنقدر طولانی شده است که وزارت امور خارجه لهستان، احتمالاً شکل پرچم روسیه را فراموش کرده است! این روزنامه همچنین مطالب طنز آمیزی در این مورد نوشت که احتمالاً آقای لاورف در تشخیص دادن رئیس جمهور فعلی لهستان و نخست وزیر آن کشور، که دوقلوهای همسان می باشند، دچار مشکل جدی شده بوده است! این روزنامه روسی همچنین به رویداد مشابهی در یک سال پیش اشاره کرد که در آتن. پرچم روسیه به صورت وارونه نصب شده بود و در رویداد مشابهی در لهستان نیز، پرچم این کشور بر روی خودروی حامل رئیس جمهور به صورت وارونه دیده می شد. پرچم وارونۀ این کشور، تقریباً مشابه پرچم کشورهای موناکو یا اندونزی می باشد.

52.1 According to the article, whose flags were mixed up?

- **a.** The Polish government hung the Czech flag instead of the Russian flag.
- **b.** The Czech government hung the Polish flag instead of the Russian flag.
- **c.** The Polish government hung the Bulgarian flag instead of the Russian flag.
- **d.** The Bulgarian government hung the Czech flag instead of the Russian flag.

52.2 How did the Russians react to the mix-up described in the article?

- **a.** They did not publicly express any concern.
- **b.** They publicly expressed their anger.
- **c.** They went and changed the flags to the proper representation.
- **d.** Both B and C.

53

یک سرباز سفالی دیگر به مقبره امپراتور باستانی چین کین شی هوانگ به تازگی اضافه شد. پابلو وندل که یک دانشجوی آلمانی است، خودش را به صورت یکی از مجسمه های سفالی در اطراف مقبرهٔ کین شی هوانگ که اکنون به صورت موزه در آمده است، آراسته است.

پلیس که در حال محافظت از موزه بود، مدت طولانی در حال جستجو بود تا بالاخره توانست وندل را که بدون صدا در بین هزاران سرباز سفالی ایستاده بود، پیدا کند. هنگامی که پلیس این هنرمند نمایشی ۲۶ ساله را پیدا کرد، او را مانند یک کنده درخت دستگیر کرده و با خود برد. این دانشجوی آلمانی در مراحل بازپرسی به پلیس گفت که به شدت تحت تاثیر جاذبهٔ شگفت انگیز این سربازان در موزه قرار گرفته بوده است. لازم به ذکر است که کشور چین در حدود ۲۲۰۰ سال پیش توسط امپراتور کین شی هوانگ به صورت یکپارچه در آمد. مقبرهٔ این امپراتور باستانی در شهر زیان که زمانی پایتخت چین به شمار می آمد، اکنون به صورت موزه برای بازدید عموم قابل دسترس است.

53.1 What type of sculptures guard Chinese Emperor Qin Shi Huang's tomb?

- **a.** Terracotta warriors.
- **b.** Han soldiers.
- **c.** Warriors made of the Sefalist art style.
- **d.** Sculptures of warriors crafted by a man named Pablo Wendel.

53.2 Based on the article, which one of the statements below is true?

- **a.** Pablo Wendel is a German student.
- **b.** Emperor Qin Shi Huang personally added one more sculpture to his own tomb.
- **c.** Xian said he would go to the capital on the condition that he is granted one of the sculptures from the museum.
- **d.** Pabo Wendel disliked the sculptures.

54

همسر نخست وزیر جدید کشور جمهوری چک، بعد از این که آقای نخست وزیر اعتراف کرد که با قائم مقام رئیس مجلس رابطه داشته است، به جناح رقیب پیوسته است. میرک توپولانک رهبر دموکرات های مدنی محافظه کار هفته گذشته به عنوان نخست وزیر برگزیده شد. همسر نخست وزیر یعنی پاولا توپولانکووا به جناح راست مخالف جناح دموکرات های مدنی محافظه کار پیوست و قصد دارد تحت عنوان این جناح در مجلس سنا شرکت کند.

آقای توپولانک در رابطه با این اقدام گفته است: "من از این اقدام تعجب کردم، ولی واکنشی به آن نشان ندادم."

او این اقدام همسرش را یک "انتقام شیرین" برای خیانت شوهرش نامیده است. لوسی تالمانووا قائم

مقام رئیس مجلس این کشور که یک خانم ۳۶ ساله است، اعتراف کرده است که با نخست وزیر فعلی این کشور رابطه داشته است و در رادیوی محلی اعلام کرد که افراد محترم درباره این گونه مسائل سئوال نکرده و به این گونه پرسش ها نیز پاسخ نمی دهند. اما در ۲۷ سال زندگی مشترک، ممکن است چنین اتفاقاتی روی دهد. طبق اطلاعات بدست آمده، آقای نخست وزیر از وکیل خود خواسته است تا مراحل قانونی طلاق را آغاز نماید.

54.1 Who is Mirek Topolanek?
- **a.** Leader of the right-wing party Politika 21.
- **b.** The Czech Republic's newly elected President.
- **c.** Prime Minister of the Czech Republic.
- **d.** Both A and B.

54.2 On the first line of the last paragraph, what does "انتقام شیرین" refer to?
- **a.** Lucie Talmanova's political triumph in the Czech Parliament.
- **b.** Pavla Topolankova's sweet revenge against her idolatrous husband.
- **c.** Mirek Topolanek's sweet revenge against his idolatrous wife.
- **d.** Pavla Topolankova's political triumph in the Czech Parliament.

55

مقامات دهلی نو امیدوارند بتوانند با استفاده از یک جانور از رسته میمون ها، مشکل ورود میمون های مزاحم که به سیستم قطارهای زیرزمینی این شهر نفوذ می کنند را حل نمایند. به گزارش نشریه هندوستان تایمز، نوعی از میمون های بزرگ تر برای ترساندن انواع کوچک تر میمون ها مورد استفاده قرار خواهند گرفت. بنا به اظهارات آنجو دایا از شرکت متروی دهلی، برای این منظور، حقوقی معادل ۶۹۰۰ روپیه (۱۶۷ دلار امریکا) در ماه برای مربیان میمون ها در نظر گرفته شده است تا هر زمان که مشکل ورود میمون ها به شبکه قطارهای زیرزمینی به وجود آمد، وارد عمل شده و با ترساندن آنها، باعث خروج میمون ها از محل شود. او می گوید که تعداد میمون ها در شبکه مترو واقعاً زیاد است. طبق گزارشات رسیده، در ماه ژوئن سال جاری یک میمون از طریق لوله ها به یک واگن مترو وارد شده و مشغول جست و خیز در داخل واگن مترو و شکلک درآوردن برای مسافران گردید. در پی این حادثه، مسافران به واگن دیگری منتقل شدند در حالی که کارکنان مترو برای به دام انداختن این میمون، ساعت ها مشغول تعقیب و گریز بودند.

دهلی نو، با مشکلات فراوانی از نظر وجود میمون ها در نقاط مختلف شهر دست به گریبان است. طبق گزارشات موجود این جانوران به خانه ها، مدرسه ها و مراکز اداری شهر حمله می کنند. تعداد زیادی از این حیوانات مزاحم از جنگل های اطراف وارد شهر می شوند. در تلاشی که برای کنترل این مشکل در سال گذشته انجام شده است، مقامات اجرایی این شهر توانسته اند حدود ۵۰۰ میمون را به دام انداخته و آنها را به حومه شهر منتقل نمایند.

55.1 According to the article, who is causing trouble in New Delhi?
- **a.** Tourists.
- **b.** Monkeys
- **c.** Metro riders
- **d.** All of the above.

55.2 Who is Anuj Dayal?
- **a.** Head of New Delhi's tourism industry.
- **b.** Manager of a guest house in New Delhi.
- **c.** Chief of New Delhi's underground transportation system.
- **d.** A representative of the Delhi Metro Rail Corporation.

56

قائم مقام جناح دموکرات ترقی خواه تایوان وانگ شو هوی در میان کشمکشی که در مورد پیشنهاد ایجاد یک مسیر حمل و نقل مستقیم به کشور چین در جریان بود، یکباره پیشنهاد مکتوب را قاپیده و آن را در دهان خود فرو برد. اعضای جناح مقابل موفق نشدند او را گرفته و با کشیدن موهای سرش، مانع از بلعیدن این پیشنهاد مکتوب توسط این خانم گردند! البته او بعداً این مدرک را از دهان خود بیرون آورده و آن را پاره کرد. این سومین مرتبه است که اقدام جناح دموکرات ترقی خواه باعث توقف رای گیری در مورد این مسئله می گردد.

در حین این حادثه، یکی دیگر از اعضای جناح دموکرات ترقی خواه یعنی چوانگ هو تزو به صورت یکی از اعضای جناح مخالف تف کرد. اصلاحیهٔ قانون کنترل ارتباطات بین مردم ناحیهٔ تایوان و کشور چین، امکان برقراری یک مسیر ارتباطی مستقیم بین چین و تایوان را ممکن می ساخت، مسیری که هم اکنون به صورت غیر مستقیم (معمولاً از طریق هنگ کنگ) برقرار است. گشایش چنین راه ارتباطی توسط ائتلاف مخالف جناح دموکرات ترقی خواه مورد پشتیبانی است، اما مورد انتقاد و مخالفت شدید جناح دموکرات ترقی خواه که از پشتیبانی دولت نیز برخوردار می باشد، قرار گرفته است.

ارتباط حمل و نقل مستقیم بین تایوان و چین، بعد از جدا شدن این دو بخش در پی جنگ خونین داخلی که در سال ۱۹۴۹ روی داد، ممنوع شده است. دولت کمونیست چین و سیاستمداران اپوزیسیون در تایوان از اتحاد مجدد تایوان و چین حمایت می کنند و پیمان بسته اند که این ممنوعیت را لغو کنند، اما تلاش آنها به دفعات توسط جناح دموکرات ترقی خواه که به نگرانی های امنیت ملی اشاره دارد، خنثی شده است.

56.1 What is Wang Shu-hui's agenda?

- **a.** To prevent legislation from being passed that would create a direct link between mainland China and Taiwan.
- **b.** To chew and swallow as many pieces of paper as possible.
- **c.** To defeat Taiwan's Democratic Progressive Party.
- **d.** None of the above.

56.2 What did Chuang Hot-zu do?

- **a.** He declined to comment on the incident.
- **b.** He condemned the incident.
- **c.** He spat on an opposition member.
- **d.** He spat on a member of the Democratic Progressive Party.

57

پراناب موخرجی وزیر دفاع هند اعلام کرده است که احتمالاً این کشور اقدام به بازگرداندن ۷۵۵ سرباز اعزام شده به لبنان به عنوان بخشی از نیروهای حافظ صلح سازمان ملل خواهد نمود. پس از جنگ اخیر بین اسرائیل و لبنان، یک نیروی جدید سازمان ملل که از سربازان ایتالیا، فرانسه و دیگر کشورها تشکیل شده است، برای ایجاد سپر بین ارتش اسرائیل و نیروهای حزب الله لبنان عازم منطقه شده اند.

منابع دیپلماتیک می گویند که تصمیم فراخوانی این سربازان ممکن است به این دلیل باشد که دستور جدید مستلزم تحمیل صلح به جای حفظ صلح می باشد. هند که در حال حاضر دومین سپاه بزرگ سازمان ملل را در عملیات حفظ صلح تشکیل می دهد، تا زمان منقضی شدن دستور فعلی صبر خواهد کرد.

57.1 What do diplomatic sources attribute as the reason for the withdrawal decision?

a. The new mandate involves peace-enforcement as opposed to peace-keeping.
b. The new mandate involves peace-keeping as opposed to peace-enforcement.
c. The soldiers were engaged in peace-enforcement as opposed to peace-keeping.
d. The soldiers were engaged in peace-keeping as opposed to peace-enforcement.

57.2 What has to happen before India would hand over its positions to a new UN force?

a. The Israeli-Lebanese conflict is solved.
b. The expiry of the current mandate.
c. The establishment of a new mandate.
d. Both A and C.

58

تعداد زیادی از مهاجران غیر قانونی که بیشتر آنها دارای ملیت افریقایی هستند، به تازگی به سواحل جزایر قناری رسیده اند. هرچند تعداد دقیق گزارش شدهٔ این افراد به درستی مشخص نیست، اما به نظر می رسد که بیش از ۱۰۰۰ نفر در این رابطه به ثبت رسیده اند. یکی از این افراد نتوانسته است از این سفر طولانی جان سالم به در ببرد.

مدتی قبل و در ماه مه سال جاری، تعداد ۹۷۴ مهاجر به جزایر مختلف پا گذاشته اند. تنها در یکی از روزهای گذشته، تعداد ۶۷۴ خارجی که مدارک معتبری در اختیار نداشته اند، توسط مقامات پلیس یافت شده اند. در اوایل ماه اوت سال جاری مشخص شد که تعداد مهاجران به صورت بی سابقه ای افزایش یافته است و مقامات مسئول، میزان این افزایش را در حدود ۳۰۷ درصد ذکر می کنند (۱۴۵۸۹ مهاجر در مقایسه با ۴۷۵۱ مهاجر در مدت مشابه در سال ۲۰۰۵).

یک جلسه ویژه دولت محلی جزایر قناری برای این مسئله تشکیل شده است. بعضی از منابع اسپانیایی انتظار دارند که این گونه رویدادها باعث ایجاد بحث های سیاسی جدید در این زمینه شود. این مهاجران عموماً قاره افریقا را با قایق های مملو از افراد ترک می کنند و در واقع یک سفر بسیار پر خطر را آغاز می نمایند. آنها سعی دارند به مجمع الجزایر قناری که بخشی از اسپانیا به شمار آمده و پایگاهی برای مهاجرت به اتحادیه اروپا به شمار می آید، برسند. نیروهای حفاظتی پلیس، اغلب جلوی قایق های این مهاجران غیر قانونی را در آب های می گیرد. هنگامی که این افراد به ساحل می رسند، سازمان های بشر دوستانه مانند صلیب سرخ، آماده ارائه کمک های اولیه به این افراد هستند. این افراد هنگام رسیدن به ساحل دچار مشکلاتی از قبیل پایین آمدن دمای بدن، کاهش آب بدن، جراحت های سطحی و غیره می باشند.

پس از این مراحل اولیه، مقامات این کشور سعی می کنند تا هویت این افراد را مشخص کنند. بیشتر آنها دارای زمینهٔ قانونی برای مهاجرت نیستند، اما نمی توانند به دلیل پنهان کردن هویت خود به کشورشان بازگردانده شوند و یا این که تعدادی از آنها کمتر از ۱۸ سال سن دارند. در این شرایط، چنین افرادی را به یک مرکز نگهداری اتباع خارجی منتقل می کنند و در آنجا می توانند به مدت ۴۰ روز نگهداری شوند. از آنجایی که کشور اسپانیا فاقد قراردادهای دوجانبه با اغلب کشورهای حاشیه دریای مدیترانه به استثنای مراکش است، آنها نمی توانند این مهاجران را بدون رایزنی های مربوطه به کشورشان برگردانند. اگر این افراد در هنگام ورود دستگیر نشوند و یا در صورتی که انجام مراحل قانونی باعث برگرداندن آنها به کشورشان نشود، این افراد می توانند آزادانه وارد اسپانیا و اتحادیه اروپا شوند.

58.1 The immigrants described in this article:

a. Have found a loophole that will allow them to enter the EU.
b. Have legal grounds for immigration.
c. Are all Africans.
d. All of the above.

58.2 What kind of medical issues do the immigrants have when they arrive on the Island?

a. Melanoma and Dehydration.
b. Hypothermia and Dehydration.
c. AIDS/HIV and Hypothermia.
d. None of the above.

59

خشک شدن یک درخت ۲۰۰ ساله که "درخت معرفت" نام دارد و گفته می شود که زادگاه حزب میانه روی چپ استرالیایی کارگران استرالیاست، چندی پیش توسط گیاه شناسان تایید شد. این درخت در بارکالدین در کوئینزلند استرالیا واقع است.

در ماه مه سال جاری، این درخت ۲۰۰ ساله با مقدار زیادی مواد شیمیایی علف کش، مسموم گردید. یکی از مقامات حزب کارگر استرالیا در این رابطه گفته است: "ما در ماه مه متوجه شدیم که برگ های این درخت در حال ریختن است. در حال حاضر هیچ برگی روی درخت نمانده است و شاخه های آن مانند یک جسم بی جان در هوا باقی مانده است."

طبق باورهای این حزب، اولین شاخهٔ حزب کارگر استرالیا در سال ۱۸۹۱ در زیر همین درخت و با اعتراض کسانی که در زمینهٔ چیدن پشم گوسفندان فعالیت داشتند، بنا نهاده شد. در آن زمان، این اعتراض با حضور ۱۰۰۰ سرباز و پلیس که برای دولت مستعمراتی آن زمان کار می کردند، روبرو شد و با تهدید حمله مواجه گردید. در نهایت، رهبران اعتراض کنندگان دستگیر شده و کارگران دیگری جایگزین آنان گردیدند. آقای اوگدن رئیس کنونی این حزب که در رادیو ABC سخن می گفت، دربارهٔ آیندهٔ این درخت صحبت کرد و گفت: "هنوز تصمیمی در این رابطه گرفته نشده است، اما توافق عمومی بر این است که شاخه های این درخت تاریخی هرس شده و تنهٔ اصلی درخت در جای خود باقی بماند. البته اعضای شورا متولی این امر هستند و تصمیم گیری نهایی با آنان خواهد بود."

اما برای کسانی که نگران مرگ DNA این درخت و از بین رفتن کامل آن هستند جای نگرانی نیست، زیرا یک درخت فرزند از همین درخت وجود دارد که در طول جشن صدمین سال واقعهٔ اعتراض آمیز سال ۱۸۹۱ و شکل گیری حزب کارگر، از این درخت جدا شده و هم اکنون در مرکز میراث کارگران استرالیا در بارکالدین حفظ می شود. رهبران محلی و مقامات کشاورزی سعی دارند تا گلخانه ای برای ایجاد نهال از این درخت و فروش آنها ایجاد نمایند. این طرح، بعد از مشکلاتی که در زمینهٔ حفظ این گیاه وجود داشت، هنوز در مراحل آزمایشی خود به سر می برد. ادارهٔ صنایع اصلی این کشور از هر دو روش قلمه زدن و همانند سازی برای این طرح استفاده خواهد کرد.

شهردار بارکالدین در این رابطه می گوید: "اگر در این طرح موفق شویم، می توانیم یکی از فرزندان این درخت را در هر باغ گیاه شناسی در اختیار داشته باشیم."

لازم به ذکر است که ورود توریست ها به این شهر به میزان قابل توجهی افزایش یافته است زیرا مردم می خواهند این درخت را قبل از مرگ مشاهده نمایند. شهردار این شهر پیشنهاد کرده است که یک مراسم خداحافظی برای این درخت ترتیب داده شود و وی امیدوار است که این مراسم با استقبال مردم روبرو گردد. در حال حاضر پلیس نیز به دنبال افرادی است که در مسموم کردن درخت شرکت داشته اند.

59.1 Why is the tree in this article so important?
- **a.** Because it is the most ancient tree in Queensland.
- **b.** Because it is the birthplace of an Australian political party.
- **c.** Because it was the last tree containing that exact DNA.
- **d.** Because it is Australia's national tree.

59.2 How was the tree killed?
- **a.** It was not watered, so it dried out.
- **b.** It was cut down.
- **c.** With Ajax.
- **d.** With herbicides.

60

توفان فلورنس در ۳۵/۸ درجه شمالی و ۶۳/۹ درجه غربی و در ساعت۱۱ شب به وقت محلی به وقوع پیوست. حداکثر سرعت این توفان معادل ۸۵ مایل بر ساعت و بادهای ناگهانی آن نیز به ۱۰۵ مایل بر ساعت رسید. این توفان از جهت شمال شرق و با سرعت ۱۸ مایل بر ساعت در حال حرکت بوده و نشانه هایی از ضعیف شدن آن دیده می شود. دولت برمودا، بعد از این که این توفان باعث شکستن شیشهٔ پنجره ها و وارد آوردن خساراتی به خانه ها گردید، وضعیت اضطراری توفان استوایی را متوقف نمود. این توفان هیچ تلفات جانی در بر نداشته است و تنها آسیب دیدگی های سطحی در برخی افراد گزارش شده است. این توفان باعث قطع شدن برق در بسیاری از مناطق گردیده و هزاران نفر با قطع شدن برق روبرو شده اند. شرکت برق برمودا (BELCO) امیدوار است بتواند این مشکل تامین برق را طی چند روز حل نماید.

60.1 How does the article describe the hurricane?
- **a.** The hurricane reached speeds of 85 miles per hour.
- **b.** The hurricane moved north-west at 18 miles per hour.
- **c.** The hurricane moved north-east at 85 miles per hour.
- **d.** The hurricane winds blew at 85 miles per hour and gusts of up to 105 miles per hour.

60.2 What kind of casualties did the hurricane inflict?
- **a.** Deaths.
- **b.** Major injuries.
- **c.** Minor injuries.
- **d.** All of the above.

61

متخصصان هواشناسی پیش بینی می کنند که توفان آیزاک ممکن است بخش اقیانوس اطلس کشور کانادا را در هفته آینده مورد هجوم قرار دهد. استان های نووا اسکوتیا و نیو فوندلند، استان هایی هستند که از نظر پایش وضعیت پیشرفت توفان آیزاک توسط متخصصان هواشناسی توصیه شده اند. متخصصان هواشناسی می گویند که توفان آیزاک ممکن است در شرق برمودا باقی بماند، اما بخش های ساحلی کانادا و نیو فوندلند نیز ممکن است از لبهٔ خارجی این توفان در امان نباشند.

اریک بلیک یکی از متخصصان هواشناسی و متخصص در توفان های دریایی در این زمینه می گوید: "بعضی از مناطق شرق کانادا ممکن است در روزهای دوشنبه و سه شنبه دچار صدمات ناشی از بخش های خارجی این توفان گردند. انتظار می رود که این توفان قبل از این روزها تا حدودی تقویت شود."

سه سال پیش، افرادی که در سواحل این کشور سکونت دارند از توفان جوآن صدمات زیادی دیدند. در سپتامبر سال ۲۰۰۳ در بخش نووا اسکوتیا، توفان جوآن باعث مرگ دو نفر، خراب شدن ساختمان ها و قطع شدن برق حدود ۳۰۰ هزار خانه و ساختمان تجاری گردید.

فصل توفان در اقیانوس اطلس از اول ماه ژوئن آغاز شده و در ۳۰ نوامبر پایان می پذیرد. بنا به گزارش مرکز ملی توفان امریکا، توفان آیزاک دارای بادهای

پیوسته با سرعت ۷۵ کیلومتر بر ساعت بوده است. توفان آیزاک، پنجمین توفان و نهمین تند باد نامیده شده در فصل توفان اقیانوس اطلس در سال ۲۰۰۶ می باشد.

61.1 According to the forecasters, which of the following statements is true?
- **a.** Isaac should stay to the east of Burmuda.
- **b.** Isaac should stay to the south of Bermuda.
- **c.** Isaac should stay to the west of Bermuda.
- **d.** Isaac should stay to the north of Bermuda.

61.2 Which of the following statements is false?
- **a.** Isaac is the fifth hurricane of the 2006 Atlantic hurricane season.
- **b.** Isaac had top sustained winds near 75 kilometers per hour.
- **c.** Isaac killed two people and left 300,000 houses and businesses without power.
- **d.** None of the above.

62

ناصر الشاعر، معاون نخست وزیر دولت حماس فلسطین، چندی پیش اظهار داشت که نواحی تحت کنترل فلسطین بعد از برخوردهای فرقه ای در نوار غزه در آستانهٔ یک فاجعهٔ واقعی قرار گرفته است. وی اخطار کرد که اگر وضعیت به همین رویه ادامه پیدا کند، افراد مسبب این نا آرامی ها بهای آن را خواهند پرداخت و همچنین اضافه نمود که اگر جنگ داخلی در این کشور آغاز شود، ما قادر به عقب نشینی نخواهیم بود.

چهار نفر فلسطینی چندی پیش در درگیری های مسلحانه بین افراد حماس و اعضای سرویس امنیتی که خیابان ها را به علت اعتراض به عقب افتادن حقوق خود به اشغال آورده بودند، کشته شدند. الشاعر اعتراض کنندگان را به حفظ آرامش و عدم استفاده از خشونت و اسلحه برای مطرح کردن خواسته های خود دعوت نمودند. حماس اظهار داشته است که این حملات را با توسل به زور پاسخ خواهد گفت و نیروهای امنیتی را به حمله به اولویت های شخصی و عمومی متهم ساخته است. آقای الشاعر که چندی پیش از اسرائیل آزاد شد، تاکید نمود که ایجاد یک دولت وحدت ملی، تنها راه برای پایان دادن به این بحران خواهد بود. اما از سویی دیگر، وی اذعان کرد که تامین حقوق دریافتی افراد برای دولت حماس کار بسیار مشکلی است و اظهار داشت که مشکل پرداخت حقوق، یک مشکل اقتصادی و سیاسی به شمار می آید.

لازم به تذکر است که دولت حماس به دلیل منشور این دولت که حذف اسرائیل را از روی نقشه جهان طلب می کند، با تحریم های اقتصادی و قطع کمک های غرب روبرو شده است. آقای الشاعر همچنین از تمام حزب ها خواست تا سخت کار کرده و با توقف اظهارات تحریک کننده، به حفظ آرامش کشور کمک نمایند.

62.1 What instigated the armed clash between Hamas militants and members of the security service?
- **a.** Delayed salaries.
- **b.** Decreased wages.
- **c.** Factional tensions.
- **d.** A recent political move by Naser Al Sha'er.

62.2 Having read the entire article, which word best describes Naser al Sha'er_
- **a.** Indifferent.
- **b.** Pragmatist.
- **c.** Stingy.
- **d.** Idealist.

63

اسماعیل هنیه نخست وزیر دولت حماس روز گذشته از اقدام وزیر امور داخلی خود سعید سیام مبنی بر استقرار نیروهای حماس در غزه، دفاع نمود. وی در یک کنفرانس خبری در غزه و بعد از خشونت هایی که در

نوار غزه باعث کشته شدن هشت نفر و مجروح شدن ۷۰ نفر دیگر گردید اظهار داشت: "این تصمیم، یک تصمیم ضروری و فوری برای حفظ آرامش و امنیت در خیابان های فلسطین بوده است."

افراد پلیس و نیروهای امنیتی اقدام به برگزاری تظاهرات در نوار غزه نموده و از محمود عباس رئیس جمهور فلسطین و دولت حماس خواستند که نسبت به پرداخت حقوق آنها اقدام نمایند. لازم به ذکر است که دولت حماس از زمان در دست گرفتن قدرت دچار بحران های مالی شدیدی شده است زیرا کمک های بین المللی به دولت فلسطین قطع شده و اسرائیل نیز دولت فلسطین را تحریم نموده است. بین از ۱۶۰ هزار کارمند در ادارات کشوری و لشکری، قبل از روی کار آمدن دولت حماس و پیروزی این حزب در انتخابات، حقوق خود را از محل کمک های بین المللی که به دولت فلسطین ارائه می شد، دریافت می نمودند. اما در حال حاضر با قطع شدن این کمک ها، دولت برای پرداخت حقوق کارمندان با مشکل مواجه شده است.

اسماعیل هنیه در این رابطه اضافه می کند: "دولت در این رابطه هوشمندانه عمل کرده و آرامش خود را حفظ نموده است. دولت حماس بر خلاف سیل اتهامات، اعتراضات و نا آرامی های اخیر که برای مدت بیش از یک ماه ادامه داشت، از نشان دادن عکس العمل خودداری کرد." وی همچنین می گوید: "ادامهٔ اعتراضات و تظاهرات، زمانی که اعتراض کنندگان اقدام به استفاده از اسلحه نموده و قانون را زیر پا گذاشتند، از حد منطقی فراتر رفت. بدیهی است که استفاده از چنین روش هایی برای ملت فلسطین هرگز قابل پذیرش نخواهد بود." وی اضافه می کند: "در صورتی که نیروهای امنیتی و اعضای پلیس قصد اعتراض داشته باشند، دستورالعمل های موجود کاملاً مشخص است. آنها بایستی به قانون احترام بگذارند اما چنین نکردند و باعث بروز نا آرامی در خیابان ها گردیده و اقدام به استفاده از اسلحه نمودند." اسماعیل هنیه همچنین اظهار داشت که با محمود عباس رئیس جمهور فلسطین که در اردن به سر می برد، تماس تلفنی داشته و در مورد لزوم حفظ قانون و نظم و ادامهٔ مذاکرات جهت ایجاد یک ائتلاف دولتی، با وی مذاکره کرده است.

63.1 According to Haneya, why was it wise for the Palestinian government to keep quiet and patient?

- **a.** Because they were able to completely avoid the conflict.
- **b.** Because they essentially allowed emotions and rage to settle before initiating dialogue with the protestors.
- **c.** Because government representatives were able to avoid being physically injured by the violent and heated protestors.
- **d.** Because the protestors were acting disrespectfully.

63.2 According to the article, what is Haneya's primary concern?

- **a.** To appease the protestors.
- **b.** To increase Hamas's power.
- **c.** To resolve the financial crisis.
- **d.** To bring law and order.

64

طبق گزارشات رسیده از رسانه های محلی، آقای فواد سینیورا نخست وزیر لبنان، احتمال بروز جنگ داخلی در کشورش را منتفی دانسته است. آقای سینیورا که پس از دیدار یک روزهٔ خود از کویت سخن می گفت، اظهار داشت که مردم لبنان به خوبی می دانند که تنش و نا آرامی، راه به جایی نخواهد برد. وی گفت که حفظ آرامش و شکیبایی، تنها روش برای دستیابی به نتایج مثبت از طریق گفتگو و پذیرش نظرات یکدیگر خواهد بود.

وی گفت که با امیر کویت و نخست وزیر این کشور در مورد بعضی زمینه های مربوط به حمله اسرائیل به لبنان و عواقب آن، دیدار و گفتگو کرده

است. آقای سینیورا اضافه نمود که دیدار وی، همچنین برای تشکر از دولت و مردم کویت برای کمک های انسان دوستانهٔ آنها به مردم لبنان در طول دوران سخت جنگ صورت گرفته است. او خاطر نشان نمود که هر دو کشور دارای دیدگاه های مشترکی در مورد لبنان و تحرکات اخیر در منطقه می باشند. دولت کویت در ماه ژوئیه موافقت نمود تا برای کمک به جبران خرابی های ناشی از جنگ بین اسرائیل و لبنان، مبلغ ۳۰۰ میلیون دلار امریکا به لبنان کمک نموده و همچنین مبلغ ۵۰۰ میلیون دلار در بانک مرکزی لبنان سرمایه گذاری نماید.

64.1 How does Siniora feel about the tension between Lebanon and Israel?

- **a.** He feels that it cannot lead to anywhere
- **b.** He is confident the war can be won with Kuwait's support.
- **c.** He believes the outcome will be good.
- **d.** The article never mentions what Siniora thinks about the tension between Lebanon and Israel.

64.2 How is Kuwait aiding Lebanon?

- **a.** By giving 300 million USD of aid to Lebanon.
- **b.** By investing 500 million USD into Lebanon's Central Bank.
- **c.** By giving a total of 800 million USD of aid to Lebanon.
- **d.** Both (A) and (B)

65

بنا به گزارش یکی از منابع وزارت داخلی عراق، مردان مسلح ناشناس، چندی پیش یک مامور امنیتی پلیس را در مرکز بغداد هدف گلوله قرار داده و به هلاکت رساندند.

این فرد به شرط افشا نشدن نام خود اظهار داشت که کلنل فریس خلیل عبد الحسن که عضو کمیته بررسی ویژه در وزارت داخلی عراق بود، با شلیک مردان مسلح ناشناس در نزدیکی یک پمپ بنزین روبرو شده و از پا در آمد. لازم به ذکر است که شورشیان عراقی به طور مکرر اقدام به حمله به نیروهای امنیتی امریکایی و عراقی و همچنین مقامات کلیدی دولتی می کنند و آنها را متهم به همکاری با حضور نظامی امریکا در عراق می نمایند.

65.1 Who committed the crime described in the article?

- **a.** Faris Khalil Abdul Hassan.
- **b.** The owner of a gas station near Gailani.
- **c.** A gunman who has been identified but has requested to remain anonymous.
- **d.** The identity of the gunman is unknown.

65.2 Why do these types of attacks occur frequently?

- **a.** Because of tribal conflicts in Iraq.
- **b.** Because of religious conflicts in Iraq.
- **c.** Because the Iraqi security force's perceived collaboration with the United States.
- **d.** Because of economic and political shortcomings in Iraq.

66

طبق گزارش منابع خبری، ایران تصمیم گرفته است تا صرف نظر از ضرب الاجل یکطرفهٔ تعیین شده از سوی دولت تهران برای به پایان رساندن قرارداد فی مابین، به مذاکرات خود با شرکت ژاپنی اینپکس در مورد حوزه نفتی آزادگان ادامه دهد. بنا به گزارش های رسیده، مذاکرات نهایی در مورد توسعه میدان نفتی آزادگان در حال انجام است و گفتگو بین شرکت ملی نفت ایران و شرکت اینپکس آغاز شده است و آخرین روز ضرب الاجل برای تصمیم گیری مشخص در مورد حوزه نفتی آزادگان تعیین گردیده است.

آقای کاظم وزیری هامانه وزیر نفت ایران گفته است که شرکت ژاپنی تا روز جمعه برای تمام کردن

این پروژۀ دو میلیارد دلاری فرصت دارد و در غیر این صورت، این پروژه به شرکت های نفتی ایرانی واگذار خواهد شد.

کمال دانشیار مسئول کمیسیون انرژی مجلس نیز اخطار نمود که اگر ژاپن به تاخیر در انجام این پروژه ادامه دهد، تهران این قرارداد را فسخ نموده و پروژه را در اختیار شرکت های ایرانی قرار خواهد داد. این قرارداد برای بهره برداری از بزرگترین حوزه نفتی داخل خشکی ایران در سال ۲۰۰۴ با شرکت اینپکس که از پشتیبانی دولت ژاپن برخوردار است اما دارای سهامداران خصوصی نیز می باشد، به امضا رسید. طبق مفاد این قرارداد، میزان تولید نفت در این حوزه نفتی تقریباً ۲۶۰ هزار بشکه در روز تخمین زده شده است و مطابق برآوردهای انجام شده، ذخایر نفتی این حوزه بالغ بر ۲۶ میلیون بشکه می باشد.

طرفین قرارداد، قبلاً مهلت اتمام قرارداد را ۱۵ سپتامبر تعیین کرده بودند، اما نتوانستند به توافق نهایی در مورد تسهیم سود حاصل از فعالیت های موجود دست پیدا کنند.

66.1 What issue(s) have the two sides been failing to agree on?
- **a.** Profit sharing.
- **b.** Foreign investor tax breaks.
- **c.** The location of the field.
- **d.** All of the above.

66.2 What is Kamal Daneshyar saying will happen if the Japanese continue to delay the project?
- **a.** Tehran will cancel the deal and let other countries have a bid on the project.
- **b.** Tehran will cancel the deal and give the project to local Iranian corporations.
- **c.** Tehran will cancel the deal and nationalize the field.
- **d.** Tehran will cancel the deal and give the project to another Japanese corporation.

67

بنا به گزارش رسانه های محلی، ارتش لبنان بعد از خروج نیروهای اسرائیل از جنوب لبنان، کار استقرار نیروهای خود را تقریباً در تمام روستاها آغاز کرده است. نیروهای نظامی با استفاده از تانک و نیروهای زرهی در نقاط مختلف مرزی از جمله مرواهین، کفر کیلا، مارون الراس، بلیدا و ادایسه دیده می شوند.

ژنرال میشل سلیمان فرمانده ارتش لبنان در مراسمی که برای جشن خروج نیروهای اسرائیل از لبنان برگزار شده بود شرکت کرد. این مراسم در تپه های مرزی لابونه در مکانی که نیروهای لبنان پرچم این کشور را برافراشته اند، برگزار گردید. ژنرال سلیمان خطاب به سربازانی که در این مراسم شرکت کرده بودند گفت: "بعد از حملهٔ اسرائیل به لبنان، پیشرفت های قابل توجهی حاصل شده است، به خصوص این که اسرائیل مطمئن شد نمی تواند با توسل به زور به اهداف خود دست پیدا کند." وی همچنین نقش ارتش را در دفاع از لبنان تشریح نمود.

استقرار نیروهای ارتش لبنان، یک روز پس از فراخوانی صدها سرباز اسرائیلی که بعد از آتش بس تعیین شده توسط سازمان ملل در جنوب لبنان باقی مانده بودند، صورت گرفت. این آتش بس، به جنگ ۳۴ روزه بین اسرائیل و لبنان پایان داد. خروج نیروهای اسرائیلی، به تهاجم نظامی این کشور به لبنان در پی شلیک راکت های حزب الله به اسرائیل که در حدود سه ماه به طول انجامیده بود، پایان داد. این اقدام، استقرار نیروهای حافظ صلح بین المللی که همراه با ارتش لبنان به پاسداری از مرزهای این کشور خواهند پرداخت را امکان پذیر ساخته است. اما ارتش اسرائیل گفته است که تعدادی از نیروهای این کشور در بخش متعلق به لبنان در روستای قجر باقی خواهند ماند تا زمانی که قرارداد های امنیتی در این شهر، با سازمان ملل و

نیروهای لبنان، مورد توافق واقع شود. این دهکده توسط مرز بین لبنان و اسرائیل به دو بخش تقسیم می شود.

ژنرال آلن پلگرینی فرمانده نیروهای موقت سازمان ملل در لبنان تایید نمود که ارتش اسرائیل، نیروهای خود را از تمام نقاط جنوب لبنان به جز روستای قجر بیرون آورده است. او این اقدام را ستوده و اظهار امیدواری کرد که این روند در هفته جاری تکمیل گردد.

67.1 What was Commander Suleiman's triumph?

- **a.** That Lebanese troops were physically able to hoist the flag on the hilltop.
- **b.** That the Israeli army pulled out of the hilltop border position of Labbouneh.
- **c.** The article does not mention any triumph on the Labenese side of the conflict.
- **d.** That the Israeli army was militarily defeated in Southern Lebanon by Hezbolla.

67.2 What did Major General Alain Pellegrini say?

- **a.** On Sunday, the Israeli army will withdraw its troops from Ghajar.
- **b.** By Sunday, the Israeli army will withdraw its troops completely from the South of Lebanon.
- **c.** The Israeli army will never withdraw its troops until Ghajar authorities agree with security arrangements.
- **d.** The Israeli army had withdrawn its troops from the south except from the village of Ghajar.

68

مجلس عراق، به تازگی به تمدید وضعیت اضطراری در این کشور برای مدت ۳۰ روز دیگر رای مثبت داده است. علیرغم انتقاداتی که بعضی از قانون گذاران در مورد این لایحه مطرح کرده اند، محمود المشهدانی سخنگوی مجلس عراق، این تصمیم را پس از تصویب این پیشنهاد توسط اکثریت آرای اعضای مجلس، اعلام نمود. وضعیت اضطراری از ماه نوامبر سال ۲۰۰۴ به صورت ماهیانه تمدید شده است. در وضعیت اضطراری، اختیارات بیشتری به نیروهای امنیتی عراق داده می شود تا مقرراتی از قبیل اعمال تدابیر شدید امنیتی را در تمام کشور، به جز ناحیهٔ خودگردان کردستان عراق اعمال نمایند.

68.1 Why was the state of emergency criticized by lawmakers?

- **a.** Because it allows the Iraqi security forces to abuse their powers.
- **b.** Because it has been renewed too many times.
- **c.** The article does not directly imply the reasons for criticism.
- **d.** Because of the political will of Parliamentary speaker Mahmoud al-Mashhadani.

68.2 What does the state of emergency grant the Iraqi security forces?

- **a.** The ability to impose tight security measures on the entire country
- **b.** The ability to impose tight security measures on the Kurdish region.
- **c.** The ability to impose tight security measures on the entire country, except for the Kurdish autonomous region.
- **d.** The ability to impose tight security measures on the entire country, except on the Kurdish people.

69

بنا به اظهارات نیروهای دفاعی اسرائیل، محاصرهٔ عمومی که در ساحل غربی و نوار غزه اعمال شده بود، قبل از روز تعطیل یهودیان یعنی یوم کیپور برداشته شده است. طبق بیانیه ای که به تازگی توسط نیروهای دفاعی اسرائیل منتشر شده است، نیروهای نظامی اسرائیل اقدام به حذف محاصره کامل اعمال شده در نواحی جودهآ، ساماریا و نوار غزه از ۲۹ سپتامبر تا ۳ اکتبر سال جاری نموده اند تا یک مراسم ایمن و

آرام یوم کیپور برگزار گردد. در این بیانیهٔ نیروهای دفاعی اسرائیل آمده است که برداشته شدن محاصره، در راستای تصمیم گرفته شده توسط سلسله مراتب سیاسی و با توجه به بررسی های امنیتی صورت گرفته است. نیروهای دفاعی اسرائیل در این زمینه، اقدامات امنیتی خود را برای اطمینان از امنیت شهروندان اسرائیل افزایش داده و در عین حال تا حد امکان، در زندگی روزمرهٔ فلسطینیان نیز اخلالی به وجود نخواهد آورد. تمهیدات امنیتی اسرائیل، این دوران تعطیلی را به عنوان یک زمان بسیار حساس تلقی کرده است. پلیس، اقدامات امنیتی خود را به بالاترین میزان در تمام منطقه افزایش داده و نیروهای خود را در اطراف کنیسه ها تقویت نموده است. نیروهای امنیتی، ۱۷ هشدار ویژه در مورد حمله های تروریستی از پیش برنامه ریزی شده، قبل از مراسم یوم کیپور دریافت نموده اند که شامل بمب گذاری انتحاری، پرتاب موشک و آدم ربایی می گردد. لازم به ذکر است که یوم کیپور یا "روز کفاره"، روزی است که یهودیان در آن به روزه گرفتن، عبادت و درون نگری می پردازند. در این مراسم، تمام کشور از صبح یکشنبه تا صبح دوشنبه تعطیل است. در این مدت خدمات حمل و نقل، پخش برنامه های رادیو و تلویزیون متوقف شده و تمام مغازه ها و شرکت ها بسته خواهند بود.

69.1 What is the main subject of this article?

a. Israel's permanent withdrawal from the West Bank and Gaza Strip.
b. Statistics indicating that after Yom Kippur, the death toll of Israeli soldiers in the West Bank and Gaza Strip rose.
c. The affect of Yom Kippur on Israel's campaign in the West Bank and Gaza Strip.
d. Jews living in the West Bank and Gaza Strip celebrate Yom Kippur.

69.2 Which of the following activities are traditionally practiced during Yom Kippur?

a. Watching religious programs on television.
b. Engaging into military and political campaigns
c. Shopping, since many stores run sales during Yom Kippur.
d. None of the above.

70

بنا به گزارش رسانه های دولتی ایران، محمود احمدی نژاد رئیس جمهور ایران، مجوز دیدار گردشگران خارجی را از تاسیسات هسته ای این کشور صادر کرده است. این اقدام در راستای اثبات صلح آمیز بودن فعالیت های هسته ای ایران انجام گرفته است.

اسفندیار رحیم مشاعی، رئیس سازمان گردشگری و میراث فرهنگی ایران، طی یک مصاحبه تلویزیونی بیان داشت که طبق دستور آقای احمدی نژاد رئیس جمهور این کشور، از این پس گردشگران خارجی می توانند از تاسیسات هسته ای ایران بازدید به عمل آورند.

به گفتهٔ آقای مشاعی، رئیس جمهور ایران این دستور را برای اثبات این مسئله که برنامه هسته ای ایران صلح آمیز بوده و برای تولید برق و نه تولید بمب هسته ای انجام می گیرد، صادر نمود. وی افزود که سازمان گردشگری و میراث فرهنگی ایران در حال بازنگری دستورالعمل های مربوطه در این زمینه است.

البته هیچ جزئیاتی در مورد تعریف یک گردشگر خارجی و این که چه زمان این اقدام می تواند به صورت قانونی به اجرا در آید، ارائه نشده است، نقاطی که برای بازدید گردشگران خارجی در نظر گرفته شده اند احتمالاً شامل اولین تاسیسات هسته ای در شهر بوشهر، تاسیسات تبدیل اورانیوم در نزدیکی اصفهان و همچنین تاسیسات غنی سازی اورانیوم در شهر نطنز خواهد بود.

قبل از این مجوز، تنها بازرسان آژانس بین المللی انرژی اتمی (IAEA) و بعضی از خبرنگاران مجاز به ورود به این تاسیسات هسته ای بودند. لازم به ذکر است که ایالات متحده امریکا، جمهوری اسلامی ایران را متهم کرده است که از برنامه انرژی هسته ای خود برای مخفی کردن تولید سلاح های هسته ای استفاده می کند و به شورای امنیت سازمان ملل برای اعمال تحریم های احتمالی علیه ایران، فشار وارد می آورد. اما ایران این اتهامات را رد کرده و معتقد است که این برنامه هسته ای، تنها برای مقاصد صلح آمیز در نظر گرفته شده است.

70.1 Which one of the following statements is true?
- **a.** Iran's Tourism and Cultural Heritage Organization is located in Natanz.
- **b.** Bushehr is a city in Southern Iran with rich uranium sources.
- **c.** Foreign tourists can now visit Iranian nuclear sites.
- **d.** Iran's nuclear program is peaceful.

70.2 In this article what does the Iranian President say motivates Iran's nuclear program?
- **a.** To obtain bargaining power with the West with the development of atomic weapons.
- **b.** To fortify and diversify the nation's energy sources.
- **c.** For the pure sake of scientific research.
- **d.** To promote piece.

71

بنا به اظهارات یک مقام مطلع پلیس، در پی منفجر شدن یک بمب کنار جاده ای و یک خودروی بمب گذاری شده که در نزدیکی کاروان حامل وزیر صنایع عراق در غرب بغداد روی داد، تعداد کشته شدگان به ۱۱ تن رسیده و ۵۱ نفر دیگر نیز زخمی شده اند. بنا به گفتهٔ این مقام مطلع پلیس، یک بمب کنار جاده ای و یک خودروی حامل بمب، کمی بعد از عبور کاروان حامل فواز الحریری وزیر صنایع عراق، در نزدیکی مدرسهٔ المسعودی منفجر گردید. این انفجار باعث وارد آمدن خسارات جدی به یک ساختمان که در مجاورت محل قرار داشت و همچنین صدمه دیدن چندین خودروی غیر نظامی گردید. البته دقیقاً مشخص نشده است که آیا وزیر صنایع در کاروان حضور داشته است یا خیر.

71.1 What did the blasts damage?
- **a.** An entire neighborhood, in which was located a school.
- **b.** Military cars and a building.
- **c.** Civilian cars and a building
- **d.** Everything in the area but the military facilities.

71.2 According to the article, what happened to the Iraqi Industry minister?
- **a.** He was killed by a car bomb.
- **b.** It is not clear what happened to the minister.
- **c.** He killed 11 people by planning a car bomb at the al-Masoudi School.
- **d.** He died on the roadside near the Masoudi School.

72

طبق گزارش منتشر شده در روزنامه محلی یدیوث آهرونوث، اسرائیل در پی شلیک غیر عمدی افسران پلیس به یک فلسطینی که به مرگ وی منجر شد، تعداد زیادی از نیروهای پلیس را جهت جلوگیری از نا آرامی های احتمالی به شهر جفا که یک شهر ساحلی در مجاورت تل آویو می باشد، اعزام نموده است.

طبق گزارش این روزنامه محلی، فعالیت پلیس در صبح روز چهارشنبه جهت جلوگیری از نا آرامی های احتمالی در پی کشته شدن یک فلسطینی توسط افسران پلیس، به شدت افزایش یافته است. این حادثه در حدود

ساعت ۸ صبح و در حالی که افسران پلیس مرزی در حال گشت زنی در بازار محلی برای یافتن افراد با اقامت غیر قانونی بودند، رخ داد. این افسران، به چند تن از بازدید کنندگان از این بازارچه محلی در نزدیکی یک ساختمان در دست ساخت، فرمان توقف دادند. بنا به اظهارات پلیس، یکی از این افراد حاضر به پیروی از فرمان پلیس نشده و به یک پلیس حمله نمود و سعی داشت اسلحه وی را برباید. در حین این درگیری، یک نفر به صورت تصادفی هدف گلوله قرار گرفت. یک گروه امداد پزشکی به سرعت به محل اعزام گردید و کمی بعد اعلام نمود که فرد فلسطینی فوت کرده است.

با توجه به تجربیات قبلی، چنین حوادثی اغلب باعث بروز خشم و نا آرامی های شدید می گردد. به همین دلیل پلیس تصمیم گرفته است که نیروهای امنیتی بیشتری به این منطقه اعزام نماید. البته مقامات بسیاری تا کنون این اقدام پلیس و کشته شدن اتفاقی افراد به دست آنها را به شدت مورد انتقاد قرار داده اند. یکی از این مقامات در این رابطه می گوید: "به نظر می رسد که پلیس هنوز از گذشته به اندازه کافی درس نگرفته است." او به وقایع سال ۲۰۰۰ اشاره می کرد که در آن سال، پلیس باعث کشته شدن ۱۳ عرب اسرائیلی غیر مسلح در طول اعتراضاتی که در شمال این کشور به وجود آمده بود، گردید.

البته پلیس عقیده دارد که میزان جرائم در این منطقه به میزان قابل توجهی کاهش یافته است زیرا حضور پلیس در این منطقه بیشتر شده و همچنین عملیات پلیس در برابر تشکل های غیر قانونی از بیشترین اهمیت برخوردار است.

72.1 In the first paragraph of the text, how does the article describe the city of Jafa?

a. A coastal city adjacent to Tel Aviv.
b. An inland city near Tel Aviv.
c. An inland city adjacent to Tel Aviv.
d. A city just outside of Tel Aviv.

72.2 The incident took place at 8am while local border guard officers were:

a. At a check point, clearing vehicles to pass.
b. Patrolling the local market in search of illegal residents.
c. Checking individuals for illegal substances.
d. Patrolling the local market in search of individuals with illegal goods.

73

بنا به گزارش ارتش ایالات متحده که در قالب یک بیانیه ارائه گردید، راننده و دستیار شخصی پیشین رهبر القاعده در عراق، در حملاتی که در پایتخت این کشور انجام گرفت دستگیر شده است.

در این بیانیه آمده است این شخص که یکی از دستیاران نزدیک ابو ایوب المصری رهبر القاعده در عراق به شمار می آید، همراه با ۳۱ نفر دیگر در تاریخ ۲۸ سپتامبر در بغداد دستگیر شده اند. این بیانیه همچنین می افزاید که این فرد یکی از رانندگان شخصی المصری نیز بوده است.

این عامل القاعده، در بمب گذاری های سال ۲۰۰۵ هتل های شرایتون و الحمرا در بغداد که به کشته شدن ۱۶ نفر و مجروح شدن ۶۵ نفر دیگر انجامید، شرکت داشته است. سه روز بعد از این دستگیری، مقامات عراقی یک تصویر ویدیویی از المصری را به نمایش در آوردند که او را در حال آموزش دادن مراحل ساخت یک بمب در یک کامیون نشان می داد. موفق الروباعی مشاور امنیت ملی عراق در این رابطه گفته است: "می توان گفت که به دستگیری ابو ایوب المصری بسیار نزدیک شده ایم و بدون شک به او خواهیم گفت که روزهای آخر فعالیت آنها فرا رسیده است."

73.1 According to the article, who was arrested?

a. Abu Ayyub al-Masri, a member of Al-Qaeda.
b. Abu Ayyub al-Masri's personal assistant/driver and 31 others.
c. Abu Ayyub al-Masri's driver, Abu Ayyub al-Masri's personal assistant, and 31 others.
d. Abu Ayyub al-Masri, his personal assistant, his driver, and 31 others.

73.2 Abu Ayyub al Masri has been responsible for which of the following acts?

a. 2005 bombings of the Sheraton and Hamra hotels in Baghdad.
b. For making and distributing videos that demonstrate how to build a bomb in a tanker truck.
c. None of the above.
d. Both A and B.

74

بنا به گزارش ساندی تایمز این احتمال وجود دارد که دولت امریکا، پیشنهاد تشکیل یک دولت فدرال در عراق با سه ناحیهٔ کاملاً خود گردان را ارائه دهد. این روزنامه می نویسد که یک کمیسیون مستقل متشکل از کنگره امریکا با موافقت رئیس جمهور این کشور جرج بوش می تواند تقسیم عراق را به سه منطقه شیعه، سنی و کرد که حکومتی کاملاً خود گردان داشته باشند، توصیه نماید.

گروه مطالعات عراق که جیمز بیکر وزیر امور خارجه سابق ایالات متحده در طول اولین جنگ خلیج فارس در سال ۱۹۹۱ نیز در بین اعضای آن دیده می شود، در حال آمادگی برای ارائهٔ گزارش، بعد از انتخابات آیندهٔ کنگره می باشد. آقای بیکر که ۷۶ سال دارد و از دوستان قدیمی خانوادهٔ بوش به شمار می آید، هفته گذشته اظهار داشت که گاهی با رئیس جمهور در مورد مسائل مختلف دیدار و گفتگو می کند.

یکی از منابع خبری در این گروه اظهار داشته است: "کردهای عراق، هم اکنون چنین منطقه‌ای را در اختیار گرفته اند. ایجاد بخش های خود گردان در عراق به هر ترتیب به وقوع خواهد پیوست و چالشی که پیش روی عراقی ها می باشد، چگونگی انجام این روند خواهد بود." روزنامهٔ ساندی تایمز می نویسد: "البته گروهی که آقای بیکر در آن عضویت دارد، پیشنهاد تجزیهٔ این کشور را ارائه نخواهد داد، اما به نظر می رسد ایجاد نواحی جداگانه در این کشور می تواند قدرت و امنیت را برای مذاهب مختلف به ارمغان آورد و یک دولت ملی مرکزی در بغداد نیز می تواند مسئول روابط خارجی، حفاظت از مرزها و توزیع سود حاصل از فروش نفت و غیره باشد."

74.1 How did the US administration propose to split up the new Iraqi state?

a. By religious lines.
b. By ethnic lines.
c. By both religious and ethnic lines.
d. The administration recommended to keep the state united.

74.2 What will Baghdad's role be in the recommended system?

a. Baghdad will be the single administrative center for all of Iraq.
b. Baghdad will be exclusively in charge of foreign affairs, border protection and the distribution of oil and other revenue.
c. Baghdad will share the responsibilities of foreign affairs, border protection and the distribution of oil and other revenues with the three governments of the proposed autonomous regions.
d. Baghdad will be one of 3 administrative centers for all of Iraq.

75

روز سه شنبه معاون نخست وزیر روسیه، سرگئی ایوانف، همکاری احتمالی با ایالات متحده را در زمینه سیستم دفاع موشکی رد کرد. به گزارش خبرگزاری اینترفکس، ایوانف که پیش از ترفیع، وزارت دفاع را بر عهده داشت، به گزارشگران حاضر در شهر یکاترینبورگ، واقع در کوههای اورال گفت: صادقانه بگویم، دلیلی برای همکاری احتمالی در زمینه دفاع استراتژیک ضد موشک نمی بینم. وی اظهار داشت: به عبارت ساده تر، ما بر این باوریم که سیستم دفاع استراتژیک ضد موشک، موضوعی واهی است.

با این حال، وی گفت که برنامه های ایالات متحده برای احداث سایتهای دفاع موشکی در اروپای شرقی شاید در دیدار با وزیر دفاع ایالات متحده، رابرت گیتس، که قرار است هفته آینده وارد مسکو شود، مورد بحث قرار گیرد. ایوانف بر نگرانی مسکو از برنامه های دفاع موشکی ایالات متحده تاکید کرد و گفت: ما ضرورتی بر وجود چنین سیستمی در اروپای شرقی – لهستان و جمهوری چک – نمی بینیم. ایالات متحده به منظور استقرار موشک های رهگیر و یک سیستم ردیابی رادار، به ترتیب در لهستان و جمهوری چک در حال مذاکره با این دو کشور است. واشنگتن می گوید که این سیستم قادر به کمک به اکثر متحدان اروپاییش برای پدافند حملات موشکی دوربرد خواهد بود، اما مسکو، آشکارا چنین برنامه هایی را مورد انتقاد قرار داده است.

75.1 Why has Sergey Ivanov denied Russian cooperation with the United States in the development of an anti-missile defense system?

- **a.** Russia sees no need for the American development of such a system in Eastern Europe.
- **b.** Russia believes that the need for a strategic anti-missile defense system is an imaginary fear.
- **c.** Both A and B.
- **d.** None of the above.

75.2 The US Government claims that the anti-missile defense system in Eastern Europe

- **a.** Will aid in defending its European allies from long-range missile attacks.
- **b.** Will help bring Russia and the United States into closer cooperation.
- **c.** Was built in response to missile development in Russia.
- **d.** Will prevent the Czech Republic and Poland from becoming Russian satellite nations.

76

روز سه شنبه، پارلمان رومانی با ۳۲۲ رای موافق، ۱۰۸ رای مخالف و ۱۰ رای ممتنع استیضاح رئیس جمهور. ترایان باسسکو را تصویب کرد.

پیش از این، رئیس جمهور تهدید کرده بود که در صورت استیضاح، "ظرف پنج دقیقه" استعفایش را تقدیم کند، اما بعدا توضیح داد که فقط پس از انتشار نتیجه استیضاح از "رسانه رسمی" استعفاء خواهد داد.

طبق مقررات، "رسانه رسمی" ظرف مدت ۴۸ ساعت موظف به انتشار رای پارلمان است.

روز سه شنبه، پارلمان برای بحث و رای گیری درباره استیضاح، تشکیل جلسه داد.

باسسکو روز چهارشنبه اخطار کرده بود که رای مخالف، به دلیل ایجاد بی ثباتی سیاسی، پیامدهایی جدی از جمله افت و تضعیف موقعیت در اتحادیه اروپا را به دنبال خواهد داشت.

طبق قانون اساسی، در صورت استیضاح رئیس جمهور و ظرف مدت ۳۰ روز، باید یک همه پرسی دربارهٔ ابقاء یا عزل رئیس دولت برگزار شود. از آنجا که رئیس جمهور تهدید کرده بود در صورت رای مخالف نمایندگان پارلمان استعفاء می کند، طبق قانون اساسی دولت ظرف مدت سه ماه موظف به برگزاری انتخابات

برای برگزیدن رئیس جمهور جدید خواهد بود. در این مدت، رئیس سنا (مجلس نمایندگان) وظایف ریاست جمهوری را به طور موقت بر عهده خواهد داشت.

76.1 Initially, under what condition had the president of Romania threatened to resign?

a. Within five minutes of a vote against his interpellation by the Parliament.
b. Within thirty days of a public referendum after an interpellation by the Parliament.
c. Within 48 hours of the publication of the Parliament's vote by a media outlet.
d. Within three months after the election of a new president.

76.2 What serious threat(s) would Romania have faced if the Parliament had voted against the interpellation[1] of President Basesko?

a. The resignation of President Basesko.
b. Political instability, resulting in fall in rank and importance of Romania in the European Union.
c. Being left without a president for thirty days.
d. A complete division of the Parliament.

77

روز پنجشنبه، نخست وزیر چین. ون جیابائو اظهار داشت که اقتصاد چین در سه ماهه اول سال جاری پیشرفت رضایت بخشی داشته است، اما هنوز برخی مشکلات مهم به جای خود باقی مانده است.

طبق اظهارات ون، اقتصاد چین در سه ماهه اول رشدی یکنواخت و سریع داشته، محصولات کشاورزی متعادل بوده و در بازسازی صنعتی پیشرفت های جدیدی به دست آمده است. به اعتقاد ون نرخ استخدام و درآمد مردم نیز افزایش چشمگیری داشته است.

ون متذکر شد که افزایش تولید غلات و درآمد کشاورزان برای چین دشوار بوده است. کاهش مصرف انرژی و تقلیل گازهای گلخانه ای عملا با دشواری مواجه گردیده، حجم پول و اعتبارات، تورّمی شدید داشته و سرمایه گذاری در دارایی های ثابت و مازادِ تجاری به رشد خود ادامه داده است.

دولت چین، برای پیشگیری از فشار اقتصادی، باید سریعا دست به اقداماتی اقتصادی و قانونی بزند و نظارت کلان خود را تقویت نماید.

ون گفت که به منظور تولید غلات و مواد مورد نیاز آن از قبیل کود، علاوه بر پرداخت یارانه به کشاورزان باید ماشین های کشاورزی نیز در اختیار آنها قرار داده شود. همچنین حداقل قیمت خرید غلات در کشور، کمتر از سال گذشته نباشد. کنترل تولید محصولاتی که نیاز به مصرف انرژی زیاد دارد و از میان بردن روش های سنتی تولید برای چین از اولویت ویژه ای برخوردار است.

اِعمال سختگیری در دسترسی به بازارِ سرمایه گذاری در دارایی های ثابت به منظور پیشگیری از بازگشت این روند و حمایت از پروژه های عمرانی و ارضی باید تداوم یابد. در برابر نقدینگی اضافی، چین باید تامین بیش از اندازه پول و اعتبار را مهار کند، نظارت بر جریان خارج به داخل سرمایه های کوتاه مدت را تقویت نماید و مدیریت ارزهای خارجی را بهبود بخشد. ون همچنین اظهار داشت که چین باید سیاستهایی را که منجر به اولویت نامناسب صادرات می شود کنار بگذارد و واردات تکنولوژی و تجهیزات پیشرفته را توسعه دهد.

77.1 What does Wen Jiabao think are two particular difficulties that China has faced?

---

[1] a) A parliamentary procedure of demanding that a government official explain some act or policy.
b) The action of interjecting or interposing an action or remark that interrupts.

a. Increasing foreign investments and handling internal funds.
b. Reduction of energy use and the increase of green house gases emissions.
c. Growing inflation and the lack of investments.
d. The increase of the production of grains and the income of farmers.

77.2 What must the Chinese government do In order to prevent further economic pressures?
a. Promote competition among the farmers to increase productivity.
b. Provide subsidies for small businesses and agriculture.
c. Increase its enormous political and economic control.
d. Create more jobs and increase employment.

78.1 What does Liu Jianchao say is China's position on the vote for amendments of the Security Council of the United Nations?
a. China unequivocally opposes the proposal.
b. China supports important and logical amendments.
c. China will oppose any position which will make amendments voluntary.
d. China will side with the majority vote on the issue.

78.2 Who is Wen Jianbao?
a. The Chinese Foreign Ministry spokesperson.
b. The Prime Minister of China.
c. The Chinese representative at the Unite Nations.
d. The Japanese Prime Minister.

78

روز پنجشنبه سخنگوی وزارت امور خارجه چین، لیو جیانچائو دریک مصاحبه مطبوعاتی گفت که موقعیت چین در اصلاحات سازمان ملل تغییری نخواهد کرد.

لیو این اظهارات را پس از پرسش درباره تغییر دیدگاهها درمورد اصلاحات سازمان ملل. پس از دیدار موفقیت آمیز هفته گذشته نخست وزیر چین. ون جیابائو از ژاپن بیان کرد.

لیو با تاکید بر وجود اختلافات عمیق درباره اصلاحات در میان طرفهایی که باید در آرامش با یکدیگر مذاکره کنند، گفت: ما از اصلاحات ضروری و منطقی در شورای امنیت سازمان ملل حمایت می کنیم.

وی در ادامه گفت: ما امیدواریم که دولتهای عضو بتوانند از طریق مذاکره به توافق برسند و راه حلی که مورد توافق اکثریت کشورها باشد پیدا شود.

او تاکید کرد تا زمانی که اختلافات اصلی باقی باشد، چین با هر حرکتی که رای گیری درباره اصلاحات را اجباری کند مخالفت خواهد کرد.

79

روز پنجشنبه، منابع کمیسیون توسعه و اصلاحات ملی چین اعلام کردند که مناطق توسعه اقتصادی خود را از ۶۸۶۶ منطقه در سال ۲۰۰۳، به ۱۵۶۸ منطقه در پایان سال گذشته کاهش داده اند.

مجموع مساحت مناطق توسعه اقتصادی این کشور از ۳۸۶۰۰ کیلومتر مربع به ۹۹۴۹ کیلومتر مربع تقلیل یافته است.

یک مقام کمیسیون توسعه و اصلاحات ملی اظهار داشت که شورای دولتی از احداث مناطق جدید توسعه اقتصادی و گسترش مناطق فعلی جلوگیری می کند.

طی چهار سال گذشته کمیسیون توسعه و اصلاحات ملی، مناطق توسعه اقتصادی همجوار را به نحوی در شهرها و شهرستانها ادغام کرده است که در هر شهرستان یا حومه هر شهر فقط یک منطقه باقی مانده است. مناطق توسعه اقتصادی از نواحی حساس زیست محیطی از قبیل منابع تامین آب، حفاظتگاههای طبیعی، نقاط دیدنی، پارکهای جنگلی و مردابها دور شده

است. مضاف براین برای احداث کارخانه های شیمیایی، کاغذ سازی و دارویی در مسیر آب یا باد جاری به مناطق مسکونی، محدودیتهایی اعمال شده است.

به دلیل نابودی گسترهٔ زیادی از زمین های مزروعی و تحمیل خسارت به منافع کشاورزان، چین در جولای سال ۲۰۰۳ شروع به کاهش مناطق توسعه اقتصادی خود نمود.

79.1 Why has the Chinese commission been trying to reduce the area dedicated to sites of economic development?

a. The sites have been rapidly replacing farms and damaging China's farming industry.
b. The pollution created from the sites has seeped into China's water sources.
c. Economic growth has caused the destruction of forest parks and recreation in China.
d. New chemical plants have been erected in residential sites.

80

گزارش ماه آوریل مطالعات مدیران بانک مریل لینچ که روز چهارشنبه منتشر شد، نشان می دهد با وجود چشم انداز مبهم درآمد شرکتها، و به دلیل نگرانی مجدد سرمایه گذاران در خطر پذیری، سهام عادی به صحنه بازگشته است.

در فاصله انتشار مطالعات ماه های مارس و آوریل، بازارهای سهام جهان ۵ درصد تقویت شد. با این حال، اغلب مدیران سرمایه بر این باورند که اقتصاد جهان از خطر رکود دور می شود و چشم انداز سود شرکتها در حال فروپاشی است.

۳۸ درصد از پاسخگویان انتظار دارند که سود شرکتها طی ۱۲ ماه آینده کاهش یابد، و ۴۶ درصد رشد سود شرکتها را تا ۱۰ درصد یا بیشتر و در همان مدت زمانی بعید می دانند.

با این حال، سرمایه گذاران به جای ترس از این چشم انداز تاریک کماکان به ارزش مناسب سهام عادی و رشد شرکتها اعتقاد دارند.

دیوید باورز یکی از مشاوران مستقل مریل لینچ گفت : ظاهرا فشار بر شرکتها برای بازگرداندن نقدینگی به سهامداران آنقدر قوی است که این وضعیت تمایل به سهام را توجیه نماید.

این موقعیت می تواند ناشی از افزایش مجدد ترازنامه های شرکتها از طریق خرید یا فروش سهام شرکتی باشد. با این حال، درصورت افزایش غیرمنتظره توزیع اعتبار و نرخ بالاتر استقراض، شاید این روش با مشکل مواجه شود.

درحالی که سرمایه گذاران مجددا به سهام علاقمند شده اند، اوراق بهادار با ۵۳ درصد کاهش ارزش در گروه دارایی ها، کماکان محبوبیتی ندارند.

شاید بدبینی نسبت به درآمد و اعتبار ثابت نگرانی درباره افزایش تورم را منعکس نماید. ۲۷ درصد بر این باورند که تورم کلی جهان در مقایسه با فقط ۱۱ درصد ماههای مارس و فوریه، طی ۱۲ ماه آینده افزایش می یابد.

در ماه جاری، شاخص مرکب "اف.ام.اس." پنج درصد افزایش یافت که حاکی از توجه بیشتر سرمایه گذاران به احتمال تاثیر زیاد سیاست های پولی است.

بنا بر آمارها، افت اشتیاق اروپا به سرمایه گذاری بی خطرنیست. در سال ۲۰۰۷، سهام منطقه یورو بازار ایالات متحده را تا ۶ درصد بر مبنای ارز مشترک کنار زدند.

شرکتهای اروپایی در حال حاضر دارای تراز درآمد مثبت تری نسبت به هر منطقه دیگر هستنند. این در حالی است که تراز شرکت های آمریکایی نسبت به سایر مناطق منفی تر است. به علاوه، به لطف بازارهای

قوی تر سهام عادی ترکیه و روسیه، برخی شاخص ها حکایت از پیشتازی بازار اروپا نسبت به ایالات متحده در جلب سرمایه می کنند.

مجموعا، ۲۱۴ مدیر سرمایه که رویهمرفته ۶۹۷ میلیارد دلار آمریکا را مدیریت می کنند، از ۵ تا ۱۲ آوریل در این نظرسنجی شرکت کردند. در مطالعات منطقه ای، کلا ۱۷۹ مدیر با مجموعه سرمایه تحت مدیریت ۴۲۱ میلیون دلار شرکت داشتند.

80.1 What new trend did Merrill Lynch observe in the financial markets?
- **a.** Stock sharing by several individuals and companies.
- **b.** More companies are offering common stocks.
- **c.** Reduction in profits of companies by 46% during the next 12 months.
- **d.** Panicked selling of stocks on the market.

80.2 At the time of writing the article how did the overall income and stocks of European companies compare to the rest of the world?
- **a.** It is higher than any other part of the world.
- **b.** It is lower than in the United States.
- **c.** It is rapidly decreasing and quickly falling behind the United States.
- **d.** It is weaker than Russia and Turkey.

81

روابط بازرگانی بین چین و ایتالیا حول محور واردات و صادرات می گردد، اما به گفته یک مقام ایتالیایی احتمال تغییر این وضعیت وجود دارد.

آنتونینو لاسپینا، کمیسر بازرگانی کمیسیون بازرگانی ایتالیا، به چاینا دیلی در پکن گفت:هر چه اقتصاد چین سریعتر پیشرفت کند، شرکتهای ایتالیایی بیشتر علاقمند به سرمایه گذاری در این کشور می شوند.

وی اضافه کرد که ایتالیا دروازه خوبی برای شرکتهای چینی برای گسترش بازرگانی به اتحادیه اروپا است.

کمیسیون بازرگانی ایتالیا سازمانی تحت حمایت دولت برای توسعه خارجی بازرگانی ایتالیا است. این سازمان ۱۰۰ شعبه در سراسر جهان دارد که شش مورد از آنها در چین دایر می باشند.

از سال ۲۰۰۰ بازرگانی بین چین و ایتالیا شاهد رشد سالانه ۲۲ درصدی بوده است. در سال ۲۰۰۵ تجارت دوجانبه به ۶۲/ ۱۸ میلیارد دلار رسید که در مقایسه با سال قبل ۱۹ درصد افزایش داشته است. این مقدار تنها در نیمه اول سال گذشته ۳۹/۱۳ میلیارد دلار بود.

لاسپینا اظهار داشت که نرخ رشد سالانه در آینده به راحتی از ۳۰ درصد خواهد گذشت.

وی گفت که اقلام اصلی، محصولات تکمیل شده در ایتالیا از قبیل لوازم لوکس و ماشین آلات می باشند که ۶۰ درصد صادرات این کشور به چین را تشکیل می دهند، در حالیکه از چین منسوجات، کالاهای الکترونیکی و اسباب بازی وارد می شود.

لاسپینا گفت: شرکتهای ایتالیایی دو روش پیش رو خواهند داشت. یکی محصولات تکمیل شده است و دیگری انتقال مرحله ساخت به چین به منظور تطابق سلیقه ها و ایده های ایتالیایی با خریداران چینی.

وی افزود: در اینجا برآگاهی مصرف کنندگان از کیفیت و مارک افزوده شده است و هم اکنون می توانند این محصولات را با قیمتهای مناسب تهیه نمایند.

او همچنین اظهار داشت که اگرچه اقدامات سرمایه گذاری از سوی شرکتهای بزرگ ایتالیایی در چین به خوبی پیش رفته است، اما قدرت زیادی نداشته اند.

وی رشد چشمگیر سرمایه گذاری در بخش مد، شراب، مبلمان، غذا، پوشاک و کفش را در چین پیش بینی کرد.

تفاوت ایتالیا با سایر اعضای اتحادیه اروپا در شرکتهای کوچک تا متوسط آن است. لاسپینا گفت که آنها همگی بازارهای مناسب را هدف قرار داده اند، و به زودی کالاهای ساخت چین محصولاتشان را به میدان رقابت خواهند کشید. او همچنین اظهار داشت که انتظار سرمایه گذاری بیشتر کارخانه های چینی را در ایتالیا دارد.

وی گفت که با گسترش رو به شرق اتحادیه اروپا از نظر جغرافیایی، ایتالیا مرکزیت پیدا می کند، و در صورت علاقه چینی ها به سرمایه گذاری در ایتالیا، شرکتهای چینی می توانند بازارهای اتحادیه اروپا را تسخیر نمایند.

81.1 What does Antonio La Spina think concerning the future economic ties between Italy and China?

- **a.** They will revolve ever more increasingly on imports and exports between the two countries.
- **b.** China will begin to use Italy as a gateway to exporting its goods to other European countries.
- **c.** Italian companies will increasingly invest in China as its economy expands.
- **d.** Chinese companies will invest in Italian fashions such as furniture and clothing.

81.2 What is the difference between Italian companies and other companies in the European Union?

- **a.** Italy has small to medium sized companies that target appropriate markets.
- **b.** Italy's companies do not target the same markets as the European countries.
- **c.** Italian companies try to compete with Chinese companies in Italy.
- **d.** Other European companies have no interest in investing in China.

82

آژانس هواشناسی ژاپن، اخطار وقوع تسونامی را که صبح جمعه در پی زلزله ای قوی در استان اکیناوا واقع در جنوب غربی این کشور صادر کرده بود، لغو کرد.

بنا بر اعلام آژانس در وب سایت خود، این اخطار در ساعت ۱۱:۵۰ دقیقه صبح (۲:۵۰ دقیقه به وقت بین المللی)، یک ساعت پس از صدور آن در پی زلزله ساعت ۱۰:۴۶ صبح (۱:۴۶ به وقت بین المللی)، با قدرت اولیه ۷٫۶ ریشتر، که مرکز آن ۴۰ کیلومتری زیر سطح دریا و حدود ۱۸۰ کیلومتری شمال غربی جزیره ایشاگی بود، لغو شد.

این استان ساعاتی پیشترنیز با سه زلزله لرزیده بود، که بزرگی دو مورد آن به ترتیب در ساعتهای ۹:۲۶ و ۱۱:۲۳ صبح، ۶، ۲ثبت شد.

پس از این دو زلزله، تا کنون هیچ گزارشی از خسارت یا صدمه گزارش نشده است.

82.1 According to the Meteorological Agency of Japan, what natural disaster resulted from the earthquakes in Okinawa?

- **a.** Severe thunderstorms.
- **b.** Hurricanes.
- **c.** Tsunamis.
- **d.** More subsequent earthquakes.

83

روز جمعه رسانه های محلی گزارش دادند که دولت موقت فیجی، برخلاف زمانبندی سه ساله ای که امسال اعلام شده بود، قول برگزاری انتخابات پارلمانی را در کمتر از ۲۴ ماه داده است.

فیجیلایو، آژانس خبری مستقر در سووا، اعلام کرد که این قول توسط مقامات فیجی پس از مذاکره دو روز گذشته با اتحادیه اروپا در بروکسل داده شده است.

روز جمعه طی اظهاراتی دفتر کمیسیون اروپا در سووا خبر داد که مقررات اضطراری عمومی ماه آینده برداشته خواهد شد.

فیجی برای تلاش به منظور آزاد کردن حدود ۳۵۰ میلیون دلار فیجی (۲۲۰ میلیون دلار آمریکا) کمک های توسعه ای که پس از "عملیات پاکسازی" اتحادیه اروپا در ۵ دسامبر ۲۰۰۶ مسدود شده بود، هیئتی عالی رتبه را عازم بروکسل کرد.

اتحادیه اروپا فیجی را به بررسی "کودتای فرهنگی" و روش های ریشه کنی آن ترغیب کرده است.

فیجیلایو گفت که جهت تضمین اجرای نخستین تمهیدات احتمالی برای احترام به حقوق بشر، اصول دمکراتیک و حاکمیت قانون، مذاکرات سیاسی بیشتری با فیجی برنامه ریزی شده است.

رهبری هیئت فیجی را در دیدارهای بروکسل وزیر امور خارجه دولت موقت راتو اپلی نایلاتیکاو بر عهده داشت.

83.1 When will parliamentary elections be held in Fiji?

- **a.** Later this year.
- **b.** Within twenty-four after the publication of the announcement.
- **c.** In three years.
- **d.** After settlement talks with the Delegation of European Commission for the Pacific in Suva.

83.2 What is the European Commission's main concern regarding Fiji?

- **a.** Observation of human rights, principles of democracy, and rule of law.
- **b.** Prevention of future coup d'états.
- **c.** Protection of Fijian culture.
- **d.** Both A and C.

84

روز جمعه روزنامه محلی یوت گزارش داد که لکه های نفتی که حدود سه ماه در بسیاری از مناطق جنوبی و مرکزی ویتنام دیده می شد، به زیبا ترین ساحل ویتنام. نها ترانگ رسیده است.

لکه های نفتی که منشاء آنان هنوز نامعلوم است، روز پنجشنبه در آبهای استان خانه هوآی مرکزی نمایان شد، و به شهر نها ترانگ این استان که زیباترین ساحل ویتنام را دارد، رسید. این روزنامه به نقل از یک مقام ارشد اداره منابع طبیعی و محیط زیست استان خبر داد که مقادیر زیادی نفت دلمه شده در استان جمع آوری شده است.

روز پنجشنبه لکه های نفتی در فاصله ۶۰ کیلومتری ساحل استان جنوبی نینه توان که دارای مناطق توریستی بسیار و نواحی پرورش خرچنگ، میگو و جلبک است، دیده شد.

به گفته یک منبع اداره منابع طبیعی و محیط زیست ویتنام، لکه های نفتی در جزیره باک لانگ وی واقع در شهر شمالی "های فنگ" نیز پیدا شد. روزنامه یاد شده گزارش داد که ناوهای نیروی دریایی در این محل بیش از ۱۵ تن نفت خام جمع آوری کرده اند.

مدیر اداره حفاظت محیط زیست تران هنگ ها گفت که شرکتهای استخراج نفت در ویتنام ازعدم وقوع هر گونه حادثه نفتی در کشور خبرداده اند. طبق نتایج اولیه بررسی نمونه های نفت، منشا لکه های نفتی احتمالا در کشورهای دیگر قرار دارد و به همراه جریان آب به سواحل ویتنام رسیده است. وی گفت که وزارت متبوعش، خواستار مجوز از سوی دولت برای شرکت سازمانهای بین المللی در ردیابی منشاء لکه های نفتی شده است. دولت هم از وزارتخانه ها و بخش های محلی مربوطه خواسته است تا برای کشف منشأ با سازمانهای بین المللی همکاری کنند. روزنامه مذکور خبر داد که دولت، برای عملیات نجات و واکنش به لکه

نفتی، در جهت همکاری بیشتر با کشورهای منطقه از جمله چین، فیلیپین و ژاپن موافقت کرده است.

84.1 What is the speculated source of the oil spills in waters around Vietnam?
- **a.** Ships of the Vietnamese Navy, which has about 15 tons of oil in the area.
- **b.** An over-turned tanker from China.
- **c.** Oil refineries in Vietnam.
- **d.** It is most likely from an international source in the region.

84.2 What are the important sources of income in Ninh Thuan?
- **a.** Income generated by tourists visiting the beaches' aquaculture.
- **b.** Income from basket weaving.
- **c.** Income from rice farming.
- **d.** Income from oil refineries in the region.

85

یک مقام وزارت دفاع ایالات متحده گفت در پی یکی از نتایج پنجمین مذاکره امنیتی اندونزی و ایالات متحده (آی.یو.اس.اس.دی.) در جاکارتا، دو کشور برای همکاری هایی نظامی از قبیل مدیریت سوانح طبیعی و عملیات حفاظت صلح توافق کردند.

روز جمعه خبرگزاری آنتارا به نقل از سرتیپ جان تولن، مدیر امور آسیا و اقیانوسیه وزارت دفاع ایالات متحده، اعلام کرد : ما از همکاری با اندونزی نکات بسیاری، از جمله مدیریت حوادث طبیعی را فرا گرفته ایم.

روز پنجشنبه، پس از امضای بیانیه مشترک همکاری امنیتی بین دو کشور، تولن گفت : مدیریت حوادث، یکی از برنامه هایی خواهد بود که به جای شرکت در جنگ ها به عنوان بخشی از عملیات مشترک نظامی توسط ارتش های اندونزی و ایالات متحده به اجرا در خواهد آمد.

تولن اظهار داشت که همکاری نظامی بین دو کشور منجر به شکل گیری برنامه ای موثر در زمینه علائق مشترک ایالات متحده و اندونزی در مبارزه با تروریسم، جنایات بین المللی و حفظ امنیت دریایی شده است.

در همین حال، مدیر کل امور استراتژیک وزارت دفاع اندونزی، سرلشگر دادی سوسانتو گفت که اندونزی امیدوار به تشکیل یک گروه کاری مشترک در قالب همکاری نظامی دو کشور است.

این گروه کاری مشترک مواردی از قبیل عملیات، اطلاعات، بهداشت، پرسنل، قوانین وغیر را در بر خواهد گرفت. این گروه علاوه بر تمرکز درنگهداری، دامنه همکاری را نیز گسترده تر خواهد نمود.

دادی اظهار داشت که این گروه همکاری مشترک، برنامه ای هم برای ایجاد همکاری های واقعی تری چون آموزش مشترک، مدیریت حوادث، عملیات، اطلاعات، بهداشت، پرسنل و قوانین خواهد داشت.

در این مذاکره که روز چهارشنبه آغاز شد، مجموعه ای از موضوعات از جمله تروریسم، جنگ عراق و برنامه های حمایتی امنیتی مورد گفتگو قرار گرفت.

این مذاکره دو روزه پشت درهای بسته و در ادامه بیانیه مشترک پایان دیدار سپتامبر ۲۰۰۱ رئیس جمهور اندونزی، سوسیلو بامبانگ یودهویونو از واشنگتن صورت گرفت.

این مذاکره سالانه به منظور تجدید همکاری دفاعی بین دو کشور که پس از خشونت های تیمور شرقی در سال ۱۹۹۹ و تحریم نظامی ایالات متحده بر اندونزی متوقف شده بود، آغاز شد.

85.1 The yearly IUSSD meeting between the United States and Indonesia____________.

a. Had ceased after the violent episodes in East Timor in 1999.
b. Is intended to promote cooperation between the two countries.
c. Was started in September 2001 with the Indonesian president's visit to Washington, D.C.
d. Does not deal directly with current world events.

85.2 What is the position of Dadi Susanto?

a. Current President of Indonesia.
b. Major General.
c. Brigadier General.
d. Indonesian Foreign Minister.

86

رئیس جمهور برزیل لوییز ایناچیو لولا دا سیلوا روز پنجشنبه، مصادف با روز ملی سرخپوستان برزیل، سندی را امضاء کرد که تاسیس شش منطقه بومی جدید در میان قبایل سرخپوست کشور را تایید می کند.

بنا به اعلام بنیاد ملی سرخپوستان (اف.یو.ان.ای.آی.)، این مناطق به مساحت ۹۷۸ هزار هکتار، در ناحیه جنگل های بارانی آمازون، که مسکن اغلب سرخپوستان برزیل است و در بخشهای جنوبی و شمالی کشور واقع شده است، قرار دارد.

طی مراسمی در کاخ ریاست جمهوری و با حضور ۲۰ تن از نمایندگان سرخپوستان بومی، لولا علاوه بر اعطای زمین قول توجه بیشتر دولت به نیازهای سرخپوستان را هم داد.

به گفتهٔ وزیر دادگستری، لولا از زمان روی کار آمدن ۷۱ منطقه را با مجموع مساحت ۱۶ میلیون هکتار بین سرخپوستان تقسیم نموده است.

روز دوشنبه گذشته حدود ۱۵۰۰ سرخپوست، با تحصن در مقابل ساختمانهای دولتی در برازیلیا خواستارمذاکره با مقامات درباره پیامدهای نامطلوب پروژه های زیربنایی در سرزمینهای اجدادی شان شدند. این تحصن تا ملاقات روز پنجشنبه با لولا ادامه داشت.

در سال ۱۹۹۷، جمعیت سرخپوست برزیل به ۳۰۰ هزار نفر کاهش یافت، اگرچه در سرشماری سال ۲۰۰۰، ۷۰۰هزار برزیلی خود را بومی معرفی کردند.

86.1 What is the explicit purpose of the new bill signed by the Brazilian President?

a. To celebrate the Indigenous People's Day.
b. To ensure more government attention to the needs of the indigenous peoples of Brazil.
c. To establish six new regions to be divided among the countries native tribes.
d. To quiet the indigenous people's uproar with regards to construction on their land.

87

افزایش تقاضا برای کارگران بخشهای بهداشتی و حقوقی، استخدام اینترنتی را در منطقه لس آنجلس و در ماه مارس به شدت افزایش داد.

طبق آمارهای تهیه شده توسط شرکت استخدام اینترنتی مانستر، در میان ۲۸ بازار بزرگ شغلی ایالات متحده، لس آنجلس در ماه مارچ بیشترین رشد را برای بهداشت کاران و کارگران فنی و بالاترین نرخ رشد را در طول سال گذشته داشته است.

بنا به اعلام مانستر، افزایش پنج امتیازی از فوریه تا مارچ شاخص استخدام محلی مانستر را برای لس آنجلس به بالاترین نرخ رشد از سپتامبر ۲۰۰۶ تا کنون رسانده است. همزمان با شتاب تابستانی برخی از بزرگترین شرکتها برای استخدام کارمند طی ماههای اخیر، فرصتهای استخدام اینترنتی برای مشاغل حقوقی در لس آنجلس و حومه به شدت افزایش یافته است. فرصتهای اینترنتی برای پرستاری و خدمات شخصی

هم در ماه مارس و در محدوده لس آنجلس افزایش داشت، در حالی که بخش مربوط به داد و ستد در طول سال به طور چشمگیری ثابت باقی ماند.

طبق گزارش مانستر، ماه گذشته دسترسی اینترنتی برای استخدام در ۲۶ بازار از ۲۸ بازار کار بزرگ، افزایشی داشت که حاکی از افزایش فعالیت های استخدامی اینترنتی در فصل استخدام در کشور می باشد. در بین بازارهای بررسی شده با این شاخص، منطقه هوستون کماکان سریع ترین رشد دسترسی شغلی اینترنتی را دارد.

استیو پوگورزلسکی، رئیس گروه سرویس جهانی مانستر، گفت: نتایج ماه مارس شاخص استخدام محلی مانستر نشان دهنده رشد آشکاری در استخدام اینترنتی در شهرهای بزرگ ایالات متحده طی ماه آخر اولین دوره سه ماهه سال است.

این شاخص بر اساس فهرستهای شغلی منتخب از ۱۵۰۰ وب سایت از جمله مانستر است.

87.1 What sectors have witnessed an increase in employment in Los Angeles?

a. Health care, law, and skilled labor.
b. Internet sales and development.
c. Finance and banking.
d. Computer sciences and information Technology.

87.2 What is the article about?

a. Increase in number of jobs in major American metro areas.
b. Increase in use of the Internet for finding employment in major American metro areas.
c. Increase in the need for nurses in the Los Angeles and Huston areas.
d. Increase in jobs in the legal sector.

88

روز پنجشنبه بقایای کالویان تزار افسانه ای بلغارستان با روغن و شراب شستشو شد، و طی مراسم باشکوهی در پایتخت باستانی ولیکو تارنوو در مرکز این کشور مجددا به خاک سپرده شد.

این مراسم مطابق تشریفات تشییع جنازه رسمی در موزه تاریخی محلی صورت گرفت. رسانه های محلی گزارش دادند، استخوانهای تزار کالویان همراه با زره شخصی اش به تابوتی ویژه از جنس فولاد نیکل اندود ضد زنگ منتقل شده است.

رئیس جمهور بلغارستان، گئورگی پاروانف و وزیر فرهنگ، استفان دانایلف در مراسم تشییع شرکت داشتند.

تزار کالویان، یا به قول برخی مورخان غربی یوانیتسا، برادر تزار آسن و پتار بوده است که کشور بلغارستان را احیاء کردند. کالویان پس از مرگ برادرانش در سال ۱۱۹۷ میلادی بر تخت پادشاهی نشست.

کالویان به بالاترین مقام کشور را دست یافت و فرمانده ارتش بلغارستان شد. او با بیزانس، مجارستان و صربستان جنگید و باعث بازگشت تراس، مقدونیه، ترانسیلوانیا و موراویاتو به کشور بلغارستان شد. او در سال ۱۲۰۴ میلادی توسط سفیر پاپ کاردینال لئو به عنوان امپراتور معرفی شد.

سال بعد، او امپراتور بالدوین فلاندرز را اسیر کرد و در برج افسانه ای بالدوین در دژ تساروتس به زندان انداخت.

کالویان در سال ۱۲۰۷ میلادی به دست فرمانده ارشدش ماناستر به قتل رسید.

88.1 Which of the following nations is not mentioned in the article as one that Tsar Kaloyan engaged in war with?

a. Byzantium
b. Hungary
c. Serbia
d. Greece

88.2 Who is Stefan Danailov?
a. Current Bulgarian Minister of Culture.
b. Ancient Tsar of Bulgaria, following the reign of Tsar Kaloyan.
c. Current President of Bulgaria.
d. A curator at the historic museum where the remains of an ancient tsar where reburied.

89

روز پنجشنبه یک مقام ارشد آموزشی چین احتمال افشای سؤالات امتحانی امسال را در اینترنت و توسط طراحان کنکور ورودی دانشگاه ملی، قبل از امتحانات اوایل ماه ژوئن رد کرد.

همزمان با نزدیک شدن به زمان برگزاری کنکور ورودی سالیانه دانشگاه ملی، پخش برخی برگه های واقعی امتحانی در اینترنت که گفته می شود کار طراحان رسمی کنکور می باشد، توجه بسیاری را به خود جلب کرده است.

دای جیانگ، مدیر اداره امتحانات آموزشی ملی (ان.ای.ای.ای.) در وزارت آموزش گفت که برگه های امتحان ورودی دانشگاه محرمانه است. طبق قوانین جزایی چین، سرقت، افشاء، یا خریداری برگه های امتحانی تا هفت سال زندان را در پی خواهد داشت.

وی گفت که سوالات امتحانی امسال در حال تدوین است. طراحان سوالات کنکور ورودی دانشگاه، استادان و معلمان منتخب برخی دانشگاهها و مدارس متوسطه هستند. این افراد در طول مرحله طراحی در مکان هایی ویژه قرنطینه می شوند و در جریان کار، گوشی موبایل و کامپیوترشان را تحویل می دهند. پس از تدوین سوالات امتحانی، طراحان بدلایل امنیتی ۳۰ تا ۴۰ روز دیگر قرنطینه می شوند. به گفته جیان افشای سوالات امتحانی امسال در اینترنت غیر ممکن است. زیرا چنین سوالهای امتحانی فقط دانش آموزان را گمراه می کند.

او همچنین گفت که به منظور تضمین امنیت امتحان، سازمان مربوطه نه تنها مرحله تدوین بلکه چاپ، انتقال و توزیع برگه های امتحان را هم کنترل می کند.

امتحان ورودی دانشگاه ملی به دلیل آنکه تنها شانس دانش آموزان دبیرستانی برای ورود به تحصیلات عالیه است، یکی از مهمترین امتحانات چین محسوب می شود.

سال گذشته ۹/۵ میلیون دانش آموز در این امتحان شرکت کردند و فقط ۲/۶ میلیون شانس ورود به دانشگاهها و کالج ها را پیدا کردند.

به دلیل رقابت تنگاتنگ، برخی داوطلبان به تقلب رو می آورند. سال گذشته در امتحان ورودی دانشگاه ملی، ۳ هزار داوطلب را در حین تقلب و استفاده از تلفن همراه یا سایر دستگاه های پیشرفته گرفتند. طی سالهای اخیر برخی افراد سودجو با استفاده از شرایط داوطلبان برای گرفتن نمره های بالا در امتحان، برگه های امتحانی یاد شده را در اینترنت به فروش رساندند. هر سال وزارت آموزش، دانش آموزان را از فریب خوردن برحذر می دارد.

89.1 How will cheating on the college entrance exams be dealt with according to Chinese criminal law?
a. Those convicted of the crime will be sentenced to 30 to 40 days in jail.
b. Those convicted of the crime will be sentenced to up to seven years in jail.
c. Those convicted of the crime will lose their cell phones and computers.
d. Those convicted of the crime will be punished to the fullest extent of the Chinese criminal law.

89.2 According to the article, why would Chinese high school students be tempted to cheat on the college entrance exams?

a. Because it is their only chance to gain access to higher education.
b. Because it is extremely difficult.
c. Because out of 5.9 million Chinese high school graduates only 2.6 passed the exam last year.
d. Because it is a good way to make money.

90

یک مدرسه ابتدایی در استان هنان واقع در مرکز چین پس ازکسب اجازه تماشای فیلمی از لحظه تولد که به قصد تقدیر از مادران صورت گرفته بود، مورد توجه قرار گرفته است. دانش آموزان هفت و هشت ساله کلاس دوم در جریان کلاس آموزش سپاسگزاری در دبستان کینلینگلو در شهر ژنگ ژو مرکز استان هنان به همراه مادرانشان این فیلم را تماشا کردند.

پکن نیوز خبر داد که فیلمی که اوایل ماه جاری پخش شد، عمل جراحی سزارین را به نمایش گذاشته است. مدیر مدرسه کائو جیانپینگ که قبلا فیلم را دیده بود گفت: صحنه های فیلم جنبه آموزشی داشت و در صورت پخش مناسب با نظارت معلمان، می تواند تجربه خوبی برای کودکان باشد.

به گزارش تلویزیون سی.سی.تی.وی، کائو گفت که ایده پخش این فیلم را پس از خواندن گزارشی خبری درباره نوجوانی که در ژنگژو مادرش را به خاطر امتناع از خرید چیزی کتک زده بود، گرفته است. او گفت که امیدوار است این فیلم به دانش آموزان در سپاسگزاری از فداکاری های مادرانشان کمک کند.

از نظر برخی منتقدان، دیدن چنین صحنه هایی برای دانش آموزان خیلی زود بوده است. بیش از ۱۰۰ دانش آموز کلاس دومی این فیلم را دیدند و ظاهرا اغلبشان تحت تاثیر عشق مادری به نمایش گذاشته در این فیلم کوتاه قرار گرفتند. با این حال اعتراف هم کرده اند که صحنه تولد نوزاد ناراحت کننده بوده است.

یکی از پسرانی که فیلم را دیده بود گفت: فیلم دراکولایی بود. ترسیدم!

دختری گفت: وقتی دیدم دکترها شکاف بزرگی در شکم مادر باز کردند خیلی ترسیدم.

مادری هم به نام ژائو که این فیلم را با پسر هشت ساله اش دیده است. گفت :فکر می کنم این فیلم، کودکان را در درک زایمان و مشقات مادر کمک کند. ضمن آنکه مرا هم در رفع ناراحتیِ بیان واقعیت تولد فرزندم کمک کرده است.

با این حال، برخی والدین و متخصصان اظهار داشتند که صحنه های فیلم خیلی خونین و نامناسب برای کودکان بود. کائو فنیوآن. روانشناس گفت که این مدرسه باید از روشی ملایمتر برای ترغیب دانش آموزان به احترام مادرانشان استفاده می کرد.

وی افزود: این عمل خون آلود برای کودکان هفت و هشت ساله ثقیل است. ممکن است تصویر بد از زایمان در ذهن آنها ایجاد کند و شوکه شوند.

سکس، موضوعی حرام است که اغلب متون درسی از آن اجتناب می کنند. مدارس اصولا اهمیت کمتری برای آموزش جنسی یا زایمان قائل هستند.

علت نمایش فیلم عمل جراحی سزارین به جای زایمان طبیعی در این مدرسه مشخص نیست. برخی متخصصان اظهار داشتند که شاید خطر ایجاد تصور دلخراش بودن زایمان علت این انتخاب باشد.

90.1 What subject matter did the film mentioned in the article depict?

a. Natural childbirth.
b. Caesarean section operation.
c. A horror movie about Dracula.
d. An appendix surgery on a pregnant mother.

90.2 What does Cao Jianping think of the movie?

a. That it will leave a bad impression on such young children.
b. That it will save him the embarrassment of having to tell her children where they came from.
c. That it will scare them from sex and childbirth.
d. That it is instructive and could serve as an educative tool under the right guidance.

91

یک بیوگرافی جدید از اینگرید برگمن فاش کرد که هیچ یک از سه ستاره "کازابلانکا"، بزرگترین فیلم عشقی تاریخ هالیوود، نمی خواسته اند در این فیلم بازی کنند.

شارلوت شندلر، نویسنده "اینگرید"که به تازگی منتشر شده است، در این کتاب از جریان ناهار پیش از فیلمبرداری برگمن و هامفری بوگارت می گوید. او می گوید: اینگرید به یاد می آورد که تنها موضوع صحبت مشترکی که پیدا می کردند تمایل زیادشان به خروج از "کازابلانکا" بود.

پل هنرید با انتخاب خود به عنوان ویکتور لازلو، رهبر زیرزمینی فرانسه، همچنین شوهر آیلسه، شخصیت برگمن، مخالفت کرده بود. او در حالی که تازه از اروپا رسیده بود، به دوستش بت دیویس از زیان بازی نقش دوم بر حرفه جدیدش در هالیوود شکایت کرده بود.

شندلر، پاسخ دیویس را عینا نقل می کند: اشتباه، اشتباه، اشتباه می کنی.

او به هنرید اطمینان می دهد که کازابلانکا کمک بزرگی در پیشبرد زندگی حرفه ای اش است.

هر سه ستاره، نگرانِ ناتمامی فیلمنامه "کازابلانکا" بوده اند. پرسش دربارۀ ماندن آیلسه در مراکش با عاشقش، ریک خشن کافه دار، یا فرار با همسرش بی پاسخ مانده بود. بعد از چندی، کارگردان و هنرپیشگان توافق کردند که هر دو پایان فیلمبرداری شوند. اما پس از فیلمبرداری پایان فرار آیلسه با ویکتور، همگی به اتفاق تصمیم گرفتند که این پایان منطقی "کازابلانکا" است و پایان دوم فیلمبرداری نشد.

"اینگرید"، همچون سایر بیوگرافی های شندلر (دیویس، آلفرد هیچکاک، بیلی وایلدر)، عنوان فرعی "بیوگرافی شخصی" را دارد. او از نیویورک گفت: از آنجا که من این اشخاص را می شناختم و با آنها صحبت کردم و این کتاب ها را بر اساس گفته های آنان نوشتم، می توان تقریبا اینها را اتوبیوگرافی حساب کرد. من می خواستم امانت گفتار این شخص را حفظ کنم.

نتیجه کار شندلر صفحه های متعددی از نقل قول های مصاحبه با برگمن است. او در کتابش تفسیرهایی را هم از شخصیت هایی چون جرج کوکر که با کارگردانی فیلم "گس لایت" جایزه اسکار را نصیب برگمن کرد؛ هیچکاک ("اسپلباوند"، "نوتوریوس")؛ شوهر سومش، روبرتو روسلینی؛ و دخترش، ایزابلا روسلینی گنجانده است.

91.1 According to Charlotte Chandler, why can her biographies be considered "autobiographies"?

a. Because they are about her own first-hand experiences with the stars.
b. Because they are based firmly on the stars' own words as told to her.
c. Because she transcribed the stars' words before their death.
d. Because she was always present with the stars.

91.2 Were both endings to *Casablanca* filmed?

a. Yes, and it was decided that in the end Ilse would escape with her husband.

b. Yes, and it was decided that in the Ilse would remain in Morocco with Rick.
c. No, because after the filming of the first ending, it was seen as the logical ending.
d. No, because the stars were tired of working on a movie they didn't really want to be in.

92

به گزارش روابط عمومی اتحادیه صدا و سیمای چین، روز پنجشنبه ده رستوران کارایوکی در پکن با پرداخت حقوق معنوی به این اتحادیه موافقت کردند.

آنها در ازای هر فضای خصوصی در هر روز، ۱۲ یوآن (۱/۵ دلار آمریکا) پرداخت می کنند. اما مقامات دفتر ارتباطی از احتمال نوسان این قیمت خبر دادند.

صاحبان رستوران های شهرهای دیگری که پیش از اول آوریل با اتحادیه صدا و سیمای چین قرارداد امضاء کرده بودند، می توانند با نرخ هر اتاق هشت یوآن به توافق برسند.

دوازده رستوران کارایوکی در کونمینگ، مرکز استان یونان، واقع در جنوب غرب چین از ماه فوریه، یک ماه پس از ابلاغ دستور اداره محلی حقوق معنوی (ان.سی.ای.) شروع به پرداخت کردند. این اولین بار است که از طرف هنرمندان، تهیه کنندگان و مالکان حقوق معنوی این وجوه دریافت می شود.

۱۰۰ هزار رستوران کارایوکی چین سالانه درآمدی بالغ بر ۱۰ میلیارد یوآن (۱/۲۹ میلیارد دلار آمریکا) دارند و سالهاست که مجموعه وسیعی از نماآهنگها را بدون هزینه مورد استفاده قرار داده اند. با این حال، تخمین زده می شود که از این طریق فقط ۸ میلیون یوآن (حدود یک میلیون دلار آمریکا) گردآوری شود.

با وجود مخالفت گستردهٔ صاحبان رستوران ها، اتحادیه صدا و سیمای چین که گردآوری کنندهٔ حقوق معنوی برای اداره ملی حقوق معنوی است، دسامبر گذشته اعلام کرد که رستوران های کارایوکی از اول ژانویه بابت استفاده از نماآهنگ هزینه خواهند پرداخت. از روز نهم ماه نوامبر، نرخ ۱۲ یوآن در ازای هر اتاق خصوصی کارایوکی، توسط اداره ملی حقوق معنوی تعیین شد. صاحبان رستورانهای کارایوکی، مخصوصا در گوانگژو و شانگهای، با غیر قانونی و غیر منطقی خواندن طرح آنرا تحریم کرده اند.

92.1 On whose behalf is the NCA collecting royalties from Karaoke restaurants in China?
a. Artists, producers, and copy right holders.
b. Artists, the government, and copy right holders.
c. Artists, copy right holders, and share holders in the arts.
d. Solely for the China Audio and Video Association.

92.2 How did the Karaoke restaurant owners react in Guangzhou and Shanghai?
a. They have declared it "unlawful and unreasonable."
b. They have agreed to pay 12 Yuan per private room per day.
c. They began paying royalties back in February.
d. They have agreed to pay 8 Yuan per private room per day.

93

روز چهارشنبه مهاجم تیم فوتبال آرژانتین، لیونل مسی، با دو گل به پیروزی ۵ بر ۲ بارسلونا بر ختافه، از سری بازیهای جام سلطنتی اسپانیا کمک کرد.

مربی تیم، فرنک ریکارد یکی از گلهای این مهاجم ۱۹ ساله را "اثری هنری" نامید. او پس از این بازی نیمه نهایی جام سلطنتی گفت: مسی استعداد دارد. او گلی عالی زد. درست است که خیلی به (دیگو) مارادونا شباهت دارد، اما من فکر می کنم که از او هم سریعتر است. مسی در دقیقه ۲۹ اولین گل را زد که خاطره گل بازیکن بزرگ تاریخ فوتبال، مارادونا را در

برابر انگلیس در یک چهارم نهایی جام جهانی ۱۹۸۶میلادی زنده کرد. مسی پیش از کشمکش با لویی گارسیا دروازه بان ختافه، با دریبلی که از زمین رئال شروع شد، از سد چهار مدافع گذشت و از زاویه ای بسته توپ را وارد دروازه کرد.

او دوباره در دقیقه چهل و پنجم با شوت بلندی که وارد دروازه کرد، شانس بارسلونا را برای بردن جام مهم اسپانیا برای اولین بار از سال ۱۹۹۸ تا کنون تقویت کرد. بازی برگشت بین بارسلونا و ختافه روز ۹ ماه می برگزار می شود.

93.1 Who is Frank Rijkaard?
- **a.** Barcelona’s star soccer player.
- **b.** Getafe’s soccer team coach.
- **c.** Getafe’s goalie.
- **d.** Barcelona’s soccer team coach.

93.2 How did Lionel Messi’s gameplay help Barcelona in the Copa del Ray?
- **a.** It has brought them closer to winning since the last time in 1986.
- **b.** It has brought them closer to winning since the last time in 1998.
- **c.** It has helped renew public interest in soccer since Maradona left the field in 1986.
- **d.** It has helped them win against Getafe by a score of two to four.

94

مجموعا ۱۰۲ زمین گلف در سراسر چین برای شرکت در لیگ بیوک باشگاههای گلف چین (سی.چی.سی.ال.)، که ماه می آغاز می شود، ثبت شده اند.

این رقابت ها که توسط اتحادیه گلف چین برگزارمی شود و توسط کمپانی جنرال موتورز شانگهای حمایت مالی می شود، یک رقابت تیمی شش نفره خواهد بود. هر تیم می تواند فقط یک بازیکن حرفه ای و یک بازیکن زن داشته باشد.

رقابتهای استانی از ۲۰ آوریل تا ۱۰ جولای برگزارمی شود و برندگان پنج گروه شمال، غرب میانه، شرق، جنوب میانه و جنوب به دور بعد راه پیدا می کنند. پس از تقریبا ۴ ماه مسابقه، برندگان گروه های مختلف در دیدار نهایی ماه دسامبر به مصاف هم می روند.

برگزارکنندگان انتظار رکورد شرکت ۲۰ هزار بازیکن را در یک دوره نه ماهه مسابقات دارند.

ژانگ ژیائونینگ، دبیر کل اتحادیه گلف چین گفت: ما قصد داریم این لیگ را به موتور قوی گسترش این رشته تبدیل کنیم. در ضمن آنکه انگیزه ای عالی برای توسعه بازاریابی این ورزش هم هست. تاسیس سی.جی.سی.ال. فصل جدیدی در تاریخ این رشته در چین است. بدین ترتیب نظر مردم درباره گلف، که ورزشی منحصر به ثروتمندان است تغییر خواهد کرد.

سون ژیائودونگ، مدیر فروش و بازاریابی جنرال موتورز شانگهای گفت: ما امیدواریم که همکاری میان جنرال موتورز شانگهای و سی.جی.ای. این مسابقه را به بزرگترین و موثرترین رقابت ملی گلف در پرجمعیت ترین کشور دنیا تبدیل نماید.

چین با جمعیت۳ /۱ میلیارد نفر، ۲۸۰ باشگاه گلف و حدود یک میلیون گلف باز دارد.

94.1 What role does Shanghai General Motors play in the Buick China Golf League?
- **a.** It is the organizer.
- **b.** It is the financial backer.
- **c.** It is the founder.
- **d.** It is one of the main contenders for the prize.

94.2 What does Zhang Xiaoning hope will happen as a result of the founding of CGCL?
- **a.** Public opinion about golf will shift from viewing as a bourgeois sport to a public one.
- **b.** It will help advertise the products and services of its sponsoring companies.
- **c.** It will stimulate Shanghai General Motors' market and stocks.
- **d.** It will allow China to become a world-recognized competitor in golf.

95

روز دوشنبه یک روزنامه آفریقای جنوبی خبر داد که گروهی از معروفترین بازیکنان اتحادیه ملی بسکتبال ایالات متحده (ان.بی.ای) برای پنجمین دوره برنامهٔ بسکتبالِ بدون مرز، ماه سپتامبر از آفریقا دیدار خواهندکرد.

به نقل از یک روزنامه ژوهانسبورگی، برنامه پنج روزه تمرین و آمادگی تیمی آنها که به رهبری سنترهوستون راکتس، دیکمبه موتمبو صورت می گیرد، در ژوهانسبورگ انجام خواهد شد.

این خبر توسط ان.بی.ای.، فدراسیون جهانی بسکتبال (فیبا) و بسکتبال آفریقای جنوبی (بی.اس.ای.) منتشر شد. اردوی مربوطه، بسکتبالیستهای ۱۹ ساله و جوانترِ سراسر منطقه را گرد هم می آورد. موتمبو و یارانش در سمینارهای انگیزشی و مهارتهای زندگی که آموزش، رهبری، رشد شخصیت، و زندگی سالم با تاکید بر آگاهی و پیشگیری از بیماری ایدز را ترغیب می کنند، شرکت خواهند نمود. موتمبو اظهار داشت که این برنامه ضمن حمایت از جوامع نیازمند، حاوی بهترین ارمغان های ان بی ای، از نظر استفاده از بازیکنانش به عنوان الگوهایی مثبت است. وی گفته است که بازگشت مجدد ما به آفریقای جنوبی، نوعی امتیاز و دلیلی بر موفقیت این برنامه است.

95.1 What are some of the aims of the Basketball Without Borders program in Africa?
- **a.** To promote education, leadership, and awareness and prevention of AIDS.
- **b.** To scout exceptional basketball players from South Africa.
- **c.** To give African youth ages 19 and younger hope about their future in the NBA.
- **d.** To bring African-American basketball players back in touch with their roots.

95.2 Who is Dikembe Mutombo?
- **a.** A reporter for a newspaper in Johannesburg.
- **b.** An American basketball player.
- **c.** The South African organizer of Basketball Without Borders.
- **d.** A South African basketball player.

96

به گزارش اداره هواشناسی محلی، چین برای اولین بار موفق به ایجاد برف مصنوعی در بخش شمالی منطقهٔ خودمختار تبت شده است.

روز دهم آوریل، ایستگاه هواشناسی تبت با بهره گیری از شرایط مناسب جوی، عملیات بارش برف مصنوعی را در بخش ناگکو، واقع در شمال تبت، در ارتفاع ۴۵۰۰ متری به انجام رساند.

یو ژونگشویی، یکی از مهندسان این ایستگاه هواشناسی گفت "بدین ترتیب ثابت شد که برای انسانها تغییر آب و هوا در مرتفع ترین فلات جهان مقدور است." پس از این بارش مصنوعی فقط یک سانتیمتر برف روی زمین نشست.

در تاریخ بشر کنترل آب و هوا اصولا در اختیار "خدایان" باستانی بوده است، اما طی شصت سال اخیر دانشمندان با ادعای استفاده برای نوع بشر، بطور روز افزونی علاقمند به دخالت در اوضاع جوی شده اند.

علاوه بر چین، کشورهایی چون ایالات متحده، استرالیا، روسیه، پاکستان، هند و تایلند هم پروژه های

باران سازی مصنوعی را به اجرا گذاشته اند. شیوه های مربوطه، شامل استفاده از موادی شیمیایی، همچون ید نقره جهت تسریع ایجاد باران می شوند. این مواد را می توان از هواپیما ریخت ویا از زمین پرتاب کرد.

هنوز درباره تاثیرات بلند مدت این نوع مهندسی جوی یا "باران باری" نظر مشخصی ابراز نشده است.

یو، شادمان از این موفقیت چینی ها گفت که تولید برف یا باران مصنوعی در مناطق مرتفع، به دلیل نامساعد بودن شرایط برای تشکیل مولکول های بخار آب و در نتیجه، تشکیل باران، برف، مه یا ابر که از تراکم بخار آب در جو ایجاد می شود، دشوار است.

یو توضیح داد که بارش مصنوعی می تواند به کاهش خشکسالی تابستانی در مراتع شمال تبت کمک کند. وی اضافه کرد "این روش برای پرورش دهندگان دام مفید خواهد بود."

تبت در نتیجه روند گرم شدن زمین، امسال زمستان گرمتری را پشت سر گذاشت. میانگین دما در این فلات، ۲/۷ درجه بیش از سالهای عادی بود.

گرم شدن زمین منجر به ذوب سریع یخ های فلات کینگهای تبت، معروف به "بام جهان" شده است.

این فلات که به عنوان فشار سنج شرایط جوی جهان شناخته می شود، طی سه دهه گذشته، شاهد ذوب سالانه ۴۱۳۱ کیلومتر مربع از یخهای خود بوده است.

زمین شناسان می گویند که کاهش یخچال ها و همچنین خشک شدن دریاچه ها و نابودی مراتع، این فلات را تهدید می کنند.

فلات کینگهای تبت، سرچشمه سه رودخانه اصلی چین، یانگ تسه، زرد و لانچانگ است. اغلب تمدن های چینی در مسیر دره های رودهای یانگ تسه و زرد بوجود آمده است.

96.1 According to an engineer with the Chinese metrological station, what is the significance of creating artificial snow in Tibet?

- **a.** It strips Tibet of its autonomy by proving that the Chinese government can control their weather.
- **b.** It proves that human beings can change weather even at Earth's highest plateaus.
- **c.** It demystifies Divine Intervention in weather.
- **d.** It will allow the development of ski resorts in Tibet.

96.2 According to Yu, why is artificial precipitation in high altitudes difficult?

- **a.** Because the conditions are not conducive to the formation of hydrometer molecules.
- **b.** Because Tibet has felt the effects of global warming.
- **c.** Because of the drought of lakes.
- **d.** Because of lack of public interest in such projects.

97

روز سه شنبه مقاماتی از سازمان مواد غذایی و دارویی ایالات متحده امریکا (اف.دی.ای.) اعلام کردند که اولین واکسن انسانی علیه بیماری آنفلوانزای پرندگان به صورت تجاری فروخته خواهد شد.این واکسن توسط شرکت فرانسوی سانوفی- آونتیس به صورت انبوه و برای استفاده درمواقعی که این ناراحتی به شکل یک بیماری مسری و واگیر درآید و همه گیر شود، تولید شده است.

نورمن بایلور، مدیر اداره تحقیقات وبررسی واکسن های سازمان مواد غذایی و دارویی ایالات متحده امریکا گفت: تهدید سرایت و گسترش آنفلوانزا یکی از مهمترین موارد بهداشتی عمومی است و ملت ما امروزه با آن مواجه است.

او افزود: یک مرحله مهم در افزایش آگاهی ملی برای مبارزه علیه بیماری های واگیرو مسری. بهبود

توانایی ما برای محافظت افرادی است که در ریسک بیشتری در ابتلا به این بیماریها قرار دارند.

بایلور گفت که واکسن جدید برای افراد ۱۸ تا ۶۴ ساله که ریسک زیادتری برای آلودگی به ویروس H۵N۱ دارند تهیه شده است. این افراد بایستی دوبار مورد تزریق قرار گیرند و هر دفعه مقدار دارو ۹۰ میکروگرم است. تزریقها باید به فاصله یک ماه انجام شود.

بایلور اضافه کرد: ما احساس می کنیم که ایجاد آمادگی در برابر بیماریهای مسری بهترین دلیل گرفتن پروانه ساخت برای این واکسن است. مشاهدات ما می گوید که این واکسن مفید و موثر است. دیوید ویلیامز، رئیس واحد سانوفی-پاستور شرکت واکسن سانوفی هم گفت که تایید این واکسن یک نقطه عطف رضایت بخش در ایجاد آمادگی در مقابل بیماری های مسری خواهد بود. طبق آمار اخیر سازمان بهداشت جهانی از اواخر سال ۲۰۰۳ میلادی ۳۰۰ نفر به ویروس آنفلوانزای H۵N۱ در سراسر جهان آلوده شده اند. این ویروس تا به حال باعث مرگ ۱۷۲ نفر شده است. اگر این ویروس توانایی سرایت از شخصی به شخص دیگر را پیدا کند. شکل اپیدمیک به خود خواهد گرفت و دانشمندان واهمه دارند که می تواند باعث مرگ دهها میلیون نفر شود.

97.1 What did the United States Food and Drug Administration announce regarding the avian flu vaccine?

a. That it will be mandatorily administered to those between the ages of 18 to 64.
b. That it will not be sold commercially in the near future.
c. That it is currently being stockpiled in the United States in case of a pandemic.
d. That it will be sold commercially in the near future.

97.2 Why is the avian flu vaccine an important concern for the United States Food and Drug Administration?

a. Because it has already killed nearly 300 people worldwide.
b. Because if the virus evolves, it can kill tens of millions of people.
c. Because development of a human-safe vaccine can generate income for the American economy.
d. Because cases of the avian flu have been recorded in the United States since 2003.

98

آیا نسل ما برای رفتار خوب به فرزندانش رشوه می دهد؟

کریستین وایپل، یک مادر امریکایی، پاسخ داد: مطمئنا نسل ما بیشتر از نسلهای پیش از سیستم پاداش استفاده می کند.

چه آن را پاداش یا رشوه حساب کنیم، امروزه تعداد زیادی از والدین اقرار می کنند که رفتار خوب فرزندانشان را در فضاهای عمومی یا در خانه با قول اجرت تضمین می کنند. توقع رفتار خوب از خود والدین در کودکی به سادگی و به دلیل آنکه والدینشان گفته بودند، نیز بوده است. اما این حرکت جدید که ضد سختگیری والدین نسلهای قبل است، باعث نگرانی بسیاری از متخصصین تربیتی شده است.آنها می پرسند: آیا والدین امروزی بیش از اندازه ملایم نیستند؟

از نظر وایپل، او و شوهرش خیلی از والدین خود سهلگیرتر هستند، اما آنها سعی دارند که فرزنداشان از سیستم پاداش سوء استفاده نکنند. آنها دریافته اند که پسرانشان در سنین ۵ و ۸ سالگی حتی با گرفتن پاداشهای کوچک از قبیل اجاره یک بازی ویدیویی. به حرف پرستارشان بهتر گوش می کنند. پاداش یک

کارنامه ممتاز به نسبت بهتر و شامل یک مهمانی شام است.

واپیل بزرگترین ضعف این سیستم را "احساس محق بودن" فرزندانش برمی شمارد. او می گوید که در بسیاری از مواقع، رفتار خوب فرزندانش به یک سوالی منجر می شود: پاداش من چیست؟

این بخشی از نگرانی متخصصین تربیتی دراین مورد است. مارسی سافیر، مدیر انستیتوی والدین دانشگاه آدلفی اظهار داشت: من فکر می کنم که سیستم پاداش زمان و محل خاصی دارد و واقعا برای کمک به توسعه قابلیت ها خوب است. مخصوصا در مواقعی که ما از فرزندانمان انتظارات فوق العاده داریم.

بسیاری از اولیاء و متخصصین متفق اند که این سیستم جدید بخشی از دنیای امروزی است که در آن خیلی از خانواده ها امکانات بیشتری نسبت به نسل های پیشین دارند.

رابین لانزی که روانشناس بالینی، مدیر تحقیقات مرکزآموزش و بهداشت دانشگاه جرج تاون، و مادر چهار فرزند است. می گوید: این غیر واقعی است که ما فکر کنیم والدین به بچه های خود پاداش مادی ندهند. اما مهم این است که رفتار و پاداش با هم مطابقت کنند. به طوری که پاداش بیش از حد عمل نباشد.

"چون من چنین گفتم" هنوز روش موثری است. اما در مواردی از قبیل خوابیدن بچه ها در رختخواب خود، سافیر پیشنهاد می کند که در یک جدول. برای هر شب که آنها در جای خود می خوابند یک ستاره قرارداده و از پیشرفت مثبت آن تجلیل شود. او گفت: تشویق والدین باعث پیشرفت رفتار خوب در بچه ها است.

کلایر لرنر، مدیر منابع والدینی برای سازمان غیر انتفاعی صفر به سه واشنگتن، درباره والدینی که بچهٔ آنها فقط در عوض پاداش دندان های خود را مسواک می زند. گفت: من به آنان پیشنهاد کردم که بر فواید مسواک زدن هم تاکید کنند.

لرنر پیشنهاد میکند که در چنین مواقعی والدین به فرزندانشان توضیح دهند که مبارزه قدرت به وقت زیادی نیاز دارد و به جای آن اگر آنها دندان های خود را مسواک بزنند وقت بیشتری برای خواندن یک کتاب یا یک لالایی در رختخواب برایشان باقی خواهد ماند."

98.1 According to some parenting experts, what is the most important principle to keep in mind when using the rewards system with children?

- **a.** To ensure that the children do as they are told before any reward is given.
- **b.** To ensure that the children know that there are rewards for good behavior.
- **c.** To ensure that the reward and the behavior are of equal worth.
- **d.** To ensure that a sense of entitlement is reserved for the parents.

98.2 What is one of the problems that Christine Whipple has encountered with her sons when using the rewards system?

- **a.** They will not brush their teeth unless they know that they will get rewarded.
- **b.** Any time that they behave appropriately, they wonder, “What is my reward?”
- **c.** They misbehave around their babysitter until they get the video game they want.
- **d.** They always misbehave at restaurants to get dessert.

99

وزیر نفت ایران. سید کاظم وزیری هامانه روز چهارشنبه گفت که سالانه بیش از ۲۰ میلیارد دلار سرمایه گذاری دراین صنعت لازم است.

وی در گفتگو با خبرنگاران در اولین روز دوازدهین نمایشگاه بین المللی نفت و گاز وصنایع پتروشیمی که ۲۱ ماه مارس شروع شد پیش بینی کرد که امسال جذب سرمایه گذاری برای صنعت نفت کمی بیشتر از ۱۴.۳ میلیارد دلار بیش از سال گذشته خواهد بود. او اضافه کرد که در سال جاری خورشیدی برای جذب بازارهای داخلی و خارجی طرح و برنامه های جداگانه ای تهیه شده است.

این نمایشگاه امروز در محل نمایشگاههای بین المللی تهران گشایش یافت و معاون اول رئیس جمهور، آقای پرویز داوودی هم در این مراسم هم حضور داشت.

هامانه همچنین اظهار داشت: حضور بیش از ۵۰۰ شرکت و کمپانی خارجی در این همایش، علاقه آنها را در همکاری با صنعت نفت ایران نشان می دهد.

در رابطه با تماس های بی سابقه شرکت های خارجی با وزارت نفت ایران در یک سال و نیم گذشته حتی بعد از صدور قطعنامه تحریم ایران، او ابراز امیدواری کرد که آنها مشارکت فعال تری در صنعت نفت ایران خواهند داشت. وی در پاسخ به این سوال که آیا ایران از نفت به عنوان سلاحی در برابر قطعنامه های دیگر تحریم ایران استفاده خواهد کرد، گفت: من مکررا گفته ام که سیاست ایران براساس رابطه با کشورهای خارجی و تهیه نیازهای انرژی دنیاست.

هامانه موقعیت تولید نفت ایران را در یک سال و نیم گذشته صد درصد مثبت خواند و افزود که عملیات حفاری در اولین دکل نفتی در حوزه نفتی آزادگان امروز شروع شد.

99.1 Will Iran use oil as a weapon if further anti-Iran resolutions are passed?

- **a.** Certainly, in order to make known Iran's power in the Middle East.
- **b.** No, as Iran's only policy is exchange and meeting the world's energy needs.
- **c.** Not unless military strikes are carried out against Iran.
- **d.** Yes, Iran will use oil as a weapon against its Arab neighbors who are American allies.

99.2 How much investment is Hamaneh expecting in Iran's oil industry?

- **a.** Slightly more than $20 billion.
- **b.** Over $20 billion.
- **c.** Slightly more than $14.3.
- **d.** Slightly less than $14.3.

100

به گزارش منابع دیپلماتیک ایران، شرکتهای هندی می توانند تا ۱۵۰۰ میلیون روپیه در بخش های انرژی.فولاد و آلومینیوم ایران سرمایه گذاری کنند.

شرکت هندی تاتا طرحی برای ساخت کارخانه تولید فولاد در ایران ریخته و شرکت دیگر هندی علاقمندی خود رابه همکاری در صنعت پالایش نفت با ایران ابراز کرده است. یک سخنگوی کمپانی تاتا اعلام کرد که گفتگوهایی برای گسترش و توسعه تجارت این گروه در ایران در جریان است. همچنین روز چهارشنبه خبرگزاری آسیان ایج گزارش داد که در سطح مدیران توافق شده است که یک کارخانه تولید آلومینیوم با همکاری یک شرکت هندی درایران ساخته شود.

کمپانی تاتا یک یادداشت تفاهم را با منطقه اقتصادی ویژه خلیج فارس برای زمین و تسهیلات ساختاری در منطقه اقتصادی ویژه بندرعباس امضا کرده است.

این موج سرمایه گذاری شرکت های هندی برای ورود به بازار ایران در زمانی است که هیئت چند ملیتی هالیبرتون به هدایت امریکا، که پیش از این توسط معاون رئیس جمهوری. دیک چنی رهبری می شد، خروج خود را از ایران اعلام کرد. نظر عموم این است که هالیبرتون مرکز فرماندهی خود را از هوستون

به دوبی منتقل خواهد کرد تا بتواند به آرامی برنامه خود را در ایران توسعه دهد.

یک منبع دیپلماتیک ایران گفت که رئیس اتاق بازرگانی و صنایع و معادن ایران.علی نقی خاموشی اخیرا بدلیل جذب سرمایه گذاران به هندوستان رفته بود. خاموشی بر اساس گفتگوهایی که با نماینده شرکت آلومینیوم ملی (Nalco). تاتا و شرکتهای دیگر داشت. اظهار داشت که حوزه وسیعی برای همکاریهای دوجانبه بین هندوستان و ایران موجود است.

یک منبع دیپلماتیک دیگر ایرانی اعلام کرد که اخیراً بخش خصوصی ایران از غرب فاصله گرفته و به هندوستان و کشورهای دیگر شرقی برای سرمایه گذاری و همکاری نزدیک شده است. اما با این وجود، ایران می تواند صحنه بعدی بازی قدرت بین دهلی نو و پکن بشود که با هندوستان در نیمکره شرقی رقابت اقتصادی دارد. بنا به اظهارات دیپلمات بازنشسته هندی، ام.ک. بهادراکومار ایران در توسعه روابط خود با شرق و هندوستان جدی است و بایستی روابط تجاری هندوستان با ایران ارتقاء داده شود. وی اضافه کرد: سیاست دیپلماتیک هوشیار و آگاهانه ایران برای توسعه روابط اقتصادی با شرق است و بایستی از این فرصت استفاده کرد. ما مایلها عقبتر از چین هستیم. چین با استفاده آشکار از زمان توانسته است که نقشی مهم در پیشرفت به درون ایران داشته باشد، مثل ساختن مترو و پروژه های ساختاری دیگر. مالزی. کره جنوبی و ژاپن نیز در اقتصاد ایران سهیم هستند. این اشتباه است که فکر کنیم اقتصاد ایران فقط به آمریکایی ها متکی است. اقتصاد ایران یک اقتصاد متحرک است که سرمایه تثبیت کننده ای به ارزش۴۰/۵ میلیارد دلار دارد و درآمد نفت برای سرمایه گذاری کنار گذاشته می شود.

بهادراکومار توضیح داد که اصلاحاتی که در زمان رئیس جمهوری پیشین ایران. محمد خاتمی انجام گرفت امکان خصوصی سازی را فراهم کرد. در نتیجه دولت ایران به تدریج مناصب اقتصادی را رها کرد تا امکان سرمایه گذاری خصوصی را از خارج برای همکاری با بخش خصوصی ایران فراهم کند.

100.1 Why do some speculate that Halliburton has exited from Iran?
- **a.** In order to move its operations to Dubai and take over the Iranian market quietly.
- **b.** In order to prove American animosity towards Iran.
- **c.** As a result of Iran's growing relationship with countries such as China and India.
- **d.** Because Dick Cheney plans to attack Iran in the near future.

100.2 What reasons are given for the opinion that India is "miles behind China"?
- **a.** Because China is already exploiting Iran's oil reserves.
- **b.** Because China already plays an important role in Iran's economy and industry.
- **c.** Because China, Malaysia, and Japan have created an alliance to economically exploit Iran.
- **d.** Because China has already constructed metros in Shanghai.

101

سرمایه دار بزرگ روسی. آلیشر اوسمانوو اخیرا اعلام کرد که کلکسیون فیلم های کارتونی شوروی سابق را دوباره از شرکت آمریکایی جوو خواهد خرید. این خبر موضوع موفقیت فیلمهای شوروی سابق را دوباره در اذهان عمومی روسیه زنده کرده است.

زمان اوج کارتون های روسی همگام با آثار جهانی والت دیسنی از دهه ۱۹۳۰ میلادی شروع شد. دیسنی منشأ اصلی سبکی بود که توجه دنیا را به تصاویر متحرک با رنگ های درخشان و با واقع نمایی ذهنی حرکت بر اساس طرحی دینامیک جلب کرد. سبک دیسنی یک سبک فریبنده و عالی بود که سازندگان فیلم شوروی سابق از آن اقتباس کردند و آن

را توسعه دادند. الگو و طرح احساسی دیسنی با "ملکه برفی"،"گل سرخ کوچک"، "مووگلی"، "ماجراهای شگفت انگیز نیلز"، "اسب کوچک گوژ پشت"، "شاهزاده"، "سوان و سلطان تزار"، و فیلم شیرین و شاد "وینی- د- پو" ارائه شد. همه این آثار هنری فوق العاده در مجموعه فیلم های روسی جوو که در کل شامل ۵۴۷ فیلم است موجود است.

نگاهی دقیق تر به تاریخچه فیلم های کارتونی شوروی سابق در دوره ابتدایی آن در روسیه. توانایی رقابت را با والت دیسنی آشکار می کند. در فهرست "۱۵۰ کارتون عالی دنیا" که توسط یک جشنوارهٔ فیلم ژاپنی تهیه شده است، "جوجه تیغی در مه" اثر یوری نورشتاین کارتون قرن نامیده شد. "داستان داستانها" ی او نیز رتبه دوم را کسب کرد. نورشتاین نه تنها از دیسنی بلکه از انیمیشن ساز ژاپنی، هایاو میازاکی نیز در کارتون سازی جلو افتاده و سلطان جدید کارتون دنیا است. اما به نظر نورشتاین عالی ترین کارتون دنیا "شبی در کوهستان خالی" نوشته الکساندر الکسیوف است که در سال ۱۹۳۲ ساخته شد. الکسیوف که حرفه اصلی او مهندسی فیلم برداری_بود، امروزه فقط برای تعداد محدودی از متخصصین انیمیشن نامی آشنا است. او با تکنیک "نوک سوزنی" خود یک شاخه دیگر را به انیمیشن اضافه کرد. این تکنیک بسیار پیچیده، تصاویری را به روی صحنه می آورد که به طور شگفت انگیز زنده و جالب هستند. نورشتاین با استفاده از این تکنیک، فیلم "جوجه تیغی در مه" را ساخت که به سرعت یکی از محبوبترین فیلمهای دنیا شد. این داستان راجع به یک آدمک کوچک است که هنگام طلوع خورشید در جنگلی پر از مه سرگردان است و به زودی زیبایی چیزهای ساده ای را کشف می کند، سیبی سبز با قطره ای شبنم برروی آن، سرخی برگ شناوری برجوی آب و افسردگی چشمهای اسبی دانا.

این هدیه بزرگ نورشتاین هر اینچ از پرده را تبدیل به شگفتیِ هنری می کند.

افسوس که انیمیشن سازان روسی تصمیم گرفتند از روش دیسنی پیروی کنند و تکنیک الکسیوف را برای اثبات هویت بی نظیر کارتونهای روسی از دست دادند! اما آنها توانستند با استفاده از روشهای دیسنی بخوبی در دنیا شناخته شوند و مهر میلیونها تماشاچی را به دست آوردند. استودیوی فیلم سویوزمولت تنها محل رقابت با کمپانی بزرگ دیسنی بود و رهبری جهانی را در این رشته بعد از مرگ این نابغهٔ آمریکایی ادامه داد. کارتون های خیمه شب بازی شوروی سابق جزء برترینهای دنیا بودند، مثل سری چبوراشکا یا "کلاغ خمیری".

بر خلاف نظر عموم که معتقدند فروپاشی اتحادیه جماهیر شوروی سابق باعث افت کارتونهای روسی شد، واقعیت این است که مخالفت های قانونی بود که موجب زوال کارتونهای روسی شد. درسالهای حکومت شوروی سابق استودیوها حق انتشار کارتونها را داشتند. چندی بعد فیلم سازان به سادگی این حق خود را با مستمری ها و درآمدهای بزرگ و تمامی مزایای اتحادیه سینماگران از قبیل تعطیلات و تفریحات. باشگاه های حرفه ای و تخصصی و بیمه بهداشتی خوب عوض کردند. با این حال ظهور کاپیتالیسم روسی، مدفن صنعت کارتون این کشور شد. سازندگان فیلم می توانستند به طور منطقی حق تألیف و نشر را مطالبه کنند و از فقر و نداری خود جلوگیری کنند ولی آنها هرگز این کار را نکردند. مدیر کل سویوزمولت فیلم، آشکارا تمامی کارتونهای روسی را با همه درآمد فیلم سازان برای مدت ده سال به ایالات متحده امریکا واگذار کرد. مدیر کلِ بعدیِ این کمپانی این قرارداد را تمدید کرد و این قرارداد این روزها به دادگاه کشیده شده است. هنرپیشه معروف روسی اولق ویدوف و همسرش ژوآن بورستون، رؤسا و بنیان گذاران کمپانی

فیلم"جوو" از کلکسیون کارتون هایشان خوب نگهداری می کنند. آنها برای دوبله کردن این فیلمها به انگلیسی. افزایش کیفی آنها به شکل دیجیتال، و بازار یابی، مبالغ هنگفتی هزینه کرده اند و به همین دلیل، آنها از آلیشر اوسمانوف انتظار پاداش بالایی داشتند، اما او پیشنهاد خانم و آقای ویدوف را رد کرد. بنا بر شایعات، خانم و آقای ویدوف خواستار ده میلیون دلار شده بودند. در حالی که اوسمانوف فقط سه میلیون دلار پیشنهاد کرد. آنچه به این ماجرا بیشتر حالت جنجالی داد این است که اوسمانوف با آگهی های زیاد و گسترده و با ابتکار پوتین رئیس جمهوری روسیه، قول اهدای کل مجموعه را به کانال تلویزیونی بچه های روسیه داده است. من اخیرا با انیمیشن ساز مشهور فیودور خیتروک، سازنده فیلم غیر قابل تقلید "وینی د پووه" در آپارتمانی در مسکو دیداری داشتم. فقر این محل کوچک قلب من را لرزاند. این آپارتمان حتی برای نگهداری همه کتابها، آگهی ها و خاطرات زمان شهرت او خیلی کوچک به نظر می رسد. وقتی بحث واگذاری حق انتشار کارتون های روسی مطرح شد، خیتروک کلامی نگفت و فقط با افسوس آه کشید. منظورش روشن بود: برگرداندن حق انتشار فیلمسازان و درآمدهای آنها مشکل یک شخص نیست. بلکه یک مسئله ملی است. هنرِ شوروی شانس و توان زیادی برای رساندن منافع و سود به روسیه دارد، منافعی که می تواند با سود نفت و گاز یکسان باشد.

101.1 What was the result of Alisher Osmanov's bid to buy back the former USSR's classic cartoons collection from the American company?

- **a.** The successes of the former USSR's cartoon industry have been brought back to light.
- **b.** 2 of Nuresteins's cartoons have been highly ranked on the list of 150 Most Influential Animations.
- **c.** There has been renewed interest in developing the "needlepoint technique" in animation.
- **d.** Oleg Vidov and his wife have decided to outbid Osmanov and buy the collection themselves.

101.2 What was one of the main reasons that the Russian cartoon industry failed to blossom?

- **a.** The CEOs of companies wanted to make more money by selling the movies in Europe.
- **b.** The cartoonists traded-in their future rights for current benefits, and lost a fortune.
- **c.** Walt Disney attempted to kill Russian competition by buying and locking up their works.
- **d.** The Communist era destroyed creativity and the arts in Russia.

101.3 According to Yuri Nurestein, what is the most influential animation of the century?

- **a.** *The Little Hunchback Horse.*
- **b.** *Snow Queen.*
- **c.** *A Night in the Empty Mountain.*
- **d.** *Story of Stories.*

101.4 What is the "needlepoint technique"?

- **a.** Walt Disney's technique for creating vibrant colors and imagery on the screen.
- **b.** Alexander Alexiov that was used in the 1932 animation *Night in the Empty Mountain.*
- **c.** Yuri Nurestein's technique that was used to create two of the 150 Most Influential Cartoons.
- **d.** A very simple technique that uses holes in the film to project more light onto the screen.

101.5 What is *Hedgehog in the Fog* about?

- **a.** A little hedgehog that learns to appreciate the simpler things in life.

b. A little person who learns to appreciate the simpler things in life.

c. A lost wise horse that shows a little person the way through the forest.

d. There is no real story; it is an artistic cartoon about a red apple in a lake in a foggy forest.

102

اولین دور انتخابات ریاست جمهوری در فرانسه روز یکشنبه برگزار خواهدشد. سؤال همه این است که چه کسی جانشین ژاک شیراک خواهد شد؟

این سؤالی است که اکنون بسیاری از آژانسهای نظرسنجی را مشغول کرده است. مطبوعات فرانسوی نتایج بیشمار این نظرسنجی ها را روزانه منتشر می کنند. بنا بر این نتایج، عقیده عموم بر این است که در این انتخابات سه رقیب آشکار وجود دارند: سگولن رویال. نیکولاس سارکوزی و فرانسیوا بایرو. نفر چهارم جین ماری له پن است که سالها ریاست حزب دست راستی ملی را به عهده داشته است. هشت تن باقی مانده از دوازده کاندیدای ریاست جمهوری شانسی برای رهبری کاخ الیزه ندارند. اما برای آنان رقابت در صحنه سیاسی مهمتر از برنده شدن است.

رقابت در این انتخابات می تواند نتایج تعجب انگیزی به بار آورد. بنا بر نظر سنجی ها سارکوزی در اولین دور انتخابات برنده خواهد شد، و رویال به عنوان دومی دست خواهد یافت. آنان سپس واجد شرایط انتخابات ریاست جمهوری در ششم ماه می خواهند بود.

اما با وجود این چشم انداز، هنوز احتمال وقوع حوادث پیش بینی نشده وجود دارد. از جمله این حوادث اعلام ژاک شیراک بود مبنی بر اینکه با وجود داشتن حق نامزدی، برای دور سوم ریاست جمهوری کاندیدا نخواهد شد. او در خداحافظی احساساتی خود حرف زیادی برای جانشینانش نداشت. اما شیراک یک نصیحت برای آنان داشت. او گفت : هرگز با فزون گرایی، نژادپرستی، یهودستیزی، و مردودسازی دیگران مصالحه نکنید. فزون گرایی های گذشته در تاریخ، ما را تقریبا نابود کرد. فزون گرایی همچون زهری است که باعث تفرقه و گمراهی می شود و نابود می کند.

این سخنان شیراک بیشتر خطاب به سارکوزی بود. او با اینکه با شیراک از یک خط سیاسی است ولی شدیدا با شیراک مخالفت می کند و یکی از مخالفان جدی با مهاجرت غیرقانونی است، با اینکه خود، فرزند یک خانواده مهاجرمجارستانی است. او پیشنهاد کرده است که وزارت جدیدی برای مهاجرت و هویت ملی تاسیس شود. شیراک در خطاب غیر مستقیم به سارکوزی گفت : فرانسه با گوناگونی غنی می شود.

مهاجرت و مسائل نژادی سالها است که در فرانسه مشکلات عمیقی را به وجود آورده است. کشور فرانسه باید گذشته استعماری خود را جبران کند و به این دلیل باید مهاجرین مستعمرات سابق خود را پناه دهد. با گسترش اتحادیه اروپا، فرانسه با مهاجرت های گسترده ای از کشورهای اروپای شرقی نیز مواجه است. اما با چنین تفکر نژادپرستانه و مخالفت با مهاجرت جای شگفتی نیست که همه پرسی قانون اساسی اتحادیه اروپا در ماه می ۲۰۰۵ موفقیت آمیز نبوده است.

روترشی علیه دیگران زمینه مناسبی برای مردم پسندی له پن و جناح راست سیاسی او بوده است که اکنون بیشتر و بیشتر به اصول فاشیسم روی خوش نشان می دهد. در سال ۲۰۰۲، له پن در دوره نهایی انتخابات، مردم فرانسه را غافلگیر کرد.

نیکولاس سارکوزی بیش از دیگران از وقوع این جریانات عبرت گرفت. در زمان فعالیت در مقام وزارت کشور، به شدت به مسئله مهاجرت حمله کرد که اثرات آن مشکوک است. در حالی که سارکوزی توانسته است که رای دهند گان را با اندیشه های ناسیونالیستی خود جلب کند اما وضعیت نامساعد مهاجرین را در حومه

شهرها وخیم تر کرده است. این گروه که به عنوان "دیگران" خوانده می شوند بیشتر و بیشتر از موقعیت خود اظهارناخشنودی می کنند.

در واقع شیراک به جانشینان بالقوه خود هشدار داد که بیش از اندازه با مهاجرت مخالفت نکنند. زیرا این روش با اینکه می تواند باعث جلب رای عمومی شود ولی به هیچ وجه به مشکلات مهاجران و روابط آنان با جامعه فرانسه کمک نمی کند. وی وقتی از "فزونگرایی" سخن می گوید، منظورش کسانی نیستند که در شورشهای خیابانی فرانسه شرکت داشتند. بلکه منظور سیاستمداران ناسیونالیست است که به طور ضمنی یا آشکار "فرانسه را برای فرانسوی ها" می طلبند.

میراث سیاسی شیراک کاملا واضح است: به مدل سیاسی فرانسه حتی در دنیای امروزی وفا کنید. از زمان دوگل، فرانسه کشوری بوده است که در آن حتی جبهه های راست گرای سیاسی اظهارات چپ گرایانه را قبول داشته اند. فرانسهٔ دورهٔ او توانست جزو کشورهایی باشد که در جنگ جهانی دوم پیروز شدند. دوگل توانست به کشمکش خسته کننده و بی هدف با الجزایر پایان بخشد. ژنرال شارل دوگل مؤلف مدل سیاستمدارانه ای است که شیراک از آن اقتباس کرده است. دوگل با دشمنی بر ضد سوسیالیسم و کمونیسم، طرح ویژه ای برای بازسازی فرانسه ریخت. او با آمیختن کاپیتالیسم و توسط شرکتهای بزرگ دولتی و پایه گذاری یک سیستم حمایت اجتماعی عالی توانست فرانسه بعد از جنگ را روی پای خود نگه دارد. وی به دلیل چپ گرایی مخالفانش و در مخالفت با تمرکز قدرت اقتصادی در دولت مرکزی با جبهه راست سیاسی، طرف شد. تفکر ضد آمریکایی باعث نزدیکی بیشتر مسکو با پاریس بوده است. چه در زمان شوروی سابق و چه امروزه. زمانی شیراک می خواست با نگاهی جدید، مدل سیاسی دوگل را صورتی تازه بخشد. او تفکری "نیو گلیست" از خود ارائه داد که هیچ موفقیتی در بازسازی بخش های دولتی نداشت و نتوانست از افت اقتصاد فرانسه بر اثر برنامه های پرهزینه حمایت اجتماعی جلوگیری کند. جرات سیاسی او در حدی نبود که بتواند سیستم دوگل را تغییر دهد. زیرا کوچکترین اصلاحات می توانست مردم را به خیابان ها بکشاند و رای دهند گان را براند.

مخالفت شیراک و سارکوزی محدود به مورد مهاجران و اقلیت های نژادی نیست. شیراک از جانشین بالقوه خود به دلیل لیبرالیسم و آتلانتایسیسم بیش از حد انتقاد کرده است. در هر حال، ژاک شیراک باه عنوان آخرین گلیست به شمار می آید و به این دلیل وفاداری او به مدل فرانسوی رعایت نخواهد شد. زیرا این مدل با مشکلات اقتصادی فرانسه تجانسی ندارد.

در این انتخابات رای دهند گان می توانند هدف خود را آشکار کنند. آنان اگر می خواهند که زندگی خود را به سرعت بهبود بخشند باید از "محل مخصوص" فرانسه صرف نظر کنند و آرای خود را به سارکوزی بدهند. اما اگر بخواهند که اوضاع کشورشان را به نحوی هموار بهبود ببخشند به بایرو رای خواهند داد.

رتبه بایرو در نظرسنجیهای جدید به طور شگفت انگیزی صعود کرده است. تقریبا با رویال و پارتی سوسیالیست —هم او که تا به حال هیچ انگاره جدید سیاسی از خود ارائه نداده است— همرتبه است.

بازنشستگی آخرین گلیست به تفکرات ضد آمریکایی در اروپا— به خصوص در روسیه— آرامش خواهد بخشید. مسکو که تا به حال آلمان و ایتالیا را از دست داده است اکنون می تواند با فتح ریاست جمهوری توسط سارکوزی از پشتیبانی فرانسه نیزمحروم شود. او از سیاست کرملین شدیدتر از شیراک انتقاد می کند، و در آینده نزدیک روسیه مجبور خواهد شد که به تنهایی با اهداف آمریکا در اروپا مخالفت کند.

d. Because it has the most lax immigration laws of all European Union countries.

103

کمیته مرکزی دفتر سیاسی حزب کمونیست چین اعلام کرد که چین سخت در تلاش برای تولید و توسعه "محصولات فرهنگی سالم" است. این کوشش به قصد بالا بردن قدرت تطبیق اجتماعی است.

شرکت کنندگان در جلسه "پولیت بورو" که با سرپرستی رئیس جمهوری. چین هو جینتو تشکیل شد از مطبوعات و سازمانهای مردمی و فرهنگی تقاضا کردند که کیفیت محصولات فرهنگی را بالاتر ببرند تا بتوانند از این راه "پیشرفت اجتماعی و فرهنگ باشکوه سنتی چین" را به کل جهان نشان دهند.

این حرکت قانونی با پرورش و توسعه فرهنگ سالم امید دارد بتواند از گسترش مطالب "فاسد و گمراه کننده" از طریق اینترنت جلوگیری کند. به گزارش پولیت بورو، دولت چین می خواهد که با استفاده بیشتر از رسانه های اینترنتی ایدئولوژی مارکسیست را در کشور توسعه دهد.

امروزه با رشد ۲۴ درصدی نسبت به پارسال، از هر ده نفر. یک نفر در چین به اینترنت دسترسی دارد. بنا به گفتهٔ هو جینتو، رئیس جمهور، رشد سریع استفاده از اینترنت در اوایل سال جاری در چین نقش مهمی در گسترش اطلاعات. آگاهی و سیاست دولت چین ایفا کرد. ولی مسائل جدیدی برای توسعه فرهنگی کشور هم بوجود آورده است. هو گفت: روش های سازگاری و هماهنگی ما با اینترنت بر توسعه فرهنگ سوسیالیستی، امنیت اطلاعاتی و ثبات کشور تاثیر خواهد داشت.

102.1 Who does the public think will win the French presidential elections?

a. No one really cares; the public is more pre-occupied with issues of immigration.

b. That Jean-Marie Le Pen is among the top three contenders for the French presidency.

c. That there are three clear forerunners: Segolene Royal, Nicholar Sarkozy, and Francois Bayrou.

d. That Jacque Chirac should run again for the presidency.

102.2 What is Jacque Chirac's advice to his potential successors?

a. Do not ever tolerate extremism, anti-Semitism, racism, and the isolation of the "Other".

b. Continue practicing Gaullist democracy.

c. Promote hateful ideas only if they win you votes in the elections.

d. Extremism has been the cause of France's rebuilding after WWII.

102.3 What is Sarkozy's policy towards immigrants?

a. Being of Hungarian immigrant descent, he promotes acceptance of immigrants in France.

b. He has a radical anti-immigration platform that calls for stripping immigrants of their identity.

c. He blames the Polish immigrants for France's problems.

d. He says that there is no need for a new policy towards immigration.

102.4 Why must France currently bear the huge burden of immigration according to the article?

a. In order to make up for its colonial past and provide opportunities for former colonial subjects.

b. Because its economy is the weakest in the European Union and it must get more laborers.

c. Because it has always offered sanctuary to political exiles from Eastern Europe.

103.1 What are “Healthy On-line Cultural Products”?

a. On-line products that track the spread of on-line gambling and help the government in catching criminals.
b. On-line products that spread knowledge without spreading on-line viruses.
c. On-line products that spread useful knowledge and prevent social decay through Internet use.
d. On-line products that increase awareness about social fitness.

103.2 What does the government hope to achieve through developing and using “Healthy On-line Cultural Products?”

a. Spread Communist doctrine and revitalize a Maoist China.
b. To show the world the glory of ancient Chinese culture and its adaptability in the modern world.
c. To prevent the spread of socialist and Western idealism in China.
d. To monitor and stabilize the rate of growth of Internet usage in China.

104

یک کمپانی چینی در شن یانگ اعلام کرد که اختراع دو روبات از اولین نسل جدید روبات های خانه دار در چین موفقیت آمیزبوده است. این نسل جدید در ماه ژوئیه سال ۲۰۰۷ به مرحله تولید خواهد رسید و گمان می رود که این فناوری ظرف ۵ سال آینده در دسترس عموم قرار گیرد.

این دو آدم ماشینی که هر کدام ۲۵ کیلو گرم وزن و ۸۰ سانتی متر قد دارند، یوئی یوئی و لیانگ لیانگ نام دارند. آنها قابلیت انجام کارهای یک آموزگار، سرگرم کننده، نگهبان و مربی ورزشی خصوصی را دارند. ظاهر مدرن و درخشان و نقره ای آنها بسیار جذاب و دل فریب است. آنها بر اساس دستورهای صوتی صاحبانشان کار می کنند.

این آدمکها می توانند به زبانی ساده صحبت کنند. هر چند که سخنگویی آنها توانِ آوازخوانی و داستان گویی را ندارد. آنها به نحوی برنامه ریزی شده اند که در زمان نشت آب یا گاز، به صاحبان خود پیام های هشداردهندهٔ کوتاهی از طریق تلفنهایشان می فرستند و آژیرهای خطر را به صدا در می آورند.

با توانایی ضبط دروس و پخش آنها در زمانی دیگر، یوئی یوئی و لیانگ لیانگ قابلّیت معلم سرخانه بودن را هم دارند. کاربری این آدمکها آنقدر بیشمار است که به زودی جایگزین کامپیوترهای سیار و جیبی خواهند شد.

رئیس کل حوزه گسترش این شرکت گفت: در حال حاضر ما در مرحله توسعه مدل های جدیدی از این آدمکها هستیم که دست و پا دارند. در آینده این آدمهای ماشینی خانه دارهای واقعا کاملی خواهند بود.

104.1 When will the new robots be available to consumers?

a. Beginning in early July of 2007.
b. By about 2013.
c. Although the test models have been successful, the company is still not sure.
d. Within the next nine years.

104.2 What capacities do the robots have?

a. They can do the work of a security guard, a tutor, and a personal trainer among others.
b. They can record songs and play them back, like an amplified MP3 player.
c. They can forward voicemails in the form of text messages to their owners.
d. They can recite poetry and tell stories.

104.3 What are the specific visual characteristics of the two robots?
- **a.** They are dull grey, weigh 80 kg, and are 25 cm tall.
- **b.** They are shiny silver, weigh 25 kg, and are 25 cm tall.
- **c.** They are black and white, weigh 45 kg, and are 60 cm tall.
- **d.** They are shiny white, weigh 25 kg, and are 25 cm tall.

104.4 Based on the article, how do the robots function?
- **a.** Their understanding is based on a series of complex binary codes, which are pre-programmed.
- **b.** Based on sensitive exterior sensors that allow them to "feel".
- **c.** Based on voice-recognition and commands from their owners.
- **d.** Based on a schedule, which is custom-designed for the needs of each individual client.

104.5 What do the robots do if their owners are away in case of emergencies such as a fire?
- **a.** They break open the nearest water pipe in hopes of subduing the fire.
- **b.** They sound the alarms and send text messages to their owners to inform them of the incident.
- **c.** They send text messages to the nearest fire department, and leave the vicinities.
- **d.** Depending on how they have been programmed, they can save precious family heirlooms.

105

انجمن مطبوعات افغانی و ایتالیایی از دولت طالبان درخواست کرد خبرنگار افغانی. اجمل نقشبندی را آزاد کند. نقشبندی روز ۵ ماه مارس ربوده شد و سرنوشت او نامعلوم است.

نقشبندی به اتفاق خبرنگار یک روزنامه ایتالیایی. دانیل ماستروجیاسومو و راننده شخصی شان. سید آقا در جنوب افغانستان ربوده شدند. ماستروجیاسومو روز ۲۰ ماه مارس آزاد و سید آقا در ۱۳ ماه مارس گردن زده شد ولی نقشبندی هنوز در اسارت است.

بنا به اعلام دولت طالبان که از سال ۱۹۹۶ تا ۲۰۰۱ حکومت افغانستان را به دست داشت، هر سه تن به دلیل ورود غیر مجاز به منطقه ممنوعه دستگیرشده اند.

طالبان که اکنون حکومت استان جنوبی هلمند را در دست دارند اعلام کردند که دستگیرشدگان مظنون به جاسوسی برای نیروهای مسلح انگلستان بوده اند. انگلستان در حال حاضر درگیر حمله ای مسلحانه بر ضد دولت طالبان است.

ماستروجیاسومو در مقابل آزادی چهار تن از رهبران طالبان از زندانی در کابل رها شد. اما سرکرده طالبان.ملا دادالله تصمیم گرفت که نقشبندی را در بازداشت نگه دارد. ملا دادالله از دولت حامد کرزای درخواست کرد سه تن از طالبان زندانی در مبادله با نقشبندی آزاد شوند. دو روز پیش، پس از سپری شدن یک هفته از این تقاضا، ملا دادالله تهدید کرد نقشبندی را خواهد کشت.

هدف اصلی دادالله، آزاد کردن سخنگوی سابق دولت طالبان محمد حنیف است. حنیف مظنون به همکاری با دولت کنونی افغانستان پس از اسارت در ماه ژانویه است. بنا بر گزارشی، حنیف از ترک زندان امتناع می کند. زیرا وی می داند. دادالله او را به جرم خیانت به طالبان خواهد کشت.

دادخواست انجمن مطبوعات افغانی و ایتالیایی که در کنفرانس مطبوعاتی واز طریق رسانه های افغانی و بین المللی پخش شد، می گوید: ما خبرنگاران نباید اسرای جنگی به شمار بیاییم. هدف ما خیانت به دولت افغانستان و جاسوسی نیست، بلکه گزارش درست از شرایط سیاسی این کشور است.

این دادخواست خطاب به طالبان و بخصوص ملا دادالله است و آزادی نقشبندی را می طلبد.

در ادامه. انجمن مطبوعات بین المللی و گروه افغانی کیلید به اتفاق آژانس خبری بین المللی آی.پی.اس. اعلام داشته اند : ما درخواست خود را بر اساس توصیه های خبرنگاران و کارگزاران مدنی افغانستان در روز ۲۹ ماه مارس سال ۲۰۰۷ تنظیم کرده ایم. تمامی گروه های درگیر مسلح باید به آزادی خبرنگاران احترام بگذارند. آزادی و امنیت آنان را حفظ کنند و در عین حال رهایی فوری خبرنگاران در بند را تضمین کنند.

برخوردهای مسلحانه بیشتر در جنوب افغانستان و بین طالبان و دیگر شورشیان با بیش از۴۰ هزار سرباز "ناتو"(سازمان دفاعی آتلانتیک شمالی) رخ می دهد. دولت طالبان تا نوامبر سال ۲۰۰۱ در این کشور حکومت می کرد. اما در واکنش به حملات تروریستی روز ۱۱ ماه سپتامبر ۲۰۰۱ در نیویورک وواشنگتن توسط شبکه تروریستی القاعده. ارتش آمریکا به این کشور حمله کرد و دولت طالبان را سرنگون ساخت. در آن زمان رهبر القاعده در افغانستان به سر می برد.

در پایان جلسهٔ مجلس کابل، وزیر خارجه افغانستان. رانجین اسپانت گفت که او هرگزبا مذاکره با طالبان برای آزادی تروریسها موافقت نکرده است.

آزادی سه رهبر طالبان صریحا توسط سیاستمداران محلی، اعضای مجلس، و دولت ایالات متحده مورد انتقاد قرار گرفته است. در حالی که در زمان انجام مذاکرات آزادی، هیچ مخالفتی ابراز نشده بود. روز شنبه گذشته، معاونان مجلس از دولت به دلیل "بی تفاوتی" به سرنوشت نقشبندی انتقاد کردند.

در پاسخ به این اتهام دادالله مبنی بر این که مطبوعات غربی پیش داورانه از افغانستان خبرگزاری می کنند، در دادخواست انجمن آمده است که: ما خبرنگاران افغانی و ایتالیایی برای گزارش از برخوردهای جاری و آتی در صحنه حاضر خواهیم ماند. این دادخواست از طریق سخنگوی دادالله به دست او رسانده و طی روزهای چهارشنبه و پنجشنبه توسط رسانه های افغانی و ایتالیایی پخش شد.

لورنزو کرومونسی از روزنامه ایتالیایی "پیک روز". دولیو جیاماریا از رادیو و تلویزیون ایتالیا، ویرایشگراخبار افغانی. پاژهاوک. نمایند گان دو انجمن مطبوعات افغانی و مونیر و یکی از برادران نقشبندی در این کنفرانس حضور داشتند.

جیاماریا از دولت افغانستان درخواست انتشار اطلاعاتی در بارهٔ دستگیری رحمت الله حنیف کرد. رحمت الله حنیف قبلا مدیر یک بیمارستان اضطراری ایتالیایی در اردوگاهی در منطقه قندهار بود. اما چندی بعد با طالبان مصالحه کرد. حنیف در روز ۲۰ ماه مارس و ساعاتی پس از آزادی ماستروجیاسومو توسط دولت دستگیر شد و تا به حال حتی خانواده او از وی خبری ندارند. دادخواست انجمن مطبوعاتی در زمانی ارائه می شود که افراد زیادی در افغانستان بر این باورند که دولتهای افغانستان و ایتالیا تنها برای آزادی خبرنگاران خارجی با طالبان حاضر به مذاکره اند. این تفکر باعث خشم افغانی ها شده است.

شاهیر زاهینه. رئیس گروه کیلید که دو هفت نامه منتشر می کند و دو ایستگاه رادیویی در اختیار دارد می پرسد: دولت افغانستان و جامعه بین المللی چگونه می توانند اجازه وقوع چنین رویدادهایی را بدهند؟ طالبان با قتل یک افغانی و تهدید به اعدام افغانی دیگر. و با این که یک خارجی را رها کرده اند، اعتبار خود را از دست داده اند. وی افزود که : تا پنج سال پیش طالبان جان هیچ خبرنگاری را به خطر نینداخته بود. آنان با اینکه شرّی بزرگ در افغانستان بودند، خطری جدی برای امنیت خبرنگاران بشمار نمی آمدند. اما امروزه آنان آگاهند که می توانند با گروگان گیری، آزادی تروریستها را تضمین کنند و بهره مالی بدست آورند.

رئیس انجمن خبرنگاران. رحیم الله سمند گفت: زمانی که یک خبرنگار ایتالیایی اسیر طالبان بود، ما

تمامی سعی خود را برای آزادی او به کار بستیم و هم اکنون امید داریم که ایتالیا همین کار را برای ما انجام دهد. چرا آنها به راحتی، آزادی یک خبرنگار ایتالیایی را با رهایی چهار رهبر طالبان خریدند؟ در حال حاضر همگی منتظر واکنش داداالله به دادخواست یاد شده اند.

105.1 Why had the Taliban arrested the two journalists and their driver?

- **a.** On grounds of entering off-limits territory and suspected espionage.
- **b.** On grounds of bringing foreign influence into Afghanistan.
- **c.** In hopes that they can be used in hostage exchanges with the United States.
- **d.** They had been convicted of cooperating with the American invasion.

105.2 What has been the cause of growing public dissatisfaction with the interim government?

- **a.** It has shown close leanings towards Italian-style democracy.
- **b.** It demonstrated greater concern for obtaining the freedom of a foreign journalist than his Afghan peer.
- **c.** It has cooperated with the Taliban and imprisoned several notable Taliban leaders.
- **d.** It has refused to cooperate with the Taliban.

105.3 What was the content of the joint Afghan and Italian appeal to the Taliban?

- **a.** To forgive Naqshbandi and allow the government to deal with his crime.
- **b.** To acknowledge that reporters should never be seen as political prisoners.
- **c.** To free Naqshbandi in exchange for killing their driver.
- **d.** To recognize that reporters will always show no bias when reporting from the field.

106

گرمای گلخانه ای و مسائل مربوط به تغییر آب و هوای جهانی. بر صاحبان خانه ها در سراسر میانه غربی ایالات متحده تاثیر داشته است. بر طبق نظرات کی.سی. واترپروفینگ و دون دری. در طول چهار سال گذشته مجموعه ای از خشکسالی های جدی که با بارانهای شدید دنبال می شود. مشکلات بنیادی در ساختمان ها بوجود آورده است که شامل شکاف و نشت رطوبت و صدماتی به ساختار داخلی اتاقها است.

سالنامه هواشناسی کشاورزان پیش بینی می کند که امسال هم با سالیان قبل تفاوتی نخواهد داشت. اواسط ماه آوریل تا ماه مه خیلی گرم خواهد بود با دمایی در حدود هشت درجه بالای دمای معمولی و بارش باران بیش از حد عادی خواهد بود. بادهای گرم و خشک و گرمای شدید سبب پس روی خاک در زیر بناها و باعث ترک خوردگی خواهد شد. هنگامی که باران روی این ترکها می بارد. آنها به شکل مجرای عبور آب درآمده و موجب صدمه به ساختمان می شوند.

دری که یک متخصص زیر بنای ساختمانی و دارای جواز انجمن ملی مقاطعه کاران انزلسیون و تعمیر ساختار است. می گوید : صاحبان خانه نمی توانند آب و هوا را کنترل کنند. ولی می توانند با تلاش برای پیشگیری، از آسیب رسیدن به خانه ها بر اثر تغییرات آب و هوایی جلوگیری کنند.

او اضافه کرد که مالکان می توانند با آگاهی از علائم هشداردهندهٔ دال برصدمه به خانه ها، از خسارت پیشگیری کنند.

نشانه های آسیب به داخل ساختمان شامل: درها و پنجره های غیر تراز، ترک خوردگی در سنگ های کف اتاقها.درها و پنجره های گیردار و کف پوشهای کج و لغزنده است. علائم هشدار دهنده در بخش بیرونی ساختمان شامل ترک خوردگی در آجرها، شکاف در اطراف درها و پنجره ها، ترک های مرئی در

بنا و ساختمان، و کشیدگی گچ بری ها به سمت کناره های آن است. *دری* سه مرحله برای حفاظت از ساختمان و زیر بنا پیشنهاد می کند:

– **زهکشی.** یعنی مطمئن شوید که آب باران و آب حاصل از سیستم های آب پاش، دور از ساختمان تخلیه می شوند. ناودان ها باید خالی از اشیای خارجی باشد و لوله های سرریز آنها باید حداقل ۲۴ تا ۳۶ اینچ از ساختمان دور باشد.

– **بوته زار.** یعنی درختها و بوته هایی که خیلی نزدیک به ساختمان کاشته شده اند می توانند باعث فرسایش و ساییدگی خاک بشوند. علاوه بر این، رشد ریشه ها می تواند باعث ترک خوردگی های بیشتری در بنا بشود.

– **درجه حرارت.** یعنی اگر درجه حرارت به ۹۰ درجه یا بیشتر برای مدت بیش از سه روز پشت سر هم رسید. خاک اطراف ساختمان را آب پاشی کنید تا از ترک خوردگی بیشتر جلوگیری شود.

دری اظهار داشت: شاید موضوع گرمای گلخانه ای عنوانی بحث انگیز و جنجالی برای دولت و دانشمندان باشد. اما صاحبان خانه فقط لازم است که به حیاط پشتی منزل خود نگاه کنند تا علائم افزایش حرارت در جو را ببینند. مشکلات ساختمانی و زیر بنایی می تواند بطور موثری موجب کاهش قیمت خانه ها و املاک شود. اما بیشتر این صدمات قابل پیشگیری است. مالکان محتاط که این نکات ساده را رعایت می کنند می توانند از دارایی با ارزش خود محافظت کنند.

106.1 What has been the main cause behind the development of problems in the foundations of Mid-Western homes in the United States?

- **a.** The approaching hurricane season.
- **b.** Poor construction with cracks in doors and window panes.
- **c.** Severe droughts followed by monsoon rains.
- **d.** Green house gases emissions in the United States.

106.2 What steps are suggested that homeowners can take to protect their property from destruction?

- **a.** To make sure that water drains into the ground close their house.
- **b.** If the temperature outside reaches 90˚F or more for 3 days, don't water the plants in the vicinity.
- **c.** Trim the shrubbery near the building so that the roots don't grow and damage the building.
- **d.** Both C and B.

107

این که خوردن زیاد غذای چربی باعث بسته شدن سرخرگ ها و خطر حمله قلبی می شود. واقعیتی روشن و واضح است. اما اکثر مردم نمی توانند تصور کنند که خوردن حتی یک وعده غذای پر چرب می تواند باعث صدمات جدی و شدید به کار عروق قلبی و شریان ها شود.

بنا بر اکتشاف پژوهشگران کانادایی در *دانشگاه کلگاری* که نتایج آن روز دوشنبه توسط تلویزیون کانادا منتشر شد، خوردن غذاهای پرچرب باعث افزایش تاثیرات استرس می شود. این پژوهشگران واکنش به استرس را در دو گروه پانزده نفره بررسی کردند و کشف کردند که افراد گروهی که غذاهای پر چرب خوردند واکنش شدیدتری به استرس نشان داده اند.

در این آزمایش، هر دو گروه، شب قبل از امتحان هیچ غذایی نخوردند. یک گروه برای صبحانه از غذاهای مک دونالد خوردند و گروه دیگر گندمک با شیر و ماست بدون چربی. کالری وعده غذایی هر دو گروه یکسان بود و میزان سدیم و پتاسیم در گروه کم چربی با خوردن قرص های ویتامین جبران شد. دو ساعت پس از تحلیل رفتن غذا، هر دو گروه بطورهم زمان با بررسی واکنش های قلبی. از نظر استرس بدنی

در زمستان یه جل بهتر از یه دسته گله

در امتحانات ریاضی و یک سخنرانی عمومی که برای افزایش استرس طرح شده بود. آزمایش شدند.

محققان، فشار خون. ضربان قلب و مقاومت رگهای خونی آنان را اندازه گرفتند. *فابیجانا ژاکول*. دانشجوی *دانشگاه کالگری* که از این مطالعات برای پایان نامه فارغ التحصیلی خود استفاده کرده است گفت: بر اساس نوع آزمایش، ما واکنشهای شدید در عوارض قلبی و عروقی افرادی که غذای با چربی زیاد مصرف کرده بودند. ثبت کردیم.

گمان می رود واکنش های شدید و طولانی مدت به استرس باعث بالا رفتن فشار خون و مشکلات قلبی می شود. *دکتر تاویس کمپبل*. متخصص طب رفتاری و طراح اصلی این آزمایش می گوید: این مطالعات نشان می دهند که رژیم غذایی با چربی بالا بر عملکرد قلبی و عروقی اثر می گذارد. آنچه که باعث تعجب و حیرت بیشتر می شود این است که کشف ما دربارهٔ خوردن تنها یک وعده غذای چرب است.

107.1 What have researchers discovered about consumption of foods high in fats?

a. That the fats will not harm the person if fatty foods are not eaten often.
b. That even one meal that is high in fats seriously affects the functioning of the heart.
c. That people who eat high-fat foods perform better under stress.
d. That people who eat high-fat foods sweat a lot.

107.2 Briefly, what were the main steps of the experiment?

a. Two groups of 15 fasted for a day; one ate a high-fat breakfast; the other ate a cereal-based breakfast.
b. Two groups of 15 were subjected to stress tests; both performed poorly.
c. Two groups of 15 ate high cholesterol breakfasts; the cholesterol caused a heart attack in one subject.
d. Two groups of 15 consumed McDonald's breakfasts; both performed equally bad under pressure.

107.3 What are the effects of consuming foods high in fat in the long-run?

a. Failure to pass stress-inducing tests.
b. Hypertension and heart problems.
c. No long-term effects have been reported.
d. No long-term effects will occur if the individual doesn't eat foods high in fat all the time.

108

بنا بر تحقیقاتی جدید، مغز انسانها، کرمها، و حشرات یک وجه مشترک بین این موجودات است.

پژوهشگران در لابراتوار زیست شناسی مولکولی اروپا (ای.ام.بی.ال.) واقع در هایدلبرگ، جنینهای یک کرم آنلید دریایی به نام پلاتینریس دومریلی را که سیستم عصبیش هزاران سال بدون تغییر مانده است. مورد آزمایش قرار دادند. آنها آثار مولکولی سلولهای عصبی در حال رشد را ثبت کردند.

الگزندرو دنس، یکی از اعضای گروه تحقیقی، می گوید: یافته های ما حیرت انگیزند. آناتومی مولکولی سیستم عصبی مرکزی در حال رشد در پلاتینریس تقریبا به طور کامل مشابه مهره داران است. مناطق برابر در سیستم عصبی این دو گروه، انواعی از یاخته های عصبی را تولید می کنند که آثار مولکولی مشابهی دارند و این یاخته ها ساختارهای مغزی یکسانی را در کرم انلید و مهره داران بوجود می آورند. از مدتها قبل، دانشمندان آگاه بوده اند که انسانها و سایر مهره داران از جدی مشترک با حشرات و کرمها بوجود آمده اند. نخاع مهره داران در طول پشتشان قرار دارد، اما حشرات و

کرمهای آنلید همچون کرمهای خاکی. عضوی آنچنان ساده دارند که به سختی بتوان آن را مغز نامید. آنها دارای خوشه هایی عصبی هستند که به صورت زنجیری در طول شکمشان قرار گرفته است. به همین دلیل، زیست شناسان مدتها بر این باور بوده اند که این سیستمهای عصبی پس از جدایی از جد اولیه، مستقلا رشد کرده اند.

گاسپار جکلی، یکی دیگر از اعضای گروه، گفت: چنین ساختار پیچیده ای نمی تواند در سیر تکامل دو بار بوجود آمده باشد. به این دلیل هر دو سیستم عصبی می بایست از یک ریشه باشند. به نظر می رسد که *پلاتینریس* و مهره داران ساختار سیستم عصبی مرکزیشان را از اجداد دور مشترکشان به ارث برده باشند. نتایج این تحقیق که در ماه جاری در مجله "سل" منتشر شد، پرسش چگونگی جابجایی سیستمهای عصبی مرکزی را از شکم به پشت، یا برعکس، مطرح کرده است. سرپرست تحقیقات، دتلف آرنت، گفت: چگونگی وقوع این جابجایی و تعدیل سیستم عصبی مرکزی اولیه در سایر مهره داران در طول تکامل، پرسشهای هیجان انگیز بعدی برای زیست شناسان تکاملی است.

108.1 What is the common factor between human beings, worms, and insects?
- **a.** Their brain.
- **b.** Their spinal cord.
- **c.** Their spine.
- **d.** Their digestive system.

108.2 According to Alexandru Denes, what is the amazing new discovery about the Platynereis?
- **a.** Their anatomy is identical to that of vertebrates.
- **b.** The anatomy of the molecules of their central nervous system is identical to that of vertebrates.
- **c.** They might be the missing link in the history of evolution of human beings.
- **d.** They have their spinal cords in their bellies.

108.3 The new findings being published in *Cell* magazine give rise to what question?
- **a.** Did humans, insects, and worms evolve from the same common ancestor?
- **b.** Do annelids and other insects have structures that we can call a “brain”?
- **c.** Why do annelids and worms have their “brains” on their bellies?
- **d.** At what point in the process of evolution did the central nervous system flip from belly to back?

109

بنا بر آمار منتشر شده توسط نشریه بازرگانی "هم مدیا مگزین" (مجله اطلاعات محلی) در سه ماهه اول سال جاری، دیسکهای بلو- ری، ۷۰ درصد از خرید دیسکهای کیفیت بالای مشتریان آمریکایی را تشکیل داده اند. دی.وی.دی. های اچ. دی، فقط ۳۰ درصد این بازار را به خود اختصاص داد.

خرید دیسکهای بلو- ری در ماه فوریه افزایش پیدا کرد و سپس فروش آنها بقدری فزونی یافت که تقریبا از هر چهار دیسک کیفیت بالای فروخته شده در ماه مارچ، سه مورد آن بلو - ری بود.

درصورتی که مشتریان اختیار انتخاب داشته باشند، بلوری را ترجیح می دهند. کمپانی وارنر هم ویدیوی، فیلم "روانه شدگان" را در روز ۱۳ فوریه، در هر دو قالب منتشر کرد. بنا بر تحقیقات بازار هم *مدیا* که بر اساس آمارهای استودیو و اطلاعات *نیلسن ویدیو* اسکن و از مبادی فروش گرد آمده است، تا ۳۱ مارس مشتریان ۵۳۶۴۰ نسخه بلو- ری و ۳۱۵۹۰ نسخه دی.وی.دی. اچ.دی. از این فیلم را خریداری کرده اند.

تحقیقات همچنین نشان می دهد که ۸ عنوان از ۱۰ عنوان فیلمهای پرفروش با کیفیت بالا در سه ماهه اول سال جاری، روی دیسکهای بلو - ری منتشر شده است. در صدر این فهرست، فیلم "کازینو رویال" بود که طی مدت مذکور، فروشی بالغ بر ۵۹۶۸۰ نسخه داشت. نسخه بلو - ری فیلم برنده اسکار "روانه شدگان" دوم شد، و نسخه دی.وی.دی. اچ.دی. این فیلم در مقام سوم قرار گرفت. بنا بر گزارش مجله *هم مدیا*، مشتریان از اول ژانویه تا ۳۱ مارس، تقریبا ۲/۱ میلیون دیسک کیفیت بالا خریداری کرده اند که شامل ۸۳۲۵۳۰ دیسک بلو- ری و ۳۵۹۳۰۰ دی.وی.دی. اچ.دی. است. در ماه مارس، مشتریان ۳۳۵۹۸۰ دیسک بلو - ری و ۱۱۹۵۷۰ دی.وی.دی. اچ.دی. خریدند.

از آغاز فروش فرمتهای کیفیت بالا در آوریل ۲۰۰۶، مشتریان بیش از ۱۴/۲ میلیون دیسک خریده اند: ۲/۱ میلیون دیسک بلو- ری و حدود ۹۳۷۵۰۰ دی.وی.دی. اچ.دی. با توجه به پشتیبانی از دیسکهای بلو - ری توسط پنج استودیو از شش استودیوی بزرگ، در مقایسه با پشتیبانی سه استودیو از دی.وی.دی. اچ.دی، ناظران از میزان اختلاف فروش در میان این دو قابلیت تعجبی ندارند. سه استودیوی سونی، دیزنی و فاکس، و همچنین کمپانی متوسط لایونزگیت، منحصرا از بلو - ری پشتیبانی می کنند. در حالی که پارامونت و وارنر، هر دو فرمت را پشتیبانی می کنند. یونیورسال تنها استودیوی بزرگی است که فیلمهایش را، به دلیل سهولت و ارزانی، فقط با فرمت دی.وی.دی. اچ.دی منتشر می کند.

109.1 According to *Home Media Magazine*, what is the distribution of high-quality discs purchased in the first three months of the current year?

- **a.** 70% HD DVDs and 30% Blu-Ray discs.
- **b.** 53640 Blu-Ray disks and 31590 HD DVDs.
- **c.** 70% Blu-Ray discs and 30% HD DVDs.
- **d.** 8 out of every 10 high quality disc purchases have been HD DVDs.

109.2 What is the correct order of sales, from highest to lowest, for the following titles and formats?

- **a.** *Casino Royal* Blu-Ray, *The Departed* HD DVD, *The Departed* Blu-Ray
- **b.** *The Departed* Blu-Ray, *Casino Royal* Blu-Ray, *Casino Royal* HD DVD
- **c.** *Casino Royal* HD DVD, *The Departed* HD DVD, *The Departed* Blu-Ray
- **d.** *Casino Royal* Blu-Ray, *The Departed* Blu-Ray, *The Departed* HD DVD

109.3 Why are researchers not surprised by the sales results for Blu-Ray compared to HD DVD?

- **a.** Since only three major studios support Blu-Ray, it is little surprise that HD DVD is doing better.
- **b.** Since 5 major studios support Blu-Ray and only 3 support HD DVD, Blu-Ray is doing better.
- **c.** Since most people don't yet own the equipment to play Blu-Ray discs, HD DVD is doing better.
- **d.** The higher quality of Blu-Ray has made it an instant hit.

110

روز دوشنبه، گوگل، غول موتورهای جستجوگر، اعلام کرده است که نرم افزار کنفرانس ویدیویی را به امکاناتش اضافه خواهد کرد.

گوگل روز شنبه اعلام کرد که نرم افزار کنفرانس ویدیویی را تهیه خواهد کرد و *گروه فنی مارانتک* را خواهد خرید.

داگلاس مریل، معاون مهندسی این شرکت، در بلاگ گوگل نوشت: این معامله امکان کنفرانس ویدیویی را در هر جایی که ارتباط اینترنتی برقرار باشد، به استفاده کنندگان گوگل می دهد. از این سیستم در کنار تجهیزات فعلی کنفرانس ویدیویی ما استفاده خواهد شد.

گوگل در مورد جزئیات بیشتر از قبیل زمان شروع، رایگان یا هزینه بر بودن. و تواناییهای دیگر این نرم افزار توضیحی نداد.

درصورتیکه این امکان جدید رایگان باشد، ضربه شدیدی به کمپانی سیسکو است که ماه گذشته ۳,۲ میلیارد دلار برای خرید شرکت وب اکس، که عرضه کننده دیگر قابلیتهای کنفرانس ویدیویی است، هزینه کرد. بدین ترتیب، گوگل ویدیو کنفرانس. رقیبی هم برای لایو میتینگ مایکروسافت و کانکت ادوبی خواهد بود. سخنگوی گوگل توضیحی درباره اینکه آیا خرید ماراتک تلاشی برای پیشی گرفتن از این رقیبان است، نداد.

تکنولوژی ماراتک، بر تحقیقاتی که از سال ۱۹۹۵ در مرکز تکنولوژی سنجش مسافت (سی دی تی) دانشگاه صنعتی لولیا در سوئد آغاز شد، استوار است. این تحقیقات، ابتدا متمرکز بر تکنولوژی سنجش مسافت بود، اما بعدا به نرم افزار دیداری و همکاری اینترنتی مبدل شد.

طبق آنچه در وب سایت شرکت آمده است،این تکنولوژی با استفاده از ارتباط پر سرعت در محیطهای ویندوز، مک یا لینوکس کار می کند. البته هنوز از ویندوز ویستا یا نسخه ۵/۱۰ سیستم عامل مک ایکس پشتیبانی نمی کند.

110.1 What has Google Inc. announced?
- **a.** That it will provide software for video conferencing.
- **b.** That it hope that Marratech Group will go bankrupt.
- **c.** That it will sell its shares to Microsoft.
- **d.** That it hope to become Marratech's next biggest competitor.

110.2 Will the video conferencing software be available free of charge or for a fee?
- **a.** Google has announced that it will be available free of charge.
- **b.** Google has announced that it will be available at a small fee.
- **c.** Google has not yet announced whether it will be available at a fee or for free.
- **d.** Due to laws protecting Microsoft, Google can't legally offer the services for free.

110.3 If Google offers this service for free, how will it affect Cisco?
- **a.** It will hurt them since they recently spent $3.2 billion to buy competing technology.
- **b.** It will stimulate competition for Cisco, and raise their sales.
- **c.** It will definitely cause Cisco to declare bankruptcy.
- **d.** It will force Microsoft and Cisco to merge.

111

روز سه شنبه، خبرگزاری رسمی *منا* گزارش داد که ماهواره مصری ایجپت- ست یک، با موفقیت از پایگاه بایکونور قزاقستان به فضا پرتاب شد. منا اعلام کرد که ایجپت- ست یک در امور تحقیقات علمی و عکسبرداری برای تقویت پیشرفت در زمینه های ساخت و ساز، کشاورزی و مبارزه با گسترش کویر به کار گرفته خواهد شد. این ماهواره مصری یکی از ۱۴ ماهواره خارجی است که به همراه یک موشک توسط آژانس فضایی فدرال روسیه پرتاب شد. این موشک حامل ماهواره ای از عربستان سعودی هم بود.

به گزارش منا، ایجپت- ست یک که اولین ماهواره تحقیقاتی علمی مصر است، دو سیستم سنجش

از راه دور مادون قرمز و چند طیفی دارد. مصر پیش از ایجپت- ست یک چند ماهواره از جمله نایل- ست ۱۰۱ و نایل- ست ۱۰۲ برای اهداف غیر علمی به فضا پرتاب کرده است. هم اکنون این ماهواره ها بیش از ۱۵۰ کانال تلویزیونی و رادیویی و خدمات چند رسانه ای دیجیتال را از مراکش تا منطقه خلیج، در شمال آفریقا و خاور میانه پخش می کنند.

111.1 Where was Egyptsat 1 launched to space from?
- **a.** Mena, Kazakhstan.
- **b.** Outside of Cairo, Egypt.
- **c.** Baikonur, Kazakhstan.
- **d.** Huston, Texas.

111.2 How many satellites has Egypt launched for scientific purposes?
- **a.** 14, including Nilesat 101 and Nilesat 102.
- **b.** Numerous other satellites, including Nilesat 101, and Nilesat 102.
- **c.** Egyptset 1 is the first satellite that Egypt has launched for scientific purposes.
- **d.** Several, including some in cooperation with Saudi Arabia.

111.3 What purpose do the previously launched Egyptian satellites serve now?
- **a.** They use complex infrared technology to send scientific information back to Earth.
- **b.** They broadcast over 150 radio and television channels.
- **c.** They are used to signal possible attacks on the Middle East.
- **d.** They are used to fight desertification, and help in developing agriculture.

112

دومین نمایشگاه بین المللی دوسالانه پوستر جهان اسلام، عصر دوشنبه در موسسه فرهنگی هنری صبا در تهران گشایش یافت. مدیر صبا، محسن زارع، در مراسم افتتاحیه این نمایشگاه گفت: امسال این رویداد با سال اتحاد ملی و انسجام اسلامی همزمان شده است. موضوعات این نمایشگاه، فرهنگی و اجتماعی و حول محورهای حضرت محمد (ص)، چهره های درخشان جهان اسلام، و فلسطین است.

نمایشگاهی از آثار نقاشان نوگرای استان سیستان و بلوچستان هم طی مراسم افتتاحیه به طور همزمان گشایش یافت.

دبیر این دوسالانه، حبیب الله صادقی گفت: اولین دوسالانه کاملا موفق بود، و مقامات فرهنگی را متقاعد کرد که این رویدادی مهم و برجسته است. بدین ترتیب مسئولان برای بهتر برگزار کردن نمایشگاه دوم ترغیب شدند. چندین اثر از مرحوم مرتضی ممیز که پدر هنر گرافیک ایران شناخته می شود. در این نمایشگاه نمایش داده شد. ممیز که در دسامبر ۲۰۰۵ از دنیا رفت، یکی از بنیانگذاران این نمایشگاه بود.

صادقی گفت: نام ممیز در تاریخ هنر ما جاودان خواهد بود. در تمام دنیا، و به ویژه در جهان اسلام، او را به عنوان پدر هنر گرافیک معاصر ایران می شناسند. به خوبی به یاد خواهیم داشت که اوبا وجود بیماری، با همکاری فرهنگستان هنر ایران، تلاشی فوق العاده برای برگزاری اولین دوسالانه داشت.

آثار طراحان گرافیک دیگری از استرالیا، فرانسه، سوییس، آلمان، ایتالیا، هلند، روسیه، ایالات متحده، کره جنوبی، مالزی، چین، ژاپن، هنگ کنگ، اردن، ترکیه، پاکستان، و بسیاری از کشورها نیزدر این دوسالانه به نمایش درآمده است.

این نمایشگاه یک ماه دایر خواهد بود. برگزارکنندگان قصد دارند پیش از سومین دوسالانه، این آثار را در الجزایر، تونس، هند، پاکستان، فرانسه و آلمان هم به نمایش بگذارند.

112.1 What other important event coincided with the International exhibit “Biennial of the Islamic World” this year?

a. "The Year of National Unity and Islamic Identity".
b. The death of Morteza Momayyez.
c. Identical exhibits were simultaneously opened in Algeria, Tunisia, and Australia.
d. The birthday of Prophet Mohammed.

112.2 Who was Morteza Momayyez?
a. An Arab artist who is viewed by many as the father of modern graphic art of the Middle East.
b. An Iranian artist who is viewed by many as the father of modern graphic art of Iran.
c. A cancer patient who fought to bring about more awareness of his condition.
d. The organizer of the second International exhibit Biennial of the Islamic World.

113

تحقیقات جدید نشان می دهد مرگ بر اثر دلشکستگی ممکن است. تحقیقات دانشگاه گلاسکو از بیش از ۴ هزار زوج نشان داد که داغداری برای همسر خطر مرگ مرد یا زن بیوه را افزایش می دهد.

یکی از زوجهایی که ظاهرا نتوانستند بدون هم زندگی کنند، جانی کش خواننده و همسرش جون کارتر- کش بودند که به فاصله چند ماه فوت کردند.

متخصصان قلب گفتند: افرادی که شریک زندگیشان را از دست می دهند، اغلب رفتارهای مضری را همچون استعمال دخانیات و تغذیه نادرست در پیش می گیرند.

این تحقیقات، که در نشریه اپیدمیولوژی و بهداشت جامعه منتشر شده است، از اوایل سالهای ۱۹۷۰ آغاز شده بود وزوجهای ۴۵ تا ۶۴ ساله را در بر می گرفت. از آن زمان، محققان فاصله بین مرگ یک همسر تا زمان فوت دیگری را ثبت می کردند. این برنامه تا سال ۲۰۰۴ ادامه یافت. در طول دوران پیگیری، تعداد زنان داغدار دو برابر تعداد مردان با وضعیت مشابه بود. در شش ماه اول پس از مرگ همسر، خطر مرگ به هر دلیل زیادتر بود، و در پنج سال اول خطر عوارض قلبی هم بیشتر بود.

این ارتباط، حتی با وجود توجه به عوامل خطر ساز فردی مثل استعمال دخانیات و فشار خون. هم وجود داشت. دکتر کرل هارت، سرپرست گروه محققان، در این نشریه اظهار داشت: ما نشان دادیم که علاوه بر عوامل خطر ساز فردی— که تاثیری تقریبا ناچیز داشتند — داغداری بر خطر مرگ موثر است و تاثیرات مستمری بر آن دارد.

استوارت ویلسن از موسسه مشاوره خیریه مراقبت داغداری کروز گفت: وقتی زوجی مدتی طولانی با هم زندگی کرده باشند، در صورت مرگ یکی احتمال زندگی طولانی مدت برای دیگری تقریبا کم است.

کتی راس از بنیاد قلب بریتانیا اظهار داشت که روشهای متداول کنار آمدن با مرگ عزیزان، اغلب به مشکلات قلبی منجر می شود. برخی افراد بیشتر سیگار می کشند، برخی دیگر مشروبات الکلی بیشتری می نوشند و تمایلی به خوردن ندارند یا واقعا بد غذا می شوند. نکته مهم در این نتایج اثر چگونگی کنار آمدن با داغداری است، نه خود این اتفاق. جون کارتر- کش، در ماه می سال ۲۰۰۳ پس از عمل قلب در سن ۷۳ سالگی درگذشت. چهار ماه بعد، جانی کش در سن ۷۱ سالگی، از عوارض دیابت فوت کرد. در یک مورد مشابه، نخست وزیر پیشین انگلیس. جیمز کلاگان درست ۱۰ روز پس از مرگ همسرش، آودری که ۶۷ سال را در کنار هم گذرانده بودند، در سن ۹۲ سالگی درگذشت.

113.1 According to Katy Ross, what causes an increase in the probabilities of death for a widow or widower?
a. Heartbreaks or separating from a loved one.

b. Increased drinking, smoking, and bad eating habits after the death of a significant other.
c. Going on a hunger strike.
d. Doing dangerous things that the significant other didn't allow while he/she was still alive.

113.2 Which of the following is the correct order in which a companion died after the death of the other companion?
a. Joan Carter-Cash died at the age of 73, four months after Johnny Cash died at the age of 71.
b. Joan Carter-Cash died at the age of 73, four months later Johnny Cash died at the age of 71.
c. James Callaghan died 10 days before her spouse of 67 years.
d. James Callaghan's spouse died right after James Callaghan.

114

روز سه شنبه، انیسه زب طاهرخلی، وزیر آموزش، تقاضای ارتقاء همکاری بخشهای خصوصی و عمومی را برای بهبود کیفیت آموزش در کشور پاکستان کرد. اظهارات وی در مراسم اعطای جایزه با میزبانی دانشکده بیکنهاوس دانشگاه مارگالا و به افتخار والد امجد ملک، برنده مسابقه نویسندگی روز حقوق بشر، بیان شد. والد، دانشجوی سال آخر دانشگاه مارگالا، به عنوان یکی از ۱۶ برنده در جهان که مقالاتی برجسته درباره "حقوق بشر و فقر" نوشته اند، انتخاب شده است. بیش از ۷۰۰ دانشجو از سراسر جهان در این مسابقه که توسط دپارتمان اطلاعات عمومی سازمان ملل و با هماهنگی دفتر کمیساریای عالی حقوق بشر در ژنو برگزار شد، شرکت داشتند. هدف از این مراسم برانگیختن ذهنهای جوان به بیان افکارشان از طریق شرکت در چنین مسابقات نویسندگی بود، که عامل مؤثری در بهبود جامعه، کاهش فقر و حمایت از حقوق بشر به حساب می آید. طی این مراسم، انیسه به والد امجد مالک و پدر و مادرش تبریک گفت و همه دانشجویان را به شرکت فعال در چنین فعالیتهایی برای خوشنامی کشور ترغیب کرد.

زب جایزه، مدرک و تقدیرنامه مرکز اطلاعات سازمان ملل، کمیسارپای عالی حقوق بشر و معاون دبیر کل، شاشی تارور را به برنده اعطا نمود. او همچنین از مساعدت دانشگاه در حفظ و بهبود استانداردهای آموزش عالی در پاکستان تمجید کرد. وزیر آموزش گفت که دولت به ارتقاء کیفیت آموزش اولویت می دهد و اضافه کرد که برای رسیدن به اهداف توسعه ای هزاره (ام.دی.جیز) برای پیشرفت اجتماعی و اقتصادی کشور، دولت از هیچ تلاشی فروگذار نخواهد کرد.

114.1 Why did Waled Amjad Malek win an award?
a. He is one of the sixteen college students who wrote notable papers on human rights and poverty.
b. He proposed cooperation between the public and private sectors to improve Pakistan's educational system.
c. He advocated the benefits of private education.
d. He advocated the benefits of public education.

114.2 What is the main focus of this article?
a. Waled Amjad Malek's articles.
b. The Prime Minister's appeal to improve Pakistan's reputation in the world.
c. The Minister of Education's appeal to improve education in Pakistan.
d. Showing the quality of Pakistani education.

115

به گزارش خبرگزاری آلمان، شرکت تامین کننده قطعات خودرو سیمنز واو. د. او، اعلام کرد.

سیستم جدیدی برای کیسه هوایی ابداع کرده است که "صدای" تصادف را می شنود و در نتیجه زمان واکنش سیستمهای ایمنی را بهبود می بخشد.

طبق اعلام این شرکت، این سیستم، ارتعاشات صدا را در شاسی خودرو توسط یک حس گر صدای ضربه تصادف (سی.آی.اس.اس.) که تغییرات موج صدای ناشی از تغییر شکل شاسی خودرو را در حین تصادف تشخیص می دهد، می شناسد و از این طریق کنترل می شود.

صداهای تغییر شکل خودرو و علائم شتاب بر اثر تصادف مجموعا می تواند تصویری دقیقتر از واقعه ایجاد کند و تک تک سیستمهای حفاظتی ایمنی، از قبیل قفل کننده های کمربندها و کیسه های هوای بالا، جلو و جانبی را فعال نماید.

در گزارش مطبوعاتی شرکت، آمده است که هنگام تصادفات جزئی با سرعت ۱۶ کیلومتر بر ساعت، نیازی به فعال شدن کیسه های هوا و سایر سیستمها نیست. در مقایسه با زمان واکنش ۳۰ میلی ثانیه سیستمهای متداول، این حسگر می تواند ظرف فقط چند میلی ثانیه یک تصادف را دقیقا تحلیل کند.

معاون شرکت زیمنس واو.د.او. آوتومیتیو، دریک زشمایر می گوید : این حسگر خودرو را قادر به شنیدن صدای وقوع تصادف می کند.

این شرکت اعلام کرد که کیسه های جدید هوا آماده تولید انبوه است و در سال جاری در اختیار خودرو سازان قرار می گیرد.

115.1 How do the new airbags developed by Siemens operate?

- **a.** They are activated by sensing changes in the sound waves as a result of an accident.
- **b.** They are activated by picking up the accident victims' cries for help.
- **c.** They are activated by changes in the shape of the car's chassis.
- **d.** They are equipped with sensors outside the car that predict the accident.

115.2 According to the article, how fast do traditional airbags activate, and how do the new airbags compare?

- **a.** Currently, airbags activate too quickly, even at low-speed accidents, causing injuries.
- **b.** Currently, airbags activated too violently causing back and neck injuries.
- **c.** Currently, airbags activate in 30 milliseconds, but the new airbags will activate much faster.
- **d.** Currently, airbags activate in 30 seconds, but the new airbags will activate much faster.

116

محققان می گویند که در آینده نزدیک، یک "دندان الکترونیکی" که دارو را وارد بدن بیماران مزمن می کند. جایگزین قرص و تزریق برای افراد فراموشکار خواهد شد.

اتحادیه اروپا در حال تامین مالی پروژه اینتلی- دراگ به منظور ابداع وسیله ای هوشمند، جهت کارگذاری در دهان است که به دندان متصل می شود و مقدار داروی تجویزشده توسط پزشک را وارد بدن می کند.

بن ز. بیسکی، یکی از سازندگان در مرکز پزشکی آسوتا در تل آویو گفت : این وسیله، قبل از هر چیز برای بیمارانی که مشکل فراموشی دارند— مثل بیماران آلزایمری— اهمیت دارد.

وی گفت: به جای آنکه پرستاری حاضر شود و ساعت مصرف قرص را یادآوری کند، وسیله ای خواهیم داشت که کار را به طور خودکار انجام می دهد. نرم افزار به نحوی برنامه ریزی می شود که این دندان دارو

را در زمان مطلوب وارد بدن کند. بیسکی گفت که این روش برای افرادی که جهت مقابله با حملات آسم، مخصوصا آنهایی که شب هنگام دچار این حملات می شوند، ایده آل است.

پزشک، اطلاعاتی از قبیل زمان مصرف دارو، سن بیمار، وزن و سابقه پزشکی را از طریق یک دستگاه کنترل از راه دور وارد می کند.

این دستگاه را می توان به صورت یک تکه اضافی، نوعی تاج یا به صورت پیوند به دندان، در دهان بیمار قرار داد.

در زمان معین شده برای ورود دارو، دریچه روی دستگاه باز می شود و مقدار برنامه ریزی شدهٔ دارو را وارد بخش خلفی دهان بیمار می کند تا با بزاق مخلوط و وارد جریان خون شود.

این شیوه معایبی هم دارد. هر وسیله خارجی کار گذاشته شده در داخل بدن می تواند موجب عفونت شود. همچنین برخی داروها با این دستگاه سازگار نیست.

این دستگاه دهانی به سایر شیوه های پزشکی "خروج آرام"، مثل برخی کپسولها و تزریقاتی که به منظور به حداقل رساندن اثرات جانبی. مواد شیمیایی را به آرامی آزاد می کند، می پیوندد.

یورام آلتشولر، استاد دانشگاه عبری و متخصص داروشناسی و سیستمهای ورود دهانی دارو گفت: سیستم خروج آرام خوب است اما برخی داروها را نمی توان برای خروج آرام، بسته بندی یا فرمول بندی کرد.

وی گفت: مثلا جذب الکل در بدن به طور طبیعی کمتر از یک ساعت طول می کشد.

بیسکی اظهار داشت که این وسیله توانایی نگهداری مقدار کافی دارو برای چندین هفته و خارج کردن بیش از یک نوع دارو را دارد.

این دستگاه، اطلاعات مربوط به نزدیک شدن زمان خالی شدن و نیاز به جایگزینی را به یک گیرنده ارسال می کند.

بیسکی گفت که او و همکارش اندی ولف که دندانپزشک و متخصص داروهای دهانی است، در حال برنامه ریزی برای انجام آزمایشهای بالینی است که با همکاری دانشمندان اروپایی در سه ماه آینده صورت می گیرد.

آزمایشهای چند ماه پیش که روی خوکها انجام شد. موفقیت آمیز بود. وی گفت که مقادیر زیادی از داروهایی که از این طریق داده شد، در خون خوکها پیدا شد. داروها به طور یکنواخت در بدن پخش شده بود.

بیسکی از آگاهی محققان نسبت به احتمال بلعیدن اتفاقی دستگاه هم صحبت کرد.

بیسکی گفت: ما تصمیم گرفتیم که دارو را در پوششی حفاظتی قرار دهیم که حتی در صورت بلعیدن دستگاه، دارو به آرامی تخلیه شود و خطری برای بیمار نباشد.

آسوتا بیمارستانی خصوصی است که با شرکای خارجی خود، تحقیقات انجام می دهد. سازندگان هنوز به مرحله تصمیم گیری برای چگونگی عرضه محصول به بازار نرسیده اند و منتظر آزمایشهای انسانی هستند.

116.1 What are the benefits and drawbacks of this “smart tooth”?

a. Its good for forgetful patients—like Alzheimer’s patients—but it’s so small that it can be swallowed.

b. It makes patients more independent, but it strips many nurses of their jobs.

c. It releases medicines slowly overtime, but it generally makes mistakes about the amounts.

d. It has been successful in trials, but in all likelihood it will be too expensive for most patients.

116.2 How does the “smart tooth” operate?

a. It sends a buzz to the patients, reminding them to take their medicine.

b. It is programmed by a doctor to release the correct dosage at the right time.

c. It sends messages to the doctor, noting whether or not the patient has been taking their medicine.

d. It measures the amount of medicine in the body by testing the saliva regularly.

117

به گزارش رویترز، روز شنبه غول نرم افزاری ایالات متحده، چارلز سیمونی و دو فضانورد روسی درحالی که دوست سیمونی، مارتا استیوارت در خارج سفینه فضایی شاهد ماجرا بود، وارد مدار شدند.

سفینه فضایی سایوز تی.ام.ای. ۱۰، دقیقا طبق برنامه در ساعت ۱۱:۳۱ شب (۱۷:۳۱به وقت گرینویچ) با غرش موتورهایش از دشت قزاق جدا شد و به سوی آسمان شب پرواز کرد.

نه دقیقه بعد، بلندگوهای سکوی پرتاب خبر موفقیت موشک در رساندن سیمونی— پنجمین توریست فضایی که ۲۵ میلیون دلار برای این سفر پرداخته است — را به مدار اعلام کردند.

سخنگوی خانوادگی سیمونی، خانم سوزان هاچیسن، که امکان مشاهده خدمه را از طریق دوربینی زنده در داخل کابین داشت، گفت که صورت او هنگام جدا شدن سفینه فضایی از سکوی پرتاب کاملا خندان بود.

سیمونی، میلیاردر ۵۸ ساله که به بنیانگذاری مایکروسافت کمک کرد، در حال گذراندن سفر ۱۲ روزه در ایستگاه فضایی بین المللی آی.اس.اس است. دو فضانورد روس به نامهای فیودور یورچیکین و اولگ کتف وی را همراهی می کنند.

دو ساعت پیش از پرواز، هنگام خداحافظی خدمه و قبل از سوار شدن بر سفینه، گروهی از دوستان و اقوام فریاد می زدند : "سفر بخیر، چارلز" و "به سلامت، چارلز".

استیوارت، دوست صمیمی سیمونی و یکی از چهره های مشهور ایالات متحده، در حالیکه منتظر پرتاب شب هنگام موشک بود، تمام روز را به گردش در بایکونور که مجموعه پراکنده ای از ساختمانهای دوران انحاد شوروی در دشت قزاق است، سپری کرد.

او شتر سواری کرد و از یک کلبه نمدی قزاقی که یورت نام دارد، دیدن کرد. وی گفت: بایکونور بسیار زیبا است.

سیمونی شام ویژه ای را که در ظرفی آلومینیمی بسته بندی شده، با خود برده است تا در روز ۱۲ آوریل، روز فضانوردان روس، با ساکنان ایستگاه فضایی بین المللی میل کند. انتخاب غذا، که شامل بلدرچین سرخ شده در شراب، سینه اردک با کپر و پودینگ برنج می شود، بر عهده استیوارت بوده است. می گویند این دو آمریکایی رابطه ای عاشقانه دارند.

در خداحافظی خصوصی پیش از پرواز، استیوارت و سیمونی که توسط یک صفحه قرنطینه شیشه ای از هم جدا شده بودند، حرفهایی خصوصی زدند و برای هم دست تکان دادند. سخنگوی خانوادگی، خانم هاچیسن، در پاسخ به پرسشی درباره شایعات برخی رسانه ها در مورد زندگی خصوصی این دو نفر گفت : فکر می کنم هم اکنون او کاملا بر فضا متمرکز باشد.

وی اضافه کرد: می توانم بگویم اگر قصد پیشنهاد ازدواج داشت، این کار را از پشت شیشه انجام نمی داد. سیمونی در مجارستان متولد شد و به ایالات متحده مهاجرت کرد. در آنجا به شرکتی نوپا به نام مایکروسافت پیوست و از طریق طراحی برخی از پردرآمد ترین تولیداتش، مثل نرم افزار ورد، آینده اش را تضمین کرد. قرار است سیمونی، که اکنون شرکت

خودش را دارد، به همراه فضانوردان روس روز دوشنبه به ایستگاه فضایی بین المللی بپیوندند.

هاچیسن اظهار داشت: امروز صبح در جریان آخرین آزمایش، او آرام، فشار خونش طبیعی و نبضش پایین بود.

117.1 What is most notable about this flight into space?

- **a.** Martha Stewart sponsored her friend to go see space.
- **b.** Martha Stewart catered the launch party.
- **c.** It is the first time a civilian has gone into space as a tourist.
- **d.** It has brought about cooperation between the United States and Russian astronauts.

117.2 Who is Charles Simonyi?

- **a.** The 58-year-old co-founder of Microsoft and a billionaire.
- **b.** The 58-year-old founder of Microsoft and a billionaire.
- **c.** A 58-year-old Russian astronaut who is a friend of Martha Stewart.
- **d.** A 58-year-old space enthusiast who helped Martha Stewart cater the space flight.

118

نتیجه تحقیقاتی که روز یکشنبه منتشر شد، نشان داد که حداقل ۴۰۰ بار گوش دادن به صداهای مختلف قلب از طریق یک دستگاه آی پاد، روشی موثر برای تقویت توانایی پزشکان در کشف عارضه است. ۱۴۹ دانشجوی پزشکی در مدت ۹۰ دقیقه، ۴۰۰ بار به پنج صدای متداول قلب گوش دادند. این جلسه تمرینی، آمار کشف عارضه از طریق گوشی پزشکی توسط پزشکان عمومی را از ۴۰ درصد به ۸۰ درصد افزایش داد. این مطالعه که توسط مایکل برت، متخصص قلب دانشگاه تمپل صورت گرفته است، در همایش دانشکده آمریکایی مطالعات قلب، که با حضور حدود ۳۰ هزار متخصص برگزار شده بود، ارائه گردید. برت به ای.اف. پی. گفت که توانایی کشف نارساییهای قلب در تشخیص عوارض قلبی بسیاری از افراد حائز اهمیت حیاتی است و می تواند از انجام غیر ضروری برخی امور همچون اکوکاردیوگرافی و تست استرس جلوگیری کند.

118.1 What role can an iPod play in helping diagnose illnesses?

- **a.** It can be used to play therapeutic music to heal patients.
- **b.** The kinds of music played by an individual can help the doctors guess what illness they have.
- **c.** By listening to the sounds of a heart beat 400 times, doctors can more accurately diagnose patients.
- **d.** By listening to an iPod while at work, doctors can reduce their stress and work better.

119

سه ماه است که لکه های نفتی، سواحل، نیزارها و مزارع آبی خط طویل ساحلی ویتنام را آلوده کرده است. اما دولت می گوید که منبع آلودگی همچنان مبهم است.

درحالی که سربازان و داوطلبان، ۱۶۰۰ تن نفت دلمه شده را از ژانویه پیش تا کنون از سواحل ویتنام پاک کرده اند، مقامات توضیحی برای اینکه آیا این نفت از نفتکشی خالی شده یا از سکوی استخراجی نشت کرده است ندارند.

نخست وزیر ویتنام، انگوین تان دونگ ضمن رد احتمال نشت چاههای ساحلی این کشور گفته است که هانوی برای شناسایی منشاء نشتی از همسایگان خود در دریای چین جنوبی تقاضای کمک نموده است.

مدیر کمیته ملی جستجو و نجات، انگوین سون ها، اظهار کرده است که علت احتمالی می تواند یک سکوی نفتی چینی در جنوب جزیره هاینان باشد که سال گذشته در اثر طوفان آسیب دید.

روز شنبه، همزمان با برگزاری روز جهانی زمین، معمای نفت و تهدید زندگی آبزیان و خسارت به مناطق ساحلی وابسته به گردشگری، ماهیگیری و مزارع پرورش میگو و جلبک، کماکان مطرح بود.

این هفته، منطقه تفریحی ساحلی انها ترانگ ویتنام هدف رویداد مرموز دیگری قرار گرفت و گردشگران را از سواحل معمولا سفیدش فراری داد و به پرورش دهندگان خرچنگ در استان همجوار نینه توان خسارت زد.

با وجود گزارشهای متعددی از صنایع ساحلی به شدت آسیب دیده، دولت هیچ آماری از خسارات اقتصادی وارد شده بر بخش دریایی این کشور که دارای ۳۲۰۰ کیلومتر (۲۰۰۰ مایل) ساحل است، نداده است.

کیت سیمینگتن، مسئول هماهنگی برنامه دریایی بنیاد جهانی طبیعت (دبلیو.دبلیو.اف.) در منطقه گفت که کشاورزان استان بن تر. واقع در جلگه مکنگ، دچار پیامدهای فوری این فاجعه شده اند.

او گفت : مزارعی که قرار بود با برنامه ای نمونه و نظارت دولت کمونیست و بنیاد جهانی طبیعت، استاندارد زیست محیطی بگیرند. اکنون به دلیل انباشته شدن نفت، از لحاظ اقتصادی و زیست محیطی، متروکه شده اند. لکه های نفتی، ابتدا در اواخر ژانویه، با آلوده کردن "چاینا بیچ". پایگاه معروف استراحت و تجدید قوای نظامیان آمریکا در طول جنگ ویتنام و ساحل اطراف بندر تاریخی هوی آن، که یک میراث جهانی ثبت شده در یونسکو است، ساحل مرکزی ویتنام را سیاه کردند.

ابتدا، بسیاری، این لکه های سیاه را نشت جزئی و معمول در یکی از پرترافیک ترین خطوط کشتیرانی جهان و همچنین یک منطقه تولید کننده عمده نفت و گاز به حساب آوردند.

اما با گسترش لکه های بزرگ نفتی در طول ۸۰۰ کیلومتر نوار ساحلی، مسئولان متوجه وخامت اوضاع شدند.

از آن هنگام، لکه های نفتی تا شبه جزیره دور دست کا مائو و جزیره کن دائوگسترش یافت؛ کن دائو حفاظتگاه طبیعی مشهوری از نظر لاک پشتهایش است که داوطلبان در اواسط ماه مارچ، تقریبا ۴۰ تن نفت را از آب هایش پاک کردند.

شرکت نفت و گاز ملی ویتنام که توسط دولت اداره می شود، اعلام کرده است که این نفت، متعلق به میادین ببر سفید و اژدهای این کشور نیست. برخی متخصصان گفته اند که شاید این نفت به طور طبیعی از شکافهای کف دریا خارج شده، یا در اثر پدیده ای که در علم اقیانوس شناسی به بالازدگی معروف است، به سطح آب آمده باشد. یک متخصص محیط زیست دریایی، که خواست نامش فاش نشود، گفت که الگوهای بادهای موسمی فرضیه حرکت برخی لکه ها را از جزیره هاینان چین به سمت ویتنام مرکزی تایید می کند. شرکت ملی نفت فلات قاره چین (سی.ان.او.او.سی.)، که اخیرا در روزنامه دولتی توی تر ویتنام به عنوان منشاء احتمالی این نشت معرفی شده بود، پس از تماسی از سوی دفتر ای.اف.پی. در پکن، از هر گونه اظهار نظر خودداری کرد. هنوز امید نزدیک شدن ویتنام به پاسخ وجود دارد. در هفته جاری، وزیر محیط زیست این کشور از ژاپن برای کشف منشاء لکه نفتی تقاضای کمک کرد؛ کمکی که شاید شامل تکنولوژی پیچیده ماهواره ای که ویتنام فاقد آن است، هم بشود.

به گزارش ای.اف.پی، سیمینگتن از بنیاد جهانی طبیعت گفته است که در آینده ویتنام باید توانایی کشف و پیشگیری از آلودگیهای نفتی و واکنش به آن را درخود تقویت نماید. وی گفت: رشد ترافیک دریایی بین المللی، در کنار توسعه اقتصاد نفتی دریایی ویتنام، بر

چنین نظری تاکید می کند. برای تضمین محافظت از محیط زیست دریایی ویتنام و نیز حفاظت اززندگی میلیون ها نفری که وابسته به محیط زیست سالم اقیانوس اند، به تلاش بیشتری نیاز است.

119.1 What areas have been affected by the oil spill mentioned in the article?
- **a.** Beaches, mangroves, and aquaculture farms along Vietnam's coastline.
- **b.** Various countries' coastlines along the South China Sea.
- **c.** Chinese beaches, mangroves, and aquaculture farms.
- **d.** Japan's beaches, mangroves, and aquaculture farms.

119.2 Why did the problem of the oil spills alarm authorities?
- **a.** Because the spills may be the result of a malicious act from a neighboring country.
- **b.** Because blame-shifting has been observed in the region, which can lead to armed conflict.
- **c.** Because the spills are negatively affecting both wildlife and economy in the country.
- **d.** Because the resulting loss of oil will lead to higher fuel prices in affected countries.

120

بنا بر گزارشی که روز پنجشنبه منتشر شد، وزیر محیط زیست اندونزی به منظور کاهش سطح آلودگی در مناطق رو به رشد شهری این کشور، طرحی را برای جلوگیری از فروش خودروهای جدید ارائه داده است.

ای.اف.پی. به نقل از جاکارتا پست گزارش داد که وزیر محیط زیست، راچمات ویتولار گفته است: در صورتی که اقدامات جدید بر ضد آلودگی کشور، کیفیت هوا را بهبود نبخشد، این طرح را می توان اجرا نمود.

جاکارتا پایتخت اندونزی، و برخی دیگر از شهرهای دیگر آن، دچار آلودگی مزمن هوا هستند و تراکم ترافیک مشکلی بزرگ در آنها است.

اطلاعات دولت محلی جاکارتا نشان می دهد که مالکیت خودروی شخصی در حال افزایش و سالانه حدود ۱۱ درصد است.

وزیر یاد شده خطاب به روزنامه گفت اقدامات جدید مبارزه با آلودگی، شامل رده بندی مشخص شهرها از آلوده ترین تا پاک ترین شهر می شود.

ویتولارپذیرفت که زیان اجتماعی حاصل ازمنع فروش خودروهای جدید، برای هزاران نفر از مردم اندونزی وحشتناک خواهد بود اما گفت که آلودگی ناشی از خودروها هم، ضمن کمک به گرم شدن زمین، به همان اندازه زیان آور است.

120.1 What is the most radical plan proposed by Indonesia's environment minister to reduce pollution in developing areas of the country?
- **a.** To ban the sale of all new cars.
- **b.** To enforce stricter emission laws.
- **c.** To shut down car production plants.
- **d.** To heavily tax car owners in developing areas of the country.

120.2 Why is Indonesia facing problems of poor air quality?
- **a.** Increased traffic.
- **b.** An 11% annual growth rate of car ownership.
- **c.** More foreign countries are moving their factories to Indonesia.
- **d.** Both A and B.

121

روز سه شنبه، رویترز گزارش داد که اتحادیه جدیدی به رهبری سازمان ملل برای حفظ محیط زیست در برابر انبوه زباله های الکترونیکی همچون

کامپیوتر، تلفن و تلویزیون و طبق دستورالعملهای جهانی دفع زباله شروع به کار خواهد کرد.

سه آژانس سازمان ملل، ۱۶ شرکت، از جمله مایکروسافت، هیولیت پاکارد و فیلیپس، چندین دولت و دانشگاه اعلام کردند که با اهدافی از قبیل بازیافت بیشتر و عمر طولانی تر برای کالای الکترونیکی، گرد هم آمده اند.

رودیگر کوهر از دانشگاه سازمان ملل که اعضای پروژه جدید استپ (حل مشکل زباله های الکترونیکی) را در شهر بن آلمان رهبری خواهد کرد، گفت: نیازی اضطراری برای هماهنگ کردن روشهای دفع زباله های الکترونیکی در سراسر جهان به وجود آمده است.

وی به رویترز گفت که زباله های الکترونیکی مثل اجاقهای مایکروویو، باتری، دستگاههای فتوکپی یا سشوار در صورتی که سوزانده شوند، اغلب مواد سمی متصاعد می کنند. کالاهای قدیمی حاوی موادی شیمیایی از قبیل انواع دیوکسین یا پی.سی.بی، و یا فلزات سنگینی همچون جیوه یا کادمیم هستند.

برخی محصولات، حاوی طلا و پلاتین و یا ایندیوم نادر هستند که در تلویزیونهای مسطح به کار می رود، و یا دارای روتنیوم هستند که در انواع مقاومت کاربرد دارد. به عنوان مثال، قیمت ایندیوم از کیلویی ۷۰ دلار در سال ۲۰۰۲ به کیلویی ۷۲۵ دلار افزایش یافته است.

به نقل از استپ اعلام شده که زباله های الکتریکی و الکترونیکی یکی از انواع رو به رشد زباله در جهان است و به زودی به مرز ۴۰ میلیون تن در سال می رسد. اگراین مقدار در قطاری از کامیونهای زباله انباشته شود، طول آن بالغ بر نیمی از محیط کره زمین خواهد شد.

طی سالهای آینده، استپ برای تدوین دستورالعملهای دفع زباله های الکترونیکی بر مبنای قوانین ملی کشورهایی چون ژاپن، اتحادیه اروپا و ایالات متحده، پروژه های متعددی را که میلیونها دلار هزینه در بر خواهد داشت، اجرا خواهد کرد.

بدین ترتیب، شرکتها به تولید محصولاتی ماندگار تر و نیز کالاهایی که به جای دور انداختن، قابل ارتقاء باشند ترغیب می شوند. دبیرخانه مربوط به این طرح با سه کارمند تمام وقت، اداره بخش عمده کار را به عهده خواهد داشت.

121.1 What are two aims of the 16 groups that are cooperating in order to help the environment?

a. Increasing public knowledge of the dangers of electronic wastes.
b. Reducing the number of cases of human illness as a result of exposure to electronic wastes.
c. Increasing electronic recycling and creating products with longer life expectancy.
d. Maintaining current prices of indium, which have gone up from $70 to $725 per kg since 2002.

121.2 Why has increased electronic waste lead to higher prices in some valuable metals such as gold and platinum?

a. When electronic items that incorporate such metals are thrown away, the precious metals they contain are no longer useable.
b. Increased demand for electronic consumer goods has driven up the prices of these metals.
c. It is not cost-effective to recycle electronic waste in order to extract the precious metals.
d. Some of these metals are used in degrading electronic waste, and they are becoming more rare.

122

رن جینگ خود را چیزی بیش از خوره کتاب می داند.

این خانم، نقد کتابها را در وب سایتهای مشهور می خواند، از کتاب فروشیهای اینترنتی دیدن می کند و حداقل ماهی پنج کتاب می خرد.

اما مشکل این است که او هیچ وقت فرصت خواندن آنها را ندارد.

رن، ۲۷ ساله مدیر روابط عمومی، یکی از چینی هایی است که به طور روز افزون، پیدا کردن وقت برای مطالعه روزانه را به خاطر برنامه شلوغشان، دشوار می یابند و هر روز هم بر تعداد این افراد اضافه می شود.

زنگ خطر این گرایش که احتمالا افراد هر از گاهی، بقدر کافی ذهنشان را درگیر مطالعه نمی کنند، در سراسر چین به صدا در آمده است.

با توجه به اینکه روز دوشنبه روز جهانی کتاب و حقوق معنوی بود، این گرایش بیشتر به چشم می آید.

مطالعه ای که سال گذشته توسط مؤسسه علوم اجتماعی چین صورت گرفت مشخص کرد که فقط ۷,۴۸ درصد از جمعیت این کشور کتاب می خوانند؛ این کاهش برای ششمین سال متوالی رخ داد.

همزمان، تا پایان سال گذشته تعداد کاربران اینترنت در چین به نحو قابل توجهی تا ۱۳۶ میلیون نفر افزایش یافته است که شاید حاکی از تغییر اساسی عادت مطالعه مردم باشد.

حتی صنعت نشر این کشور هم این ضربه را حس کرده است. انتشارات پیلین، که یکی از موسسات پیشروی نشر چین است، درگیر چگونگی کنار آمدن با از دست دادن بسیاری از مشتریان خود و جذب آنها به سمت رسانه دیجیتالی است.

ژائو وی، یکی از مدیران انتشارات پیلین گفت: زمانی بود که ما برای یک کتاب، تیراژ بیش از یک میلیون نسخه داشتیم اما اکنون، کتابی را پرفروش به حساب می آوریم که تیراژی حدود ۵۰ هزار نسخه داشته باشد. چن لی، معاون کتابخانه ملی، ارزشهای فعلی اجتماعی را که شهرت و موفقیت یک شبه را به جای سختکوشی دوران گذشته تبلیغ می کنند مقصر می داند. وی اظهار داشت: بسیاری از مردم، نقش پر اهمیت خواندن و مطالعه را در رشد خلاقیت و مهارت هایشان فراموش کرده اند.

ژیا ژولوآن، استاد جامعه شناسی دانشگاه پکن گفت: دوره. دورۀ خواندن عکس های مجلات و وب سایتها شده است. مردم تأثیر حسی و دیداری را می پسندند. با این حال، ژیا هشدار داد که کتابها، جوهر نظریه ها را عرضه می کنند، کاری که فقط با خواندن اطلاعات "حاضری" اینترنت قابل تحصیل نیست.

122.1 What is the main focus of this article?

- **a.** The decrease in the use of the Internet among young Chinese as the main source of obtaining information.
- **b.** Decreased readership of printed texts and books among the young Chinese.
- **c.** The problems caused by buying too many books without really wanting to read them.
- **d.** One woman's addiction to buying books.

122.2 According to Chen Lee, many people ____________________.

- **a.** Prefer to look at pictures and websites to get their information.
- **b.** Forget the importance of reading and studying in cultivating their creativeness and skills.
- **c.** Buy books without having the time to read them.
- **d.** Attempt to flee their hectic lives by reading books.

123

وزیر قوانین، دادگستری و حقوق بشر، چاودری واسی ظفر گفته است که کاهش حضور در تحصن خارج از دیوان عالی در روز چهارشنبه، حاکی از شکست تلاش های گمراه کننده عموم، در موضوعی کاملا حقوقی است. او ضمن مصاحبه با تلویزیون پاکستان گفت: چنین وضعیتی در همه جا مشاهده شده است، به ویژه در لاهور که از مجموع ۱۳ هزار وکیل، فقط چند صد نفر در تظاهرات شرکت کردند.

وی گفت: برخی وکلا، به دلیل عضویت فعال در احزاب سیاسی قصد سیاسی کردن موضوع را داشتند.

او اظهار داشت: بگذارید شورای عالی دادگستری (اس.جی.سی.) بدون هیچ اجباری درباره ارجاع تصمیم بگیرد.

واسی ظفر گفت که ارجاع رئیس جمهوری، به دلیل مفاد قانونی اش پس گرفته نخواهد شد. او در ادامه افزود که مفاد اصلی این ارجاع هنوز در اختیار مطبوعات قرار نگرفته است. او همچنین وجود هر گونه پرونده ای را علیه قضات دیوان عالی در شورای عالی دادگستری تکذیب کرد.

123.1 In Zafar's opinion, what does decreased attendance at rallies signify?

- **a.** Attempts to mislead the public and politicize the issue at hand have failed.
- **b.** That the public does not care about constitutional issues.
- **c.** That there is a new trend of public detachment with regards to political issues.
- **d.** That only a few hundred lawyers care about this particular issue.

124

یک سخنگوی سفارت پاکستان در نامه ای به یک روزنامهٔ آمریکایی نوشت که پاکستان جامعه ای پویا دارد که هرگز اجازه ورود طالبان گرایی را به داخل خود نمی دهد. این سخنگو در اعتراض به مطلبی که اخیرا در واشنگتن تایمز چاپ شده بود، از نظرات آرنود دو بورچگریو درباره طالبانی کردن جامعه پاکستان. انتقاد کرد. اکرم شاهد، سخنگوی سفارت پاکستان، نوشته است: جامعه پاکستان پویا و دارای فرهنگ آزادی و دمکراسی است. این جامعه به هیچ گروهی اجازه تحمیل خود و عقایدش را نخواهد داد. پاکستان هرگز اجازه نفوذ طالبانی شدن را به درون خود نمی دهد.

وی گفته است: همهٔ مردم پاکستان، اظهارات روحانی مسجد الاحمر اسلام آباد را رد کرده اند. او افزود: همهٔ رهبران سیاسی، مدرسین مذهبی، فعالان حقوق بشر، اندیشمندان و بیش از همه، رسانه ها، موضع مسجد الاحمر برای مقابله با فرمان دولت را به شدت رد کرده اند. با وجود جنگ در افغانستان جامعه پاکستان باید به خاطر حداکثر مقاومت اجتماعی در برابر افراطی گری و طالبانی شدن مورد تقدیر قرار گیرد.

شاهد در رد ادعای نویسنده یاد شده گفت: ادعای حمایت گسترده از طالبان در استان مرزی بلوچستان، واقع در شمال غرب کشور، نادرست است و ظاهرا رهبران احزاب مذهبی علاقه ای به حمایت از آنها ندارند. به این ترتیب، طالبان گرایی در کجای خاک پاکستان وجود دارد؟

این سخنگو، با توجه به هسته ای شدن جنوب آسیا و گسترش روابط میان پاکستان و هند، شکاف استراتژیک را غیر مرتبط به کشورش می داند. وی تاکید کرد که پاکستان تمایل دارد رئیس جمهور افغانستان، حامد کرزای، در برقراری صلح و شکوفایی افغانستان موفق شود و پاکستان سهم زیادی در ثبات کشور همسایه اش دارد. او همچنین نوشت که قرارداد صلح فرقی میان القاعده و تروریستهای طالبان قائل نمی شود، بلکه قبایل این سوی مرز و داخل افغانستان را متعهد به مقابله با فعالیتهای تروریستی می کند.

124.1 Why did the Pakistani embassy's spokesman issue a statement declaring that Pakistan will not allow the Taliban ideology to spread in Pakistan?

a. Because the United States government accused Pakistan of cooperating with the Taliban.
b. Because Washington Times writer Arnaud de Borchgrave made remarks about the "Talibanization of the Pakistani society."
c. Because Pakistani-Americans have recently been subjected to racism and hate as a result of anti-Taliban sentiments in America.
d. Because of a perceived increase in support for the Taliban in Pakistan.

124.2 Why would the Talibanization of Pakistan be pointless for Pakistanis?

a. It would subject the country to attacks from the United States.
b. It was cause political instability in Baluchestan.
c. As a result of improved relations with India, and the nuclearization of South Asia.
d. Because Pakistanis perceive Talibization as a threat to their culture.

125

دکتر سلمان شاه، مشاور نخست وزیر در امور مالی و مالیاتی پاکستان گفت که مؤسسات مالی بین المللی ارزش ثبات اقتصادی کلان و شرایط عالی پاکستان را برای تجارت به خوبی درک می کنند. وی در جریان گزارش، دربارهٔ ملاقات هایش با مقامات بانک جهانی، آی.ام.اف. و سایر مؤسسات مالی به خبرنگاران گفت که جریان بی سابقه سرمایه گذاری خارجی در پاکستان نشانگر اعتماد رو به رشد سرمایه گذاران جهانی به قدرت اقتصادی این کشور در بلند مدت است.

دکتر شاه که سرپرستی هیئت مدیران اقتصادی را در ملاقاتهای سالانه در فصل بهار به عهده دارد، مذاکراتش را بسیار مثبت توصیف کرد.

او اظهار داشت که مقامات سازمان های مالی بین المللی گفته اند که پاکستان بهترین شاخصهای تجاری را در منطقه جنوب آسیا دارد. آنها همچنین در حال مطالعه اصلاحاتی هستند که پاکستان را در تسهیل تجارت در کشور یاری کرده است.

دکتر شاه، بخصوص بر اهمیت گستردگی سرمایه گذاری خارجی و انجام آن در بسیاری از بخشهای اقتصادی از جمله بانکداری، امور مالی، نفت و گاز، انرژی، مخابرات، تولید و ساختمان سازی تاکید نمود.

مشاور یاد شده، مجموعه ای از نقل و انتقالات عمده در بخش بانکداری که در بانکهای موفق کشور صورت گرفته است را فهرست کرد.

وی همچنین بر جذب سرمایه از مناطق بزرگ اقتصادی جهان از جمله خاور دور، خاور میانه، اروپا و ایالات متحده در پاکستان تاکید کرد. دکتر شاه درحالی که توسط دکتر اشفق حسن خان، مشاور وزیر دارایی و مدیر دفتر دیون عمومی همراهی می شد، گفت: این اتفاق در اثر سیاستهای تشویقی مستمر و تمرکز مناسب امکانات وسیع اقتصادی کشور و برای نمایش قابلیت ها و تعاملات سطح بالا و متعدد با سرمایه گذاران خارجی صورت گرفته است.

وی اظهار داشت که پاکستان، به واسطه زیربنای اقتصادی قوی و در پیش رو داشتن اصلاحات و اقداماتی جدید، مترصد جذب سرمایه هایی عظیم در سالهای آتی است. او در ادامه گفت که پاکستان از شاخصهای جمعیتی بهترین بهره را خواهد برد، چرا که سرمایه گذاران جهانی نه تنها به بازار ۱۶۰ میلیون نفری آن چشم دوخته اند، بلکه از جمعیت ۱۰۰ میلیونی زیر ۲۵ سال آن هم باخبرند. سرمایه گذاران به چرخه

زندگی اقتصادی این عده توجه دارند و دولت هم برای توسعه سریع به پرورش منابع عظیم انسانی خود و همچنین اقدامات زیربنایی مورد نیاز متعهد است.

125.1 According to Dr. Salman Shah, what trend signifies the global investors' growing trust in the long-term strength of the country's economy?
- **a.** Record high inflow of foreign investments.
- **b.** Stimulated growth in production in the country.
- **c.** Pakistan's growing education programs on imports and exports.
- **d.** The founding of new independent banks.

125.2 Pakistan has not attracted investment from which of the following areas?
- **a.** Europe.
- **b.** United States.
- **c.** Far East.
- **d.** South Africa.

126

روز چهارشنبه، دولت پاکستان و بانک توسعه آسیا (ای.دی.بی)، یک قرارداد کمک به مبلغ ۲ میلیون آمریکا را برای کمک به بهبود زندگی افراد فقیر این کشور امضاء کردند. این توافقنامه از سوی بانک، توسط پیتر فدون، مدیر کشوری بانک توسعه آسیایی در پاکستان، و از سوی دولت، توسط محمد سلیم ستی، وزیر آمار و امور اقتصادی به امضاء رسید.

طبق این توافقنامه، اعطای کمک بنیاد ژاپن بانک توسعه آسیایی جهت کاهش فقر (جی.اف.پی.آر)، که توسط دولت ژاپن تامین می شود، برای توسعه خدمات نوین پس اندازی بانکهای کوچک مورد استفاده قرار خواهد گرفت و در مرحله اول حدود ۲ هزار نفر را بهره مند خواهد کرد.

علاوه بر کاهش هزینه های نقل و انتقال و بهبود دسترسی به خدمات مالی برای افراد فقیر، روی بانکداری موبایلی و تکنولوژی مبتنی بر تلفن همراه هم کار خواهد شد.

اولین بانک کوچک، این طرح را برای اولین بار و با هدف پوشش حدود ۱۵ هزار نفر، در استان مرزی شمال غرب، مناطق شمالی و سند، به اجرا خواهد گذاشت.

هدف این پروژه تشویق به گسترش امور خرد مالی از طریق توسعه دسترسی فقیرترین اقشار کشور به این امور است.

کمک مالی یاد شده، از محصولات ابتکاری و ارسال سازوکار های مربوطه، حمایت می کند و گزینه های لازم را برای گسترش محصولات ذخیره ای مناسب برای خانواده های فقیر جستجو خواهد کرد.

طبقه فقیر، برای مدیریت بهتر مخارج اضطراری، مصرف بی دغدغه، برآمدن از عهده هزینه های زیاد، و بهره مندی از فرصتهای سرمایه گذاری، به خدمات پس انداز نیاز دارند.

شاید با طراحی مناسب، تقاضا برای خدمات پس انداز، از تقاضا برای وامهای کوچک در بین خانواده های فقیر پیشی بگیرد. مبلغ اعطایی جی. اف. پی. آر، بانکهای کوچک را در ایجاد خدمات اندوخته ای بر اساس تقاضا، که قشر فقیر جامعه را پوشش می دهد، یاری خواهد کرد. به علاوه، بانکداری موبایلی هم، خدمات خرد مالی را برای روستاییانی که به طور عادی به این خدمات دسترسی ندارند، فراهم می کند.

126.1 The objective of the project is________________.
- **a.** To wipe out poverty from South Asia.
- **b.** To promote the development of microfinance by expanding microfinance outreach to the poorest in the country.
- **c.** To stimulate investments in the Japanese banking sector.
- **d.** To have the United States pay the Pakistani national debt.

126.2 Why do the poor need savings services from banks?

a. To better manage emergencies and meet expected demands for large sums of cash.

b. To be able to buy consumer goods and stimulate economic growth.

c. To stop buying on credit and reduce the national debt.

d. To pay off their debts and become financial independent members of society.

127

روز چهارشنبه وزیر امور تجارتی اندونزی، ماری الکا پانگستو، طی اظهاراتی در مراسم افتتاح هفتمین کنفرانس ملی و پنجمین کنفرانس منطقه ای در انجمن صادر کنندگان اندونزی گفت که صادر کنندگان به خاطر نقششان در به کار انداختن اقتصاد ملی، ایجاد فرصتهای شغلی و حمایت از برنامه های دولتی برای ریشه کنی فقر و نداری، استحقاق دریافت عنوان "قهرمانان توسعه" را دارند. به گفته پانگستو، فعالیتهای صادراتی اثرات گسترده ای بر افزایش کیفت زندگی و اقتصاد در این کشور داشته است. ارزش صادرات غیر نفتی و غیر گازی اندونزی در سال ۲۰۰۶ بالغ بر ۱۰۰ میلیارد دلار بوده و پیش بینی می شود که این رقم در سالهای آینده افزایش یابد.

پانگستو اعلام کرد که هدف رشد صادرات ملی در سال ۲۰۰۷ به یک رده سه قسمتی تقسیم شده است که پایین ترین سطح در حدود هشت درصد، سطح خوشبینانه ۵/۱۴ درصد و سطح بسیار خوشبینانه در حدود ۲۰ درصد است.

وی اظهار داشت که برای دستیابی به بالاترین سطح رشد، هماهنگی و همکاری بین احزاب و گروههای مرتبط ضروری است. او گفت: حتی با وجود موانع خارجی و داخلی، ما قدرت رشد صادرات و توسعه بازارهای مورد نظر خود را داریم. فرماندار جاوه شرقی، امام اوتومو، که دراین کنفرانس حاضر بود گفت که نقش صادرات غیر نفتی و غیر گازی در توسعه اقتصاد منطقه ای و ملی بسیار مهم و راهبردی است.

صادرات غیر نفتی و غیر گازی جاوه شرقی پس از ماه مه سال ۲۰۰۶ که به دلیل جاری شدن سیل گل و لای لاپیندو در سیدارجو متوقف شده بود، افزایش یکنواختی داشته است. سال گذشته، صادرات غیر نفتی وغیرگازی این استان با ۷/۲۳ درصد رشد نسبت به سال ۲۰۰۵ از قرار ۹/۲ میلیارد دلار آمریکا بود. این رشد آنچنان ادامه داشته است که به تنهایی در سه ماهه اول سال ۲۰۰۷ ارزش صادرات به ۴۲/۲ میلیارد دلار رسید.

امام اتومو گفت که تقویت همکاری بین همه گروههای مربوطه، شامل شرکتهای تجارتی، دولت و دیگران، برای توسعه بیشتر صادرات، هدف بسیار مهمی است.

127.1 For what reason does Trade Minister Mari Elka Pangestu believe exporters deserved to be named "heroes of development"?

a. For their active role in protecting human rights.

b. For their role in activating the national economy, and creating job opportunities.

c. For their lack of support of the government's programs to eradicate poverty.

d. For their generous donations to various organizations that fight human rights violations.

127.2 What is the best estimated target for growth of national export for 2007?

a. Eight percent.

b. Twenty-five percent.

c. Twenty percent.

d. Fourteen-and-one-half percent.

روز چهارشنبه، ستاره شناسان از کشف یک کرهٔ "زمین بزرگ" خبر دادند که بیش از بیست سال نوری با زمین فاصله دارد. این کره، شگفت انگیزترین کشف در تاریخ جستجو برای علائم زیست موجودات غیر زمینی است.

یک تیم از دانشمندان رصد خانهٔ اروپای جنوبی، اعلام کرد: این کره پنج برابر بزرگتر از زمین است و به دور مدار یک ستاره خنک و کم نوربه نام ستاره "قرمز کوچک" واقع در مجمع الکواکب لیبرا می چرخد. این ستاره که گلایس ۵۶۱ نامیده شده است، مرکز منظومهٔ خورشیدی است که شامل سیاره ای بزرگ و گازی شبیه نپتون است.

با اینکه فاصلهٔ این کره جدید تا گلایس ۵۸۱ چهارده مرتبه نزدیکتر از فاصله کره زمین با خورشید است، تشعشعات و نور خورشیدی باعث نابودی و سوختن آن نمی شود. زیرا گلایس ۵۸۱ بسیار از خورشید ما خنکتر است. با این فاصله کم از منشاء مدار، این کره در طی فقط ۱۳ روز زمینی تمام طول مدارش را طی می کند.

استفان اودری، محقق برجسته در دانشگاه ژنو سویس، اظهار داشت : ما تخمین می زنیم که درجه حرارت این زمین بزرگ بین ۰ و ۴۰ درجه سانتیگراد (۳۲ و ۱۰۴ درجه فارنهایت) است. بنابراین آب به صورت مایع وجود خواهد داشت. علاوه بر این، شعاع آن حدود ۵/۱ برابر زمین است و بنا بر برآوردهای کیفیتی گمان می رود که سطح این کره یا مثل زمین خاکی است و یا با آب پوشانده شده است. اکساویر دلفوس، عضو تیمی از دانشگاه گرنوبل فرانسه، در اظهارات خود بیان داشت: برای وجود حیات در حد کره زمین، وجود آب مایع نقش حیاتی دارد.

وی افزود: به دلیل حرارت و مجاورت نسبی آن با زمین، این کره هدف بسیار مهمی در ماموریت های فضایی آتی برای جستجوی حیات بیرون از زمین خواهد بود. کشف این کره آنقدر هیجان انگیز است که در "نقشهٔ گنج دنیا" محل آن باید با علامت X مشخص شود. در سال ۱۹۹۵، دو ستاره شناس در ژنو اولین سیارهٔ ماورای منظومهٔ خورشیدی ما را کشف کردند. برای داشتن عنوان "سیارهٔ ماورای منظومهٔ شمسی" یک سیاره می بایست دارای مدار به دور یک ستاره باشد. از آن زمان به بعد و بر اساس آنچه که در دایرهٔ المعارف سیارات ماورای منظومه شمسی آمده است. ۲۲۷ مورد از چنین سیاراتی کشف شده است.

گلایس ۵۸۱ یکی از ۱۰۰ ستاره نزدیک به منظومهٔ خورشیدی ما است. عنوان "قرمز کوچک" آن از این حقیقت ناشی می شود که یک سوم بزرگی خورشید ما را دارد. این ستاره ها به دلیل کوچکی شان، گرمای کمتری می پراکنند و امکان وجود سیاراتی که دارای هوای متعادل و آب مایع و در نتیجه محیط زیستی باشند. در منظومهٔ آنها بسیار بیشتر است.

تکاپو برای یافتن زیست مافوق زمینی باعث کشف تعداد معدودی سیاره شده است که قابلیت سکنی دارند. بیشتر سیارات کشف شده گازی و غیر قابل سکونتند. آنها یا در اثر تشعشعات ستاره ای جو خود را از دست داده اند یا آنقدر از ستاره دورند که کاملا یخ زده اند.

دو سال پیش، دانشمندانی در رصد خانه اروپای جنوبی سیاره ای به اندازه نپتون را در مدار گلایس ۵۸۱ کشف کردند. این سیاره نشانه ای بود بر اینکه شاید سیاره ای دیگر مانند زمین نیز در منظومه شمسی آن ستاره وجود داشته باشد. آنها نه تنها "زمین بزرگ" را در مدار گلایس ۵۸۱ کشف کردند، بلکه سیاره ای دیگر را نیز که هشت برابر اندازه زمین است و مدار خود را در طی ۸۴ روز دور می زند، یافتند. بنا به گفتهٔ رصد خانه اروپای جنوبی، این دو کشف از گلایس ۵۸۱ یک سیستم کاملا یگانه و منحصر به فردساخته اند."

گزارش کشف "زمین بزرگ" توسط ژورنال ستاره شناسی و فیزیک سیارات منتشر شده است.

این سیاره با کمک فن آوری و ابزارهای بسیار حساس در مجموعۀ رصد خانه اروپای جنوبی در سیلا و در شیلی کشف شد. این شیوه با اندازه گیری "سرعت شعاعی" ستاره ها و محاسبه اثرات آن در مدار گردش سیارات نزدیکش بر تشعشعات ستاره ای، در کشف سیارات بسیار مفید است. هر چند که در منظومه شمسی گلایس ۵۸۱ امکان وجود سیاره ای قابل سکونت وجود دارد،اما غیر ممکن است که بشر بتواند با استفاده از فن آوری کنونی به آنجا برسد و یا حتی یک سفینه آزمایشی بدون سرنشین به آن بفرستد. راکت های شیمیایی فقط با کسری از سرعت نور حرکت می کنند و برای دسترسی بشر به آنجا در زمان زمینی نامناسبند.

128.1 Why do astronomers believe that life may exist on this newly discovered planet?

a. Because the surface temperatures are between 0°C and 40°C, allowing for the existence of water.

b. Because signs of a previous civilization have been discovered on the planet's surface.

c. Because the satellites sent to the planet have brought back dirt from it.

d. Because sensors have detected an atmosphere with oxygen enveloping the planet.

128.2 Why doesn't Super Earth burn even though it is fourteen times closer to Gliese 581 than Earth is to the Sun?

a. Because Super Earth travels so fast that it completes its orbit around Gliese 581 in 13 days.

b. Because its atmosphere is much thicker and keeps out harmful rays from Gliese 581.

c. Because Gliese 581 is much cooler and smaller than our Sun.

d. Because Gliese 581 is much bigger and cooler than our Sun.

128.3 Under what condition can a planet be designated an "Extrasolar Planet"?

a. It must orbit a star.

b. It must have a detectable atmosphere.

c. It must have water in any form (frozen, liquid, vapor).

d. It must have at least one moon.

128.4 According to the article, why have most planets that have been discovered until now been deemed unable to support life?

a. They are either too small or too big to have the moderate climate necessary for maintaining life.

b. They are either so close to the star that they are scorched, or so far that they are frozen.

c. They lack an atmosphere.

d. They are too far from Earth to be sufficiently studied.

129

سخنگوی مجلس گرجستان روز پنجشنبه اعلام کرد که پارلمان این کشور طرحی برای بازگرداندن بقایای جسد الکساندر گریبویدوف سیاستمدار و نویسنده روسی قرن ۱۹، به روسیه ندارد.

نینو بورژانادزه در کنفرانس مطبوعاتی گفت: دلیلی برای انتقال قبر گریبویدوف از گرجستان به روسیه وجود ندارد. پارلمان گرجستان دراین باره بحثی نکرده است و این موضوع را مورد بررسی قرار نداده است.

بورژانادزه این اظهارات را پس از واکنش شدید مقامات رسمی در مسکو علیه پیشنهاد یک سیاستمدار گرجستانی که پیشنهاد کرده بود گریبویدوف باید در روسیه دفن شود به زبان آورد.

گریبویدوف، ویسنده نمایش معروف "هوش خردمند"، درسال ۱۸۲۹ در تفلیس، پایتخت گرجستان، دفن شد. او توسط توده مردم تهران و در زمانی که به عنوان وزیر مختار خدمت می کرد، کشته شد. وی در متاتس مینذا، مدفن یادبود نویسندگان و چهره های عمومی معروف، به خاک سپرده شد.

روز چهارشنبه یکی از اعضای پارلمان گرجستان، جیورجی بکریا که معاون رئیس کمیته قانونی پارلمان است، اظهار داشت که گریبویدوف به مدفن یادبود بزرگان گرجستان تعلق ندارد. او از نظر نژادی گرجی نبوده است و مشارکتی در توسعه ملت گرجستان نداشته است.

وی این اظهارات را در پی تصویب شدن قانونی که معیار جدیدی برای انتخاب افراد به عنوان "قهرمان ملی" ودفن آنها در متاتس میندا برای خدمتشان به گرجستان وضع کرده. بیان کرد.

بورژانادزه گفت که او از سرعت ارسال این "پیشنهاد تحریک کننده" توسط رسانه های مطبوعاتی متعجب است، و سعی کرد که ابعاد ناسیونالیستی این مسئله را کم اهمیت جلوه دهد.

وی گفت: نمایندگان تمامی گروههای نژادی در گرجستان از برابری یکسان بهره مندند. حقوق هیچ انسانی در گرجستان براساس منشاء نژادی او پایمال نمی شود.

بکریا روز چهارشنبه گفت: گریبویدوف یک شاعر نابغه و چهره ای سرشناس در تاریخ سیاسی کشور خود محسوب می شود. اما او یک گرجی نبود. من فکر نمی کنم او به یادبود متاتس میندای نویسندگان و چهره های سرشناس گرجستان در تفلیس تعلق داشته باشد.

روز پنجشنبه سخنگوی کمیته عمومی پارلمان روسیه، بوریس گرایزلوو، اعلام کرد که تحریکات ملی گرایانه و ناسیونالیستی بکریا نمی تواند انگیزه عمومی داشته باشد.

وی گفت: چنین انگاره های ناسیونالیستی فقط منش افراد بالا دست جامعه است. بازگشت به مسائل نژادی مردم نشانه منفی در میهن پرستی است.

سخنگوی مجلس عالیه روسیه، سرگی میرونو گفت: مبارزه با گذشتهٔ یک نفر، تاریخ او، و خاطرهٔ او کاری خطرناک و بیهوده است و جایی برای موفقیت ندارد.

میخائیل شویدکوی، رئیس آژانس فدرال روسیه در امور مطبوعات و رسانه های مطبوعاتی عمومی، هم این پیشنهاد بکریا را یک "جنون سیاسی" خواند.

او همچنین گفت از این که کشوری نخواهد آرامگاه خاکسترهای فرهنگ درخشان روسیه باشد، متعجب است.

129.1 Why did MP Giorgi Bokeria argue that Griboyedov did not belong in the pantheon of Georgia's greats?

a. Because Griboyedov was a Russian, and not an ethnic Georgian.
b. Because Bokeria does not view Griboyedov's work as important.
c. Because Griboyedov was murdered by a mob in Tehran, where he served as ambassador.
d. Because Bokeria publicly wanted to incite popular anger towards the Russians.

129.2 What is Mtatsminda?

a. Capital of Georgia.
b. Griboydov's hometown.
c. The cemetery of writers and public figures of Georgia in Tbilisi.
d. A city on the southern border of Russia.

130

وزیر امور تجارت داخلی و امور مصرف کنندگان در مالزی، داتوک موهد شافی آپدل، امروزگزارش های مربوط به کمبود روغن پخت و پز در شمال شبه جزیره را تکذیب کرد.

وی اظهار داشت: کشور مالزی تولید کننده روغن نارگیل است. بنابراین، کمبود روغن غذایی در این کشور موضوعی تقریبا غیر ممکن است. کمبود آن در بازار می تواند در اثر عللی چون قیمت یا هزینه های تولید باشد. اما به طور عمده به علت کمبود موجودی نیست.

وی روز چهارشنبه بعد از بررسی آمادگی نمایشگاه روز املاک ودارائیهای عقلانی در مرکز مجمع کوالالامپور به خبرنگاران گفت: با وجود این واقیت، من مطلع شده ام که اگر تولید کنندگان نتوانند بسته های یک کیلو گرمی تولید کنند، آنها جواز تولید بسته های ۲ کیلوگرمی را خواهند داشت.

او در پاسخ به سوالاتی راجع به این گزارش که اخیرا مشتریان در شمال کشور مشکلاتی در تامین روغن خوراک خود دارند، گفت که این مشکلات در اثر جنجال هایی در مورد قیمت روغن نارگیل خام در بازار جهانی است.

نخست وزیر. داتوک سری عبدالله احمد بدوی. در گشایش این نمایشگاه سه روزه که فردا شروع می شود حاضر خواهد بود.

130.1 According to Minister Datuk Mohd Shafie Apdal, is there really a shortage of cooking oil in Indonesia?

- **a.** Yes, because more and more oil is being devoted to other uses.
- **b.** No, because Indonesia is one of the world's largest producers of palm oil.
- **c.** Yes, because producers are causing artificial shortages so that they can drive up the prices.
- **d.** No, because the country has previously stock-piled oil in 2-kg packages.

130.2 According to Datuk Mohd Shafie Apdal, why were consumers in the north facing difficulties in obtaining oil?

- **a.** Because of conflicts in the market, leading to higher prices.
- **b.** Because producers did not have permits to package oil for consumers.
- **c.** Because there is not enough palm oil for use in both industry and cooking.
- **d.** Because recent climatic changes have severely damaged the country's oil-producing crops.

130.3 Who is Datuk Seri Abdullah Ahmad Badawi?

- **a.** An Indonesian reporter.
- **b.** The Minister of Domestic Trade and Consumer Affairs in Indonesia.
- **c.** The Indonesian Prime Minister.
- **d.** The Indonesian Minister of Education.

131

صدها نفر از راهب های بودائی و پیروان آنها امروز یک تظاهرات مسالمت آمیز در مقابل پارلمان تایلند برای شناخت دین بودیسم به عنوان مذهب ملی در قانون اساسی این کشور برگزار کردند.

انجام این تظاهرات یک روز قبل از این بود که کمیتهٔ طرح قانون اساسی، که توسط پراسونگ سونسیری رهبری می شود، اولین پیش نویس آن را به مجمع طراحی قانون اساسی (سی.دی.ای) و دیگر آژانس های قانونی ارائه دهد.

طراحی دوبارهٔ سند قانون اساسی توسط گروه نظامی سی.دی.ای. صورت گرفته است. این سند جدید جایگزین قانون اساسی می شود که در سال ۱۹۹۷

نوشته شده و سپس در سال ۲۰۰۶ پس از کودتایی که دولت نخست وزیر پیشین. تاکسین شیناوارتا را سرنگون کرد، ملغی شد. جنبش برای تعیین دین بودیسم به عنوان مذهب ملی تایلند، باعث نفاق در این قلمرو ۶۴ میلیونی شده است. طرفداران این عقیده می گویند که چون ۹۵ درصد جمعییت این کشور بودایی هستند، موعد انجام این عمل سالها است که به تعویق افتاده است. مخالفان می گویند که این تصمیم باعث خشم و جدایی بیشتر در بین مناطق شمالی و جنوبی که اکثریت آنان مسلمانند، خواهد شد.

شورای امنیت ملی که توسط رئیس ستاد ارتش. سونتی بونایارات گلین مسلمان رهبری می شود، اعلام کرده است که دولت نظامی با بودیسم به عنوان مذهب ملی کشور مخالفتی نخواهد کرد. اگر این پیشنهاد تصویب شود، قانون اساسی جدید موضوع یک همه پرسی در ماه سپتامبر و سپس انتخابات عمومی در ماه دسامبر خواهد بود. ژنرال تونگ چای کیاسکول، یک پیرو وحامی مذهب بودیسم، به خبرنگاران گفت که تظاهرات برای سنجش تمایل دولت برای نامیدن بودیسم به عنوان مذهب ملی برنامه ریزی شده بود.

او گفت که اگر درخواست آنها قبول نشود، آنها آماده هستند که حرکتهایی را توسط بیش از ۲۰۰ هزار راهب بودایی و مردم معمولی در سراسر کشور آغاز کنند. وی پیش بینی کرد: آن تظاهرات بسیار بزرگ خواهد بود و در آن ما قدرت مذهب بودیسم در کشور و میزان حمایت مردم برای تعیین بودیسم به عنوان مذهب ملی را به رخ خواهیم کشید.

131.1 For what purpose where hundreds of Buddhist monks gathered outside of the Thai Parliament?

a. To commemorate a Buddhist holy day.

b. To demand the recognition of Buddhism as the country's official faith in the Constitution.

c. To demand self-determination for Buddhists in the country.

d. To demand the protection of their minority rights in the country.

131.2 What do the opponents of the Buddhists' proposal say?

a. That since Buddhism is a minority religion in the country, it should not be nationally recognized.

b. That the country would be further divided, especially in the southern regions where the majority of the population is Muslims.

c. That such an action is way overdue since the majority of the population is Buddhist.

d. That Buddhists will turn to violence to achieve national recognition.

131.3 If the Buddhists' proposal is accepted_________________.

a. The new constitution will be subjected to a referendum in September before a general election is held in December.

b. More than 200,000 monks and ordinary people will be mobilized from throughout the country.

c. The Muslims in the country will be subjected to much violence.

d. The world will view Thailand as a theocracy.

132

رئیس هیئت اجرایی استان سلانگر در مالزی، داتوک چننگ انگ، امروز اعلام کرد که هیئت دولت مجوز ماهیگیران عمده فروش را که توسط مسئولان شیلات (ال.کی.آی.ام) صادر می شد لغو کرد.

او به روزنامه برنامه امروز گفت: وزیر صنایع کشاورزی. تان سری موهیدین با لغو این مجوز به دلیل

هزینهٔ بالای آن برای عمده فروشان موافقت کرده است.

چننگ که همچنین منشی انجمن مالزی و چین (ام.سی.ای.) در سلانگراست گفت که وزیر مسکن دولت محلی، داتوک سری اونگ کا تینگ، که رئیس ام.سی.ای است از او خواسته است که در باره دستور کار امروز کابینه به او اطلاع دهد.

بنا بر اظهارات چننگ، مسئله مجوز در ماه فوریه و بعد از اعلام عدم رضایت عمده فروشان برای در دست گرفتن ام.سی.ای ایجاد شد.

برای به دست آوردن این جواز، هر عمده فروش پیش از توزیع ماهی در بازار و مکان های دیگر باید فرمی را پر کند و هزینه های هنگفتی برای هر جواز ماهیگیری به اتحادیه ال.کی.آی.ام بپردازد.

132.1 According to Datuk Ch'ng Toh Eng, why has Minister Tan Sri Muhyiddin Yassin agreed to abolish the permit?

- **a.** Obtaining the permit was easy for wholesalers and fishermen.
- **b.** Obtaining the permit was not expensive for wholesalers and fishermen.
- **c.** Obtaining the permit was burdensome to wholesalers and fishermen.
- **d.** Wholesalers had not voiced dissatisfaction with the permit requirements.

133

معاون رئیس جمهور، داتوک سری نجیب تون رازک اظهار داشت که او دلیل دشمنی مدیر اجرایی سابق کمپانی گوتری برهارد، تان سری عبدالخالید ابراهیم، را با دولت باریسان ناسیونال می داند.

او گفت: عبدالخالید ابراهیم به دلیل عدم موفقیت در دستیابی به ۲۰ درصد از سهام شرکت کشت و زرع گوتری برهارد با حزب باریسان ناسیونال مخالفت داشت.

وی طی اظهاراتی در مراسم گشایش دفتر سلانگر منتری در شهر ایجک گفت: خالید سهم بیشتری می خواست و عصبانی بود. این یک تهمت به عبدالخالید ابراهیم نیست. زیرا ما در این مورد مدرک داریم. او می خواست تمام ثروت را برای خودش بردارد. نجیب گفت که از سال ۱۹۹۴ عبدالخالید ابراهیم مالکیت ۲۰ درصد از دارائیهای شخصی گوتری را داشته و در شروع ۶/۵ درصد سهام شرکت را درخواست کرده بود.

او گفت: به عنوان معاون نخست وزیر، اطلاعات زیادی از طریق منابع مختلف دریافت کردم که توجه مرا برانگیخت. برای خرید این میزان از سهام (۶/۵ درصد). او می بایست وامی به مبلغ ۱۷۵ میلیون رینگیت می گرفت.

نجیب گفت که بعد از گرفتن ۶/۵ درصد واحد سهم. خالید می خواست ۵/۱۳ درصد دیگر سهام را به دست آورد. واقعیت این است که او با مشکلاتی در دریافت وام (برای خرید بقیه سهام) روبرو شد. اوتقاضای زمانی بیشتر برای بازپرداخت کرد. ولی نتوانست به موقع آن را بپردازد. ما دوباره مهلت بازپرداخت را تمدید کردیم. ولی او نتوانست به خوبی و سرفرصت قرض خود را بپردازد و با دولت باریسان ناسیونال دچار اختلاف شد.

نجیب افزود: دشمنی خالید با دولت باریسان ناسیونال به خاطرمخالفت با سیاست آن نیست، بلکه به دلیل عدم موفقیت او در به دست آوردن ۲۰ درصد از سهام کشت و زرع گوتری برهارد است که باید برای کمک به فقرای این کشور به شکلی عادلانه از آن استفاده شود.

او با تشویق طرفدران باریسان ناسیونال اظهار داشت: سهام گوتری باید برای بهبود اقتصاد مالزی و کمک به مردم این کشور استفاده شود.

نجیب گفت که نقش معاون نخست وزیر سابق، داتوک سری انوار ابراهیم، که اکنون مشاور حزب مردمی مالزی است، در این رویداد جالب است.

انوار در مکاتبه ای با رئیس وقت کمپانی سرمایه گذاری پرملان ناسیونال برهاد، تون اسماعیل علی، تصویب وام خالید را تایید کرده بود. این حرکت انوار از نظر آقای نجیب خیانت به مردم مالزی بود.

هدف نجیب در فاش کردن فساد خالید در زمان ریاست کمپانی سرمایه گذاری پرملان ناسیونال برهاد. تضمین پیروزی پارتیبان از حزب باریسان ناسیونال رقیب خالید در انتخابات نزدیک بوده است.

133.1 According to Datuk Seri Najib Tun Razak, what was the reason for Tan Sri Abdul Khalid Ibrahim's animosity toward the Barisan National (BN) government?

a. Ibrahim did not agree with BN's policies and platform.
b. Ibrahim was unsuccessful in obtaining 20% of Berhard's stocks.
c. Ibrahim had been accused of insider trading by the BN.
d. The BN would only give Ibrahim 6.5% of Berhard's shares.

133.2 For what purpose does Datuk Seri Najib Tun Razak think the profit from Berhard should be used?

a. To fight poverty and improve the economy of Malaysia.
b. To enrich prominent individuals.
c. To expand the policies of the BN government.
d. To investigate the extent of corruption that Ibrahim was involved in.

133.3 According to Datuk Seri Najib Tun Razak, how did Tun Ismail Ali betray the Malaysian people?

a. By signing loans to Ibrahim that would allow him to take bigger shares of Berhard.
b. By withholding information about Ibrahim's plans.
c. By collaborating with Ibrahim to split the profits from Berhard.
d. By lying under oath about his role in helping Ibrahim to obtain 20% of Berhard's stocks.

134

روز چهارشنبه فرمانده ارتش و رئیس شورای امنیت ملی تایلند، ژنرال ها سونتی بونیاراتکالین، گفت: انفجارهای روز سه شنبه در انبار مهمات پایگاه نظامی در مرکز ایالت، احتمالا به علت گرمای بیش از حد یا نشت مواد فسفری سلاحها رخ داد.

ژنرال سونتی صبح روز چهارشنبه توضیحات خود را بعد از پرواز یک هلیکوپتر حامل متخصصان ارتش برای بازرسی صحنه انفجار و تحقیق برای تعیین علت اصلی آن اظهار داشت.

حدود ساعت ۸ شب سه شنبه، سلسله انفجارهایی در بزرگترین انبار مهمات ارتش تایلند. به مدت دو ساعت، به وقوع پیوست. این انبار در پایگاه نظامی خائو پرا نگام و نزدیک شهر لوپبوری، با فاصله حدود ۱۵۰ کیلومتری شمال بانکوک، قرار دارد.

در اثر این واقعه هیچ کسی آسیب ندید، اما بیش از هزار نفر و از جمله پرسنل ارتش مجبور به تخلیه منطقه شدند. خوشبختانه اکثر افرادی که خانه هایشان را ترک کردند توانستند روز بعد باز گردند.

ژنرال ها سونتی بونیاراتکالین گفت که انفجارها در اثر گرمای هوا که بیش از ۴۰ درجه سانتیگراد بود اتفاق افتاد. دلیل احتمالی دیگر می تواند نشت و سوختن فسفر سلاحی باشد که باعث انفجار مهمات دیگر هم می شود.

طبق برآوردهای اولیه، خسارت انفجار در حدود ۴۰۰ هزار بهت تایلند تخمین زده شده است.

در پی این انفجارها ژنرال سونتی گفت که ارتش معیارهای ایمنی را در انبارهای مهمات سراسر کشور

توسعه و بهبود خواهد بخشید تا از وقوع دوباره حوادث مشابه جلوگیری کند.

رئیس ستاد ارتش گفت که او نتایج تحقیقات در باره علت این انفجارها را برای دولت موقت تایلند ارسال خواهد کرد.

134.1 According to General Sonthi, what caused the explosions in the munitions depots on Tuesday?
- **a.** The lack of appropriate safety measures at the depots.
- **b.** A combination of the high temperatures and/or phosphorus leaks from the weapons.
- **c.** Rebel efforts to bring down the government.
- **d.** Exposure to the sun.

134.2 What has been the estimated damage as a result of the explosions?
- **a.** About 400,000 Thai bahts and many injuries and deaths.
- **b.** About 400,000 Thai bahts and no deaths and injuries.
- **c.** The damages have not yet been fully assessed.
- **d.** Permanent relocation of hundreds of families who lost their homes.

135

دبیر حزب گلکار مجمع همفکری مردمی (ام.پی.آر)، حجریانتو یو توهاری، روز چهارشنبه اعلام کرد که سنگاپور امضای یک معاهدهٔ استرداد مجرمین با اندونزی را ۳۳ سال به تعویق انداخته است. اما او گفت که تصمیم سنگاپور را برای امضای معاهده استرداد با اندونزی تحسین می کند. وی افزود: لازم به یادآوری است که هدف ما در امضا کردن معاهدهٔ استرداد حمایت از قانون و دستگیری مجرمینی است که به سنگاپور پناه برده اند. از نظر حجریانتو یو توهاری که عضو کمیسیون نمایندگان دولت (دی.پی.آر) است، امضای این معاهدهٔ استرداد که در بالی و در۲۷ ماه آوریل انجام شد، موفقیت ویژه ای برای رئیس جمهور، سوسیلو بامبنگ یودهویونو است. کمیسیون نمایندگان دولت علاوه بر دیگر مسائل، رسیدگی به امور خارجی و دفاعی را هم بر عهده دارد.

توهاری گفت: ما صبورانه. مدت ۳۳ سال (از سال ۱۹۷۴) منتظر آمادگی سنگاپور برای امضای معاهده استرداد مجرمین بوده ایم. او افزود که در طی ۳۳ سال گذشته، سنگاپور که کشوری ثروتمند است. در بسیاری از موارد خود رای بوده است. بنا بر گزارشات، روز سه شنبه، اندونزی و سنگاپور با امضای معاهده استرداد مجرمین و همکاری در آینده نزدیک موافقت کرده اند. این توافق بعد از گفتگوهای طولانی مدت و طاقت فرسای دوطرف به دست آمد.

135.1 What is the purpose of the agreement between Singapore and Indonesia?
- **a.** The repatriation of criminals to their country of origin to face justice.
- **b.** To allow each country to provide sanctuary to the other country's criminals.
- **c.** To imprison criminals for no less than 33 years.
- **d.** To increase cooperation between the two countries' police and bounty hunters.

135.2 How does Thohari describe Singapore's relations with Indonesia?
- **a.** Singapore is a poor country that mistreats its neighbors.
- **b.** Singapore is a wealthy nation that looks after its own interests only and not those of other countries.
- **c.** Singapore purposely evades cooperation with its neighbors.
- **d.** Singapore is a vast nation with huge concerns for foreign policy.

136

دخترهای دوقلوی سه ماهه ای که از ناحیه سینه و شکم به هم چسبیده بودند، مورد عمل جراحی جداسازی قرار گرفتند و پس از بهبودی از بیمارستانی در شانگهای مرخص شدند.

پزشکان جراح بیمارستان کودکان دانشکاه فودان اعلام کردند که خواهرها در وضعیتی بسیار رضایت بخش به سر می برند و قادر خواهند بود مانند همسالان خود به زندگی و رشد ادامه دهند.

ژنگ شان، معاون بیمارستان کودکان گفت: در واقع، نتیجه جراحی از آنچه انتظار می رفت موفقیت آمیزتر بود. بچه ها اشتهای خوبی دارند واز ماه مارس ۱/۳ کیلوگرم افزایش وزن داشته اند.

خانواده این دخترهای دوقلو که اهل شهر یون چنگ ایالت شرقی شاندونگ هستند، دخترها را روز سه شنبه به خانه خود باز گرداندند.

مادر این دوقلوها گفت: من خوشبخت ترین و شادترین مادر دنیا هستم! من تقریبا آنها را از دست داده بودم، اما اکنون آنها برگشته اند و مهمتر این است که سالم هستند.

مادر دوقلوها افزود: دخترها لیو شنژین و لیو شنژیا نامیده شده اند. چرا که "شن" نامی دیگر برای شانگهای است و ما می خواهیم آنها همیشه به یاد داشته باشند که دکترها در شانگهای به آنها شانس زندگی دوباره را دادند. این خواهرها در ۳۰ ژانویه متولد شدند. آنها در ۵ ماه مارس به بیمارستان شانگهای آورده شدند و پزشکان دریافتند که از ناحیه سینه وشکم به هم چسبیده اند و کبد مشترک دارند.

پزشکان پس از حصول اطمینان از قدرت کامل بدنی کودکان و انجام معاینات بسیار دقیق پزشکی اقدام به انجام عمل جداسازی کردند.

مادر دوقلوها گفت که خانواده فقیرتر از آن بود که بتواند هزینه عمل جراحی را بپردازد، اما آنها با دریافت کمک های خیرخواهانه کافی قادر به پرداخت هزینه عمل شدند.

متخصصان تخمین می زنند که فراوانی دوقلوهای به هم پیوسته. یک مورد در هر ۵۰ تا ۱۰۰ هزار زایمان است.

بیمارستان های شانگهای جراحی های جداسازی نه جفت از دوقلوهای به هم چسبیده را در پنج سال گذشته انجام داده اند که هشت جفت آنها زنده مانده اند. پنج مورد از این عمل های جراحی در بیمارستان کودکان دانشگاه فودان انجام شده است.

136.1 According to the doctor, how successful was the surgery?
- **a.** Worse than expected; since March the girls have been losing their appetite and weight.
- **b.** As expected; the girls are slowly recovering.
- **c.** As expected; the girls' appetite has been improving and they have gained weight since March.
- **d.** Better than expected; the girls' appetite has been improving and they have gained weight since March.

136.2 What is the significance of the girls' names?
- **a.** They both have "Shen" in their name to remind them that the doctors in Shanghai saved their lives.
- **b.** They both have "Shen" in their name because they are twins and their mother wanted them to have similar names.
- **c.** They both have "Shen" in their name because it signifies the town in which they were born.
- **d.** They both have "Shen" in their name because the doctors in Shanghai renamed them.

136.3 In what areas were the sisters conjoined at?
- **a.** Abdomen and chest.
- **b.** Belly and chest.
- **c.** Side and chest.
- **d.** Pelvis and chest.

137

نتایج یک بررسی که روز چهارشنبه هم زمان با روز جهانی مالکیت معنوی انجام گرفت، نشان داد که از هر ده جوان سنگاپوری هشت نفر از تصویب قانونی برای محافظت ازحقوق افراد در اختراعات و اندیشه ها حمایت می کنند. این بررسی الکترونیکی اولین مورد از چنین تحقیقی است که توسط اداره مالکیت های معنوی سنگاپور (آی.پی.او.اس) و با مشارکت ۶۳۰ سنگاپوری ۱۴ تا ۳۵ ساله انجام شد. ۸۲ درصد پاسخ دهندگان این بررسی بر این باورند که مردم حق محافظت از اختراعات و اندیشه های خود را دارند. در حالی که ۴۲ درصد اظهار داشتند سرقت و جعل هنری و ادبی قابل پذیرش است، اگر قیمت خرید آثار آنها بیش از قدرت خرید مردم باشد.

فقط ۲۲ درصد از پاسخ دهندگان با تضییع حقوق معنوی مشکل داشتند و ۲۸ درصد به مجرمیت، دزدی و جعل هنری و ادبی در اینترنت فکر می کنند.

طبق تحقیقی که قبل از بررسی آنلاین صورت گرفته بود، مشخص شد جوانان عموما موسیقی، سریال های تلویزیونی، فیلم ها و بازیها را به صورت آنلاین دریافت می کنند. به علاوه، بیش از نصف پاسخ دهندگان گفتند که استفاده از اینترنت بایدرایگان باشد و باور دارند که مطالب آن برای استفاده عموم است.

برای افزایش درک جوانان از اهمیت محافظت از مالکیت معنوی، آی.پی.او.اس. یک برنامه تبلیغاتی یکساله را طرح ریزی کرده است که از روز جهانی مالکیت معنوی درچهار شنبه آغاز می شود و هدفش تغییر دیدگاه و رفتاراخلاقی جوانان است. مدیر کل آی.پی.او.اس لیوو وون یین گفت: با افزایش استفاده از اینترنت و عمومی شدن آن میان جوانان نیاز به هدایت برداشت های جوانان سنگاپوری از اینترنت و اطلاعات موجود احساس می شود.

وی اذعان داشت که آگهی های امسال طوری طراحی شده است که برای جوانان قابل درک باشد وفهم جوانان را از تاثیر جعل اینترنتی در زندگی شان گسترش دهد.

137.1 What is this article about?
- **a.** How youth in Singapore feel about Internet providers and the use of the Internet.
- **b.** How youth in Singapore have developed ways to protect their intellectual property.
- **c.** How youth in Singapore feel about intellectual property rights and the use of the Internet.
- **d.** How youth in Singapore feel about their limited use of the Internet.

137.2 What do the results of the study reveal?
- **a.** Most Singaporean youth feel that intellectual property rights are bad.
- **b.** Most Singaporean youth feel that intellectual property rights are insufficient.
- **c.** Most Singaporean youth do not view downloading movies and music as illegal.
- **d.** Most Singaporean youth do not really understand intellectual property rights.

137.3 What is the justification that Singaporean youth give in using the Internet to download material?

a. That the Internet is public domain and any material posted through it is public property.

b. That they can afford most of the material they download from the Internet.

c. That the sole purpose of the Internet is for downloading material legally.

d. That the Internet is private domain that they can use as they please.

137.4 What is one interesting disparity between the way the Singaporean youth view intellectual property rights and piracy of arts and entertainment material?

a. While 82% agree that piracy is wrong, 42% agree that intellectual property rights are bad.

b. While 82% agree that intellectual property rights are necessary, 42% have no problem with piracy.

c. While 82% agree that piracy is okay, only 22% think about the consequences of piracy.

d. While 82% think about the consequences of piracy, only 42% commit piracy.

138

وِنگ مینژانگ، معاون حزب کمیته آموزش کار شهری پکن، طی بیاناتی در جلسه رفتار اخلاقی جوانان امروز در پکن گفت: بعضی افراد، از جوانان که متولد دههٔ ۱۹۸۰ هستند به عنوان نسلی بی فایده، انتقاد می کنند. اما من با این افراد موافق نیستم.

وی افزود: آنها فکر می کنند که این نسل فقط از هنرپیشه ها و خواننده های مشهور مانند اندی لائو و جی چو الگو برمی دارد. اما بنا بر نتایج یک بررسی این تفکر غلط است؛ بسیاری از دانشجویان دانشگاه ملی که متولد دهه ۱۹۸۰ هستند، از نخست وزیر فقید ژو انلای به عنوان شخصی برجسته تمجید و ستایش می کنند، و ۶۰ در صد از همین دانشجویان 'خدمت به عموم' را مهمترین مسئولیت یک فرد به شمار می آورند. در این جلسه که مشترکا توسط کمیته آموزش کاری حزب مدنی پکن و مطبوعات آموزشی پکن برگزار شده بود، ونگ با لحنی مطمئن دانشجویان امروز را "نسلی فعال و نیرومند" خواند. نتایج گزارشی به نام "تحقیق از اصول اخلاقی و اجتماعی دانشجویان پکن"، که همان روز منتشر شد، اظهارات وانگ را تایید می کند. زیرا ۷۰ درصد از پاسخ دهندگان در این بررسی اظهار می کنند که آمال و آرزوهایشان نه تنها عمیقا وابسته به میهن شان است بلکه به وضوح می دانند که چگونه از این وطن پرستی برای بهبود ضع کشورشان استفاده کنند. ۱/۸۲ درصد بر این باورند که بهترین نشان میهن دوستی فرد، تفکر و تلاش او برای به سازی آینده ملت است. سانگ داوو، معاون حزب در دانشکده آمار دانشگاه رنمین، گفت: تحقیقات پیشین ثابت می کند که هرگاه که شان ملت زیر سوال برده شده است، دانشجویان ایمان خود را به قدرت ملتشان از دست نداده اند.

138.1 How does Wang Minzhong view today's youth that were born in the 1980s?

a. Useless automatons that choose pop stars as their role models.

b. Active members of the society who choose pop stars as their role models.

c. Active members of the society who contribute to their communities.

d. As mindless followers of mass media.

138.2 What evidence does Minzhong use to support his view?

a. In a recent survey, many college students named Zhou Enlai as their role model.

b. In a recent survey, many college students names Andy Lao and Jay Chow as their role models.

c. In a recent survey, 60% of college students said “public service” is of little importance.

d. According to a recent survey, many college students are no longer nationalistic.

138.3 According to Song Dawo, many college students do not lose faith in their nation __________.

a. When their nation is experiencing growth.

b. Even when their national dignity is being questioned.

c. Only when their national dignity is being questioned.

d. At times when their nation is experiencing difficult times.

139

یک زوج آمریکایی که بیشتر از دو سال است در مناطق روستایی شمال استان هبی در چین تدریس می کنند کنجکاوی بومیان را برانگیخته اند. اهالی محل عادت به دیدن سکونت طولانی مدتِ خارجی ها در محلشان ندارند.

مرد آمریکایی که جان نام دارد، در حال حاضر معلم انگلیسیِ مدرسه ابتدایی ژانگتو در منطقه تنگژیان در هبی است. او معلمی صبور و محبوب است که تدریس را واقعا دوست دارد.

بنا بر گزارش اخبارعصرانه ژانگتو، مویِ بور و چشمانِ آبی او سبب شهرتش در منطقه شده است.

جان که اکنون ۳۷ ساله است تدریس را ۱۸ سال پیش در کالیفرنیا آغاز کرد. او با همسرش بلیندا در سپتامبر ۲۰۰۴ برای تدریس انگلیسی در یک مدرسه در پایتخت هبی به چین مهاجرت کردند. اما آنها می خواستند که از شلوغی شهر دور شوند و به این علت به منطقه ژانگتو نقل مکان کردند. آنها همچنین می خواستند که به مردم بیشتری. بخصوص کودکان کمک کنند.

آنها دهکده کوچک ژانگتو را به طور اتفاقی در اوایل سال ۲۰۰۵ یافتند. زندگی ساده مردمان این روستا جان و بلیندا را آنچنان تحت تاثیر قرار داد که تصمیم گرفتند به این دهکده نقل مکان کنند.

جان گفت: ما اولین افراد خارجی بودیم که مردم دهکده تا آن زمان دیده بودند. ورود ما باعث کنجکاوی در منطقه شد. بچه ها دور ما دایره زدند. آنها می رقصیدند و آواز می خواندند، اما وقتی من به آنها سلام کردم وخواستم دستشان را در دستم بگیرم، فرار کردند.

دوست چینی جان به او توضیح می دهد که بچه های روستایی در این کشور بسیار خجالتی هستند و نمی دانند چگونه با افراد غریبه ارتباط برقرار کنند. جان گفت که او و همسرش با نگاه پاک بچه ها و صورتهای بی آلایش و بیگناه آنان فریفته شدند و تصمیم گرفتند برای کمک به شناخت و درک این کودکان از دنیای خارج از دهکده شان در این روستا اقامت کنند.

بعد از آن سفر، این زوج هر دوشنبه برای تدریس رایگان انگلیسی در مدرسه ابتدایی به این روستا آمدند. آنها با قطار، صبح زود و قبل از ساعت ۸ به آنجا می رفتند و در حدود نیمه شب به خانه خود در شیجیاژوآنگ برمی گشتند. هر یک از این سفرهای رفت و برگشت سه ساعت طول می کشید، اما زمانی که با بچه ها سر می کردند ارزش بیشتری برای آنها داشت.

جان گفت: در آغاز، کلمات "بلی" و "خیر" معمول ترین لغاتی بود که در کلاس من استفاده می شد، اما کم کم دانش آموزان توانستند معانی کلمات و جملات ساده را بفهمند.

بلیندا کتابخانه ای کوچک در مدرسه ایجاد کرد که نمودارها و کتاب های معدودی برای کمک به آموزش کودکان در آن قرار داشت.

جان به هر دانش آموز، نامی انگلیسی داده است و آنها را تشویق به مکاتبه با کودکان دیگر کشورها از طریق پست می کند.

جان در سال ۲۰۰۴ نقش مهمی در بنیان گذاری یک سازمان غیر انتفاعی برای کمک به تحصیل کودکان در مناطق فقیر نشین آمریکا داشت. این سازمان با کمک حدودا ۱۰۰ داوطلب، شعبه هایی در چین و ویتنام ایجاد کرده است.

جان گفت: در حال حاضر تلاش من برای کمک به بچه های چینی محدود است، اما امیدوارم بتوانم کمک بیشتری برای این بچه ها در آینده باشم.

139.1 What is different about the stay of this American couple in Hebei from other foreigners?

- **a.** They are staying longer than any other foreigner.
- **b.** The wife has set up a small library at the school.
- **c.** The husband has given the children in his class Anglicized names.
- **d.** They travel 3 hours by train to teach at the village.

139.2 What made the couple move to the village?

- **a.** They didn't want to live in California anymore.
- **b.** They wanted to help Chinese children in villages.
- **c.** Their friends took them to the city where they realized they did not like city life.
- **d.** They enjoy the celebrity they have gained as a result of their blonde hair.

139.3 What foundation did John help found in 2004?

- **a.** A foundation that aims to help poor children in poverty-stricken areas in Canada.
- **b.** A foundation that aims to help poor children in poverty-stricken areas in America.
- **c.** A foundation that aims to help poor children in poverty-stricken areas globally.
- **d.** A foundation that aims to teach English to poor Asian children.

140

به گزارش آنتارا نیوز در نیویورک، کارگردان فیلم جدیدی که شرح تلاش دو بیوه آمریکایی برای کمک به بیوه های جنگ افغنستان است. گفت که این فیلم. فیلم ۱۱ سپتامبر نیست و هدف او جلوگیری از غفلت عمومی از سرنوشت مردم افغانستان است.

فیلم "باورنکردنی" که در فستیوال ترابیکا در نیویورک و روز پنجشنبه برای اولین بار به نمایش در آمد داستان زندگی دو بیوه بستونی است که در زمان بارداری، همسرانشان را در روز ۱۱ سپتامبر ۲۰۰۱ از دست دادند. این دو زن، سوزان رتیک و پتی کوئیگلی، برای جمع آوری کمک به بیوه های جنگ افغانستان، فاصلۀ بستون تا نیویورک را با دوچرخه طی کردند. آنها سال گذشته برای سرکشی به بعضی از پروژه هایی که در افغانستان بنیان گذاری کرده بودند، به کابل سفر کردند. یکی از این پروژه ها با هدف کمک به استقلال زنان افغانی، وسایل جوجه کشی را در دسترس آنها گذاشته است. این فیلم شرح زندگی این دو زن است. آن هم از زمانی که با غصۀ شدید در اثر مرگ شوهرانشان روبرو بودند تا زمانی که قبول کردند آنها در مقایسه با بیش ازپانصد هزار زن افغان که در اثر دو دهه جنگ شوهرانشان را از دست داده اند. خوش شانس به حساب می آیند. چرا که بیوه های افغانی هیچ راهی برای کمک و حمایت از بچه هایشان ندارند.

کارگردان فیلم، بث مورفی در مصاحبه ای با رویتر گفت: من بارها شنیده ام که بازار فیلم با فیلمهای راجع به ۱۱ سپتامبر اشباع شده است. اما این فیلم با اینکه از پس از رویدادهای روز ۱۱ سپتامبر شروع می شود، اما راجع به ۱۱ سپتامبر نیست. داستان اصلی این فیلم مبارزهٔ دو زن با یک تراژدی بسیار بزرگ است که در اثر آن چشمانشان به حقیقتی تلخ در دنیا باز شده است.

در میان افرادی که این دو زن در کابل ملاقات می کنند یک زن سالخورده است که هر هفت پسر او کشته شده اند و زنی دیگر که سه فرزندش را از دست داده است. این زن می گوید: من زندگی بسیار سختی داشته ام. بچه های من از گرسنگی مردند. آنها گرسنه به خاک رفتند. بعد از نمایش فیلم. مورفی گفت که او امیدوار است این داستان، از غفلت عمومی آمریکا نسبت به در گیری های افغانستان جلوگیری کند.

ارتش آمریکا در واکنش به رویدادهای روز ۱۱ سپتامبر ۲۰۰۱ افغانستان را اشغال کرد و دولت طالبان را به دلیل کمک و همکاری با اسامه بن لادن سرنگون ساخت. اما این جنجال تنها دلیل فقر و بیچارگی در افغانستان نیست. این کشور از سال ۱۹۸۹ و پس از خروج دولت شوروی سابق تا به حال، میدان درگیری و کشمکش گروه های رقیب بوده است. مورفی افزود: پس از ۱۱ سپتامبر نفس کمک رسانی آمریکا به دیگران تقریبا از یاد رفت. نفرت و ترس از افراد بیگانه در آمریکا ریشه یافت. این طرز تفکر مردود است و باید ریشه کن شود. بسیاری افراد از کمک سازمان رتیک و کوئیگلی که "پس از یازدهم" نام دارد. به زنان افغانی حمایت می کنند، اما بعضی تردید دارند که چرا این سازمان کمک به افراد آمریکایی را در نظر ندارند. مورفی گفت: من ایمیل های نفرت آلود بسیاری که می گویند "افغانستان را بمباران کنیم" دریافت کرده ام. این تنفر برای من باورنکردنی است.

140.1 According to the director, what is the purpose of this film?

- **a.** To prevent public amnesia about the events of September 11th.
- **b.** To prevent loss of public interest in the plight of Afghans as a result of the war.
- **c.** To show how two brave women overcame their grief.
- **d.** To chronicle the efforts of two women to help those who lost their spouse on Sept. 11th.

140.2 How did one Afghan woman lose three of her children?

- **a.** They died of hunger.
- **b.** They died during the war.
- **c.** American soldiers killed her sons.
- **d.** They died of disease.

140.3 What is one criticism that the two American face?

- **a.** That they chose to help Americans instead of Afghans.
- **b.** That they chose to help Afghan war widows instead of American war widows.
- **c.** That they may be cooperating with Al-Qaeda since they are helping Afghans.
- **d.** That they are not patriotic.

140.4 What is the justification that the two American women gave for helping Afghan war widows?

- **a.** That Afghan women don't have enough education to feed their families.
- **b.** That Afghan women don't know how to raise chickens.
- **c.** That Afghan women have far fewer options for taking care of themselves than their American counterparts.
- **d.** That Afghan women are uneducated and unintelligent and need outside help.

141

رئیس جمهور اندونزی. سوسیلو بامبنگ یودهویونو گفت که تحریم های اعمال شده از طرف سازمان ملل متحد علیه ایران به علت برنامه هسته ای آن کشور. هدف اصلی این سازمان نبود و راهی برای آماده سازی ایران برای شروع مذاکرات بود.

روز جمعه و طی اظهاراتی در روز عید میلاد حضرت محمد (ص)، بامبنگ یودهویونو گفت: تحریم ها هدف اصلی نیست. تحریم ها باید به طور طبیعی این کشور را متقاعد کند که موقعیت خود را از طریق مذاکرات تغییر دهد.

بنا به اظهارات رئیس جمهور، فعالیت برای رفع بحران هسته ای ایران هنوز در جریان است و دولت اندونزی به دعوت همهٔ طرفها برای ابراز نظر ملایم و خویشتندارانه و اولویت دادن به گفتگوها و مذاکرات ادامه خواهد داد.

او تصریح کرد که دولت اندونزی طرفدار دعوت مسالمت آمیز برای حل مسئلهٔ هسته ای ایران از طریق دیپلماسی و مذاکره، باقی خواهد ماند. او افزود: اندونزی از حرکت هیچ ارتشی علیه ایران حمایت نخواهد کرد.

او گفت: اندونزی از گسترش تکنولوژی هسته ای برای استفاده صلح آمیز حمایت می کند و همه کشورها و از جمله ایران حق استفاده از این تکنولوژی را دارند.

بامبنگ یودهویونو گفت که اگر قصد استفاده از تکنولوژی هسته ای در هر کشوری مبهم است، باید به آژانس بین المللی انرژی اتمی (آی.ای.بی.ای) واگذار شود که استانداردهای بالقوه برای بررسی و ارزیابی استفاده از این تکنولوژی را در اختیار دارد. اگرچه وضعیت برنامهٔ هسته ای ایران روز به روز پیچیده تر می شود و تا به حال دو راه حل از طریق شورای امنیت سازمان ملل متحد برای برنامهٔ هسته ای ایران اعمال شده است، اما اندونزی به تلاش خود برای دستیابی به راه حل مسالمت آمیزی برای حل این مسئله ادامه خواهد داد. اندونزی از تمام کشورها، بخصوص کشورهای خاور میانه خواست که برای حل اختلاف و برخورد در مورد سلاح جدید درمنطقهٔ خاورمیانه تلاش کنند. بامبنگ یودهویونو گفت: ما می خواهیم که از جنگ در آسیا، خاور میانه و دنیا، بخصوص با سلاح های اتمی، پیشگیری کنیم.

رئیس جمهور اندونزی امیدوار است که مردم و جامعه مسلمینِ اندونزی روش دولت را دربارهٔ موافقت با راه حل های ایالات متحده راجع به ایران. درک کنند.

روز جمعه رئیس دولت توضیح داد که نقش اندونزی در ایجاد صلح در جامعه بین المللی، مانند نقشی است که در لبنان، فلسطین و عراق داشت.

141.1 According to the Indonesian president, what was the main aim of the sanctions imposed by the U.N. against Iran?

a. To force Iran to stop its nuclear program.
b. To force Iran to participate in peaceful talks and negotiations.
c. To cause economic ruin for Iran and force it to seek U.N. aid.
d. To identify Iran as a global threat.

141.2 What does the Indonesian president think of any country's nuclear development program?

a. That it is okay as long as it is intended for peaceful and energy uses.
b. That it should not be allowed for any country.
c. That it makes peaceful negotiations much harder.
d. That if the purposes for its development are unclear, it should be immediately stopped.

142

مقامات هندی روز شنبه اعلام کردند که دولت هند ستاره مشهور بالیوود، آیشوارا رای، را برای توضیح

"صحنه بوسهٔ نامناسب" احضار کرده است. این مسئله چندی پیش برای هنرپیشه هالیوود. ریچارد گیر نیز پیش آمد.

رای که هفته گذشته به یکی از معروفترین خانواده های صنعت فیلم هند پیوست، به دادگاه احضار شده است که توضیح بدهد چرا اجازه داد هنرپیشه مردی گونه اش را در یک صحنه به آرامی ببوسد. هنرپیشه اصلی دیگر فیلم "دوم دو" هریثیک روشان و صاحبان سینمایی که این فیلم را به اکران گذاشتند نیز روزسی ام ماه مه به مظفرپور در ایالت شرقی بیهار احضار شدند.

به گفتهٔ یکی از مقامات عالی رتبه دادگاه، دولت هند به دولت بیار برای به نمایش درآوردن این فیلم بدون توجه به صحنه های وقیح آن اخطار داده است. او گفت که قاضی این اخطاریه را پس از دادخواست یک وکیل که اعلام کرد این فیلم "نجابت مردمی" را به خطر می اندازد صادر کرد. مقامات دولتی در پایتخت ایالتی پاتانا اعلام کردند که رای، به این حکمِ دادگاه پاسخی نداده است.

رای ۳۳ ساله که به عنوان ملکه زیبایی دنیا در سال ۱۹۹۴ انتخاب شد، هفته گذشته با هنرپیشه محبوب هندی آبهیشک باچان ازدواج کرد.

این احکام، چندی بعد از اینکه دادگاه حوزهٔ ایالتِ دیگری، حکم دستگیری گیر و هنرپیشه هندی شیلپا شتی را صادر کرد. تصویب شد. گیر این ماه در یک برنامهٔ آگاهی از بیماریهای ایدز و اچ.آی.وی در دهلی. شتی را با علاقه و در جمع بوسید. این ماجرا باعث تحریک احساسات عمومی در هند علیه گیر و شتی شد. چرا که برعکس فیلمهای عشقی بالیوود مردمان این کشور بسیار نجیب و پاک دامن هستند. هندوهای رادیکال تصاویر و عکس های گیر ۵۷ ساله را در تظاهراتی در مرکز سرگرمیها و تفریحات مومبی با غضب سوزاندند و در چندین شهر راهپیمایی به راه انداختند. شتی ۳۷ ساله که برنده امسال برنامه تلویزیونی انگلیسی "برادر بزرگ" است از مردم هند عذر خواهی کرد و از آنها خواست که خشمشان را فرونشانند. گیر همچنین برای هرگونه اهانتی که بدون عمد به آنها کرده بود از صمیم قلب از مردم هند معذرت خواهی کرد. او طی اظهاراتی گفت: مهمترین نکته برای من آگاهی مردم از بیماریهای ایدز و اچ.آی.وی است و از دوستان هندی ام می خواهم که درک کنند، اهانت به شما و مردم هند هیچ وقت هدف من نبوده است. اگر من بدون آگاهی به نجابت شما لطمه ای وارد کرده ام، از صمیم دل معذرت می خواهم.

در هر دو مورد، این اشخاصِ معروف، به علت "اعمال شهوت انگیز و وقیح" محکوم شده اند و مجازاتشان سه ماه زندان یا جریمه و یا هردو است. نوازش و ابراز محبت در جمع در هندوستان بر طبق قانون اعمال زشت و وقیح که در زمان استعمار توسط انگلیس تصویب شده بود ممنوع است.

142.1 What is Aishwara Ray accused of?

- **a.** Public indecency in the form of a movie scene with “obscene kissing.”
- **b.** Deeply kissing Richard Gere at an HIV/AIDS awareness benefit.
- **c.** Kissing her husband on the screen.
- **d.** Using obscenities in a new film.

142.2 Under what law have both Richard Gere and Aishwara Ray been convicted of this crime?

- **a.** The Public Indecency Act of 1873.
- **b.** The Public Obscenity Act of 1783.
- **c.** The Obscene and Offensive Act put into effect during the time of India’s colonization.
- **d.** The International Public Indecency Act.

142.3 According to the article, why did public kissing scenes cause a stir in India?

a. Because Indian nation prides itself on its dignity and shame.
b. Because the Sikhs view sex as only meant for the gods.
c. Because the Sikhs have begun burning effigies in the entertainment district.
d. Because the Sikhs have begun causing public disturbances in protest.

143

در مقالاتی که توسط ایکسینهائونت با عنوان "هارمونی از طریق طنین تکثیر می شود" و در ۱۰ آوریل سال ۲۰۰۷ منتشر شد، من فرضیه ای بنیاد نهادم که بر اساس ان انعکاس صدا روش برگزیده طبیعت برای گسترش و تکثیر است.

واقعیت این است که در طی میلیاردها سال تکامل تدریجی بشر که هوشمند ترین موجود زمینی است حواس پنجگانه ما به طرز فوق العاده ای تکامل یافته و کل بدن ما یک سیستم به هم پیوسته از حس گرهای داخلی شده است. حس گرهای مشهود ما از چشم، گوش، بینی، پوست و نوک انگشتان گرفته تا بخش مخفی مغز و قلب به هم متصل شده اند و ما را به صورت معجزه ای بی همتا در دنیا درآورده اند. همه این حس گرها با موج های انرژی مخصوص و عملکرد پژواک کار می کنند. بزرگترین معجزه، پژواک های قلب ماست که باعث عشق هستند و انعکاس های مغز ماست که می توانند افکار عالی و والا را ایجاد کنند. این مسئله دور از انتظار نیست که قلب و مغز ما درحال توسعه مداوم هستند و حالت ومفهوم گسترده ای ازعلاقه ودوست داشتن و قابلیت بیشتری برای تله پاتی را از طریق انعکاس احساسی بیشتر ایجاد می کنند.

ما با موج هایی که بر حس گرهای آشکار ما تأثیر می گذارند عکس العمل نشان می دهیم. اما از پیغام های ناخود آگاه و از موجهای جهانی که بر ما و جهان ما اثر می کنند بی اطلاع هستیم. اینها موجهای متناوب جهانی هستند که بر مجموعهٔ جهان علمی و توسعه فرهنگی ما اثر می کنند. ما منعکس کننده این پیام ها هستیم و انعکاس تمایل خود را برای موجهای بزرگ فراهم می کنیم. بشر به سادگی، یکی از واسطه های فیزیکی ارسال عقاید به صورت هوشمندانه در سراسر جهان است. به طور اعجاز آمیزی بعضی از فرهنگ جهانی ما مانند مذهب، فلسفه و عقاید ارسال می شود. همچنین مقدار زیادی دریافت و ارسال فرهنگی صورت می گیرد که معمولا غیر آگاهانه است

تقریبا ۲۵۰۰ سال قبل دنیا با طنین مذهب و فلسفه دموکراسی و هارمونی در قاره های مختلف می لرزید. در خاورمیانه و جنوب شرقی آسیا بنیان گذاران مذاهب معروفی مانند موسی و ساکیومونی، روش ها و شیوه های خود را تدریس کردند. در اروپا فیلسوفان معروفی مانند سقراط، افلاطون، اقلیدس، ارسطو، ارشمیدس، وفیثاغورث علوم مدرن و دموکراسی را بنا نهادند. در چین باستان لائوتزه و کنفسیوس به همراه مریدهایشان به عنوان معلمین، اصول و شیوه هایشان را به طیف وسیعی از اجتماع تعلیم و فلسفه خود را گسترش می دادند. آن زمان دورهٔ پیروزی و افتخار برای میراث نوآوری مجموعهٔ فرهنگی جهان بود و زمینه را برای تدوین فرهنگ جهانی ما آماده کرد.

حدودا چهارصد سال قبل، درطی و بعد از دوره رنسانس اروپایی، موج دیگری از خلاقیت تمام اروپا و امریکا را در نوردید و باعث پیدایش فیلسوفان مشهور غربی و متفکران سیاسی پرآوازهای مانند راسو، منتسکیو، جان لاک، توماس پین، جفرسون و فرانکلین در جهان شد. آنها با همدیگر دموکراسی مدرن را بنیان نهادند و به صورت عمیقی بر دنیا و سیستم دولتی تاثیر گذاشتند. امواج دموکراسی هنوز انعکاس دارد و گسترش می یابد.

هارمونی، که سومین مشخصه فرهنگ جهانی در کنار مذهب و دموکراسی است در شروع مرحله رنسانس است. به دلیل جذبهٔ جهانی فلسفه، هارمونی آن در سراسر جهان به عنوان لرزش جهانی فلسفه در زمان ما منعکس خواهد شد. همسازی در آینده نزدیک جایگزین دموکراسی در سیستم حکومتی دولتی قرن بیست و یکم می شود. تکنولوژی ارتباطی مدرن مطابقت این آهنگ را با سرعت اینترنت هماهنگ خواهد کرد. سرعت گرفتنِ ارتباطات در قرارداد های جهانی، چهارچوب زمانی توسعه های جهانی خواهد بود. بر اثر فلسفهٔ هارمونی، امپراتوری ها و اعتقاداتِ یکپارچه، عمر کوتاهی خواهند داشت. به وجود آمدن دموکراسی با کارآیی امروزی آن، چهارصد سال طول کشید. اما مطابقت با همسازی، سریع خواهد بود؛ این مطابقت موج خلاقیت جدید است و در ۲۰ تا ۵۰ سال آینده بر جهان مستولی خواهد شد.

جهانی شدن همراه با مطابقتِ همسازی، به طور غیر قابل اجتنابی به هارمونی جهانی منجر خواهد شد. موج خلاقیتِ هارمونی بربسیاری از رهبران معاصربرجسته در جهان امروز تاثیر خواهد کرد.

نظم نوین جهانی با انرژی خلاق و زایندهٔ مطابقت و توافق، حمل شده است. بنابراین جهانِ فردای ما، جهانی با مطابقت و توافق و هماهنگی خواهد بود. نظم طبیعت، هماهنگی و توافق است، و هماهنگی و توافق نظم طبیعت است. یکی از نکات مهم مطابقت و هماهنگی آگاهی از سیری ناپذیری و اشتهای خودخواهانه مصرف است. ادامه گرایش فعلی قابل تحمل نیست. بدون مطابقت و هماهنگی و توافق، جنگ جهانی مصیبت باری بر سر منابع حیاتی. پیش از تاثیر تغییر آب و هوا در جهان به وقوع خواهد پیوست.

143.1 According to the article, what is nature's preferred way of reproduction and growth?

- **a.** Sound waves.
- **b.** Consensus making.
- **c.** Light waves.
- **d.** Harmony.

143.2 What does the author predict will happen in the near future?

- **a.** A new world order based on harmony and consensus will replace current democracy.
- **b.** There will be a second renaissance whereby we will go back to practicing ancient democracy.
- **c.** Human senses will become so hyper-sensitive that we will live in harmony.
- **d.** Human beings will discover new sources of energy.

143.3 According to the author, Consensus Harmony will_________________.

- **a.** Take more than 400 years to develop into a useful form.
- **b.** Evolve much more quickly than democracy and be put to use.
- **c.** Quickly become obsolete and be replaced by democracy.
- **d.** Will give birth to new theories on the world that we live in.

144

چربی اضافه را از گوشت جدا کرده گوشت را تمیز کنید. سپس گوشت را در تکه های دو سانتیمتری (۳/۴ اینچی) ببرید. پیاز را با حرارت ملایم در روغن سرخ کنید تا طلایی شود. زرد چوبه را به پیاز داغ اضافه کنید و دو دقیقه آن را حرارت دهید.

حرارت را افزایش دهید و تکه های گوشت را به پیاز داغ اضافه کنید. گوشت را تا زمانی که قهوه ای شود سرخ کنید و سپس شعله را کم کنید.

آب، لوبیای چشم بلبلی یا لوبیای قرمز، نمک و فلفل را اضافه کنید. درِ ظرف را بگذارید تا به مدت یک تا یک و نیم ساعت آهسته بجوشد و گوشت کاملا نرم شود. زمان پخت به نوع گوشت مورد استفاده بستگی دارد.

سیب زمینی ها را با حرارت بالا در روغن سرخ کنید. سیب زمینی سرخ کرده را به خورشت اضافه کنید. در ظرف را بگذارید تا به مدت ده دقیقه خورشت بجوشد. سبزیجات آماده را در ماهی تابه و باحرارت ملایم سرخ کنید تا نرم شود. آن را به خورشت اضافه کنید. سپس لیمو عمانی یا آب لیمو را به خورشت اضافه کنید و ده تا پانزده دقیقه دیگر غذا را بجوشانید. میزان چاشنی را با ذائقه خود تنظیم و خورشت را با برنج سفید سرو کنید. این یکی از غذاهای عالی ایرانی است!

144.1 Which of the following ingredients is not used in the recipe?

a. Stewing beef.
b. Beans.
c. Finely chopped herbs.
d. Eggs.

144.2 What is the correct order of the procedures mentioned by the recipe?

a. Cut the excess fat from the beef; brown the beef; add the onions, and fry.
b. Cut the excess fat from the beef; brown the onions, and add the beef.
c. Brown the beef; add the onions; add the beans.
d. Brown the herbs; brown the onions; add the beef.

144.3 Using the recipe above complete the sentence: "This is a ____________."

a. "Wonderful Persian dish."
b. "Difficult Persian dish."
c. "Favorite Persian dish."
d. "Easy Persian dish."

145

برنج را پاک کنید و بشویید و در آب ولرم با نمک به مدت ۲ ساعت خیس کنید. سپس آب آن را خالی کنید. پیاز را با برشهای نازک ببرید و در روغن سرخ کنید تا طلایی و مطبوع شود. مرغ را بشویید و تکه تکه کنید. پوست آنها را جدا کنید و آنها را با پیازداغ سرخ کنید تا رنگ آنها عوض شود. مقداری آب به دیگ اضافه کنید و آن را به جوش آورید. شعله را کم کنید و بگذارید به آرامی بجوشد. در صورت لزوم آب بیشتری اضافه کنید. پس از پخت. استخوانهای مرغ را از گوشت دربیاورید. هنگامی که مرغ درحال پختن است، ماست را هم بزنید تا صاف شود. زعفران سابیده را در نصف فنجان آب داغ حل کنید. مقداری زعفران، نمک، فلفل و زرده تخم مرغ را به ماست اضافه کنید و آن را خیلی خوب هم بزنید.

چند لیوان آب را در یک دیگ بزرگ به جوش آورید. برنج را در آن بریزید و بپزید و گاهی آن را هم بزنید تا برنج ری کند و کمی نرم شود. مراقب باشید که برنج را بیش از حد نپزید؛ در این مرحله برنج باید هنوز کمی برای خوردن سفت باشد. برنج را آب کش کنید.

چند قاشق روغن و چند قاشق مخلوط ماست را در ظرف نچسب بریزید. لایه نازکی از برنج را به آن اضافه کنید و آن را با استفاده از پشت قاشق پهن کنید. یک لایه از مرغ را به روی آن اضافه کنید و دوباره لایهٔ دیگری از برنج اضافه کنید. به این روش ادامه دهید تا مرغ، برنج و مخلوط ماست تمام شوند. مقداری روغن روی آن بریزید. در ظرف را بگذارید تا به مدت ۵ دقیقه با حرارت ملایم بپزد. ظرف را در فری که تا دمای ۲۵۰ درجه فارنهایت از قبل گرم شده، قرار دهید تا برای مدت یک و نیم تا ۲ ساعت بپزد. توجه کنید که پلو ته-چین هرچه بیشتر پخته شود، ته دیگ (لایه خوشمزه خشک ته برنج) کلفت تر خواهد شد. هنگامی که غذا پخت، درِ ظرف را بردارید تا برای مدت چند دقیقه خنک شود.

یک سینی بزرگ را وارونه برروی ظرف بگذارید و آن را برگردانید. به ظرف ضربه بزنید تا محتویات داخل آن شل شود و بریزد. محتویات باید در یک تکه

و در حالی که ته دیگ آن رو به بیرون است. روی سینی بیفتند.

145.1 For how long do you initially cook the chicken pieces?
- **a.** Until they have become brown and aromatic.
- **b.** Until they have become aromatic.
- **c.** Until they have changed color.
- **d.** Until the onions have become brown and aromatic.

145.2 What is the appropriate container in which to prepare this food?
- **a.** A large pot.
- **b.** A cauldron.
- **c.** A non-stick pan.
- **d.** A large casserole dish.

145.3 In the first round of cooking the rice, how well done should it be?
- **a.** It should be completely well done and ready to eat.
- **b.** It should still be a little too hard to eat.
- **c.** It should still be entirely too hard to eat.
- **d.** It should be almost entirely uncooked, and just slightly boiled.

145.4 What is not a main ingredient of this dish?
- **a.** Chicken.
- **b.** Saffron.
- **c.** Sour cream.
- **d.** Egg yolks.

146

محمد: فیلم "بچه های آسمان" یک فیلم زیبا و جالب ایرانی درباره پسری است که بدون عمد کفش های خواهر کوچکش را گم می کند و مجبور می شود کفش های خود را به صورت دوی امدادی با او و هنگام رفتن به مدرسه و در مواقع مختلف عوض کند. بالاخره، پسر برای یک مسابقه دو اسم نویسی می کند و امیدوار است که مقام سوم را کسب کند. چرا که جایزه این مقام یک جفت کفش نو است. این فیلم توسط فیلم ساز معروف. مجید مجیدی کارگردانی و تهیه شده است. "بچه های آسمان" واقعا یک فیلم آسمانی است.

امیر: ایفای نقش دراین فیلم خیلی خوب است. هرموقع علی شروع به گریه می کرد من غم او را واقعا احساس می کردم. کارگردان، مثل همیشه فیلم موفقی ساخته است. این داستان خیلی ساده و بی غل و غش است. بعد از دیدن این فیلم من قدر چیزهای ساده را در زندگی ام بیشتر می دانم و همچنین مواظب دیگران هم هستم.

سلیم: فیلم پیشنهاد می کند که اگر شما یک بچه فقیر خوش باطن فارسی زبان در ایران باشید، کفش مهمترین دارایی شما است. داستان از آنجایی شروع می شود که علی کوچولو یک جفت کفش که تازه پینه شده است را دریافت می کند. اما بلافاصله آنها را گم می کند. آنها کفشهای خودِ علی نیستند؛ کفشهای خواهر او هستند. دل من واقعا برای علی سوخت، وقتی که او این مسئله را به خواهر خود زهرا گفت. من برای زهرا متأسف شدم که ازاین خبر ناراحت کننده آگاه شد. صاحب خانه در طول روز کرایه را از مادر آنها می طلبد و پدر آنها درطول شب از فقر فریاد می زند. بدین صورت پیدا کردن یک راه حل برای مشکل کفشهای گم شده تنها بر دوش این دو بچه است. راه حل این دو بچه راهی است که همه بچه های فقیر خوش باطن فارسی زبان در ایران می توانند به آن ببالند. آنها افراد بزرگسال کوچک با شوق و درکی هستند که در نوشته و اجرا قابل باورند. این دو هنر پیشه کوچک قابلیت نمایشی بهتری از هالی جوئل اوسمنت دارند. وقتی که بزرگیِ فاجعه گم شدنِ کفش ها با لحظه های غیر جدی پوشیده می شود، چیزهای ساده با معانی عمیق درهم آمیخته می شود. یک حباب چقدر در شما خوشحالی ایجاد می کند؟ یک قلم؟ یک مرد خوب در خیابان؟ این فیلم خالی ازمهر و دلگرمی

خیلی زود یک فیلم محبوب شده است. دیدن آن را توصیه می کنم.

فرید: "بچه های آسمان" یکی از شاهکارهای دیگر مجید مجیدی است. فیلمی است که شما نه فقط می توانید با فرزندان خود تماشا کنید، بلکه باید با فرزندان خود تماشا کنید. "بچه های آسمان" توسط بزرگسالان همانند بچه ها تحسین و تمجید می شود. زیرا فیلمی در بهترین سبک است، با داستانی بر انگیزاننده و راستین. بازیگرانی قوی و کارگردانی بی نظیردارد. این فیلم را باید ببینید و بدون شک در بسیاری از لیستهای ۱۰۰ فیلم عالی قرن جای خواهد گرفت. شانس دیدن این فیلم را از دست ندهید. شما از دیدن این فیلم تاسف نخواهید خورد.

عادل: این فیلم عالی است. همسر من معلم کلاس ششم است و همیشه به دنبال فیلم های خوب است که به شاگردان خود نشان دهد. "بچه های آسمان" حالا در صدر لیست او قرار دارد. این فیلم برای هر سنی مناسب است و پیغام های جالبی دارد که افراد جوان مایل هستند آنها را بشنوند. مغایرت بین زندگی یک بچه در خاورمیانه و امریکا هیجان انگیز است. این داستان، شیرین و زیبا است فیلم برداری نیز عالی است. با این حال، این فیلم دو مشکل کوچک دارد: زیرنویسهای فیلم ممکن است دیدن آن را برای بچه های خیلی جوان مشکل کند و داستان فیلم خیلی آرامتر از آن پیش می رود که افراد جوان به آن عادت دارند.

\

146.1 What is movie about?
- **a.** A young Iranian boy who accidentally loses her sister's shoes.
- **b.** A young Iranian boy who wants to compete in the marathon.
- **c.** A young Iranian boy who wants to buy his sister a new pair of shoes.
- **d.** A young Iranian boy who loses his shoes and has to share his sister's shoes.

146.2 What do the reviewers generally think of the film?
- **a.** That it is a masterpiece that is hardly worth watching.
- **b.** That it is a film that no one should miss.
- **c.** That it is pointless and simple story.
- **d.** That it should make all Iranians proud of their children.

146.3 According to Adel, what are two reasons why this movie might be hard to watch?
- **a.** The poverty depicted in this movie is heart-wrenching.
- **b.** The story is too emotional.
- **c.** The subtitles might be too hard for young audiences and the story is slow.
- **d.** The story is not applicable to young audiences.

146.4 How does Farid describe the movie?
- **a.** He says that the film has already taken its place on many top 100 films lists.
- **b.** That the movie is hardly worth watching.
- **c.** That you will regret seeing this movie.
- **d.** That you will regret missing this movie.

146.5 What is not one of the things mentioned by Salim as things that make the boy happy?
- **a.** A bubble.
- **b.** A kind old man on the street.
- **c.** A new pen.
- **d.** Losing his sister's shoes.

147

عصر دیروز، طی مراسمی کتاب تاریخچه زندگی رئیس مجموعۀ مشارکت و اولین نخست وزیر نامیبیا. هیج گیینگوب به طور رسمی در پایتخت این کشور مورد بررسی قرار گرفت.

گیینگوب با رهبری یک گروه ۲۱ نفره از احزاب سیاسی مختلف در طی ماه های آخر سال ۱۹۸۹ و اوایل ۱۹۹۰ قانون اساسی نامیبیا را بنیان نهاد. چندی بعد، در روز ۹ ماه فوریه همان سال، این قانون اساسی در ویندهوئک به عنوان قانون اساسی رسمی نامیبیا پذیرفته شد. این کتاب ۶۷ صفحه ای که "بنیان گذاری قانون اساسی نامیبیا" نام دارد، عصر دیروز در گروه شرکت های ائتلاف در نزدیکی کوهپایه ویندهوئک رونمایی شد. این تاریخچه بخشی از پایان نامه دکترای هیج گیینگوب است و در آن وی به نحوی دقیق و واقع بینانه عملکرد مشارکت در ایجاد دموکراسی چندین حزبی در نامبیا را توضیح می دهد. در این کتاب گیینگوب پیچیدگی هایی را که در طرح ریزی قانون اساسی یک کشور به وجود می آید را شرح می دهد و مصالحه های سیاسی و معیارهای ساختاری محرمانه را در طی مراحل اولیه این عملکرد که با اعتماد هوشیارانه بین تهیه کنندگان این قانون ایجاد می شود، ارزیابی می کند. نتایج این مصالحه ایجاد اعتماد رضایت بخش در میان سیاستمداران و کاهش تردید در میان نمایندگان احزاب سیاسی مختلف است که در کمیته طرح ریزی قانون اساسی مشارکت داشته اند.

دکتر موس تجیتندرو که از سال ۱۹۹۰ تا ۲۰۰۵ خدمتگذار عموم بود، گفت که هدف مولف در این کتاب ارائه حقایق، نقطه نظرها و پیشنهاداتی است که یک گروه از سیاستمداران از احزاب مخالف یکدیگر را به مذاکره با همدیگر فرا خواند و مدرک قانونی منصفانه ای را به وجود آورد که باعث شناخت جهانی و افزایش اعتبار این کشور در صحنه سیاسی شده است.

تجیتندرو افزود: این قانون اساسی نه تنها به علت تاسیس قانون اساسی برای کشور تحسین می شود بلکه در حفظ حقوق بشر، که امروزه یکی از مهمترین و والا ترین حقوق به شمار می آید، کوشا است. در خاتمه، تجیتندرو از گیینگوب برای باز کردن راهی برای کارشناسان، دانشوران و تحقیق کنندگان برای کوشش در پیشرفت فرایند قانونی تجلیل کرد. طبق نظرات تجیتندرو، کارشناسان، دانشوران و تحقیق کنندگان، کتاب گیینگوب را با مطالعه، تحلیل، و مورد مداقه قراردادن مواردِ دیگرِ بسیاری برای افزایش اطلاعات و آگاهی های عموم راجع به نامیبیا ادامه خواهند داد.

گیینگوب این کتاب را درطی تحصیلات عالیه در ایالات متحده امریکا برای پایان نامه دکترای خود که "تشکیل دولت نامیبیا: توسعه دموکراسی و حکومت عالی" نام دارد نوشت. هم اکنون گیینگوب یک عضو تمام وقت حزب سواپو پارلمان نامیبیا است. او در سال ۲۰۰۴ به این سمت انتخاب شد و اکنون برای پیوستن به دوستان قانون گزار خود در پارلمان بازگشته است.

این کتاب هنوز توسط متخصصان در حال ویرایش است.

147.1 Who is Hage Geingob?
- **a.** Namibia's first Prime Minister.
- **b.** An American scholar of African politics.
- **c.** A non-fiction author.
- **d.** A Namibian diplomat.

147.2 What is the significance of Hage Geingob's book?
- **a.** It encourages the public to vote.
- **b.** It shows that Namibia is ready to be sovereign and have international respect for its democracy.
- **c.** It shows that there is still much room for improvement in the country's constitution.
- **d.** It shows the corruption that most African countries suffer from.

147.3 What is the title of the book?
- **a.** *Drafting Namibia's Constitution.*
- **b.** *My Struggle: or How I became the Prime Minister.*
- **c.** *Building Namibia's Government.*
- **d.** *Namibia's Constitution.*

147.4 What is Geingob doing now?
- **a.** He is a Member of the Parliament of Namibia.
- **b.** He is pursuing his higher education in the United States.
- **c.** He is currently a public defense lawyer.
- **d.** He has left the political arena.

148

خلیج فارس نقشی حیاتی در توسعه واقعی ایران ایفا می کند و سه منطقه تجارت آزاد در خلیج فارس و دریای عمان در جذب سرمایه گذاری های داخلی و خارجی بسیار موثرند.

خارک، ابوموسی، تنب های کوچک و بزرگ و کیش، قشم و لاوان جزء جزایر مهم خلیج فارسند که منحصرا به ایران تعلق دارند.

اکتشاف نفت و گاز در خلیج فارس آن را به عنوان یکی از مهمترین مناطق اقتصادی در دنیا شناسانده است. چنین اهمیتی بعضی از سودجویان غربی و تعدادی از کشورهای ساحلی خلیج فارس را وادار کرده است که هزینه های بالا و سرمایه های کلانی برای عوض کردن اسم خلیج فارس به "خلیج عرب" صرف کنند.

یعقوب شمس امام جمعه سنی ها در جزیره کیش، گفت که عوض کردن اسم خلیج فارس قابل قبول نیست. چرا که همهٔ ملتهای دنیا از زمانهای دور این منطقه را به اسم کنونی آن می شناسند.

خلیج فارس با منابع خدا داد و عظیم خود نقش بسیار مهمی در اقتصاد ایران و توسعه اجتماعی این کشور از ۱۴۰۰ سال پیش داشته است.

در تلاش برای حفاظت فرهنگ و تاریخ خلیج فارس، شورای عالی انقلاب فرهنگی ایران روز ۳۰ آوریل را که همزمان با خروج تاریخی پرتغال از تنگه هرمزاست روز ملی خلیج فارس خوانده است.

برخی از باستان شناسان، خلیج فارس را مرکز تمدن به شمار می آورند و بر این باورند که بومیان این منطقه اولین کسانی بودند که دریانوردی را آغاز کردند و کشتیهایی ساختند که شرق و غرب را به هم ارتباط داد.

خلیج فارس یکی از میراث های ایران باستان است و قرنهاست که به این نام در زبان های آلمانی، انگلیسی، فرانسوی، و ترکی خوانده شده است. خلیج فارس پس از خلیج مکزیک و خلیج هادسون، سومین خلیج بزرگ دنیا به شمار می آید.

148.1 Why would the Arabs and some foreign investors want to rename the Persian Gulf?
- **a.** Because they would like to exploit its riches for themselves.
- **b.** Because the hate the name "Persia".
- **c.** Because Iran is developing nuclear weapons and becoming a dangerous threat.
- **d.** Because Saudi Arabia owns most of the islands in the Gulf.

148.2 What is the correct order of the following gulfs, from smallest to largest?
- **a.** Gulf of Mexico, Hudson Bay, Persian Gulf.
- **b.** Persian Gulf, Hudson Bay, Gulf of Mexico.
- **c.** Hudson Bay, Persian Gulf, Gulf of Mexico.
- **d.** Persian Gulf, Gulf of Mexico, Hudson Bay.

148.3 Of what significance is the Persian Gulf to archaeologists?
- **a.** Some archaeologists believe this area to be the center of civilization.

b. Archaeologists have found ancient sea-faring boats in this area.
c. Archaeologists believe that Persian Gulf natives traveled all the way to the North Pole.
d. It has been known by the same name in many languages.

149

حمایت گروه بزرگی از سینماگران ایرانی از نامزدهای اصلاح طلب در انتخابات مجلس شورای اسلامی ایران به موضوعی مناقشه برانگیز در فضای انتخاباتی تبدیل شده است.

یکشنبه گذشته بیانیه ای با امضای ۱۷۰ تن از سینماگران ایرانی منتشر شد که در آن از مردم خواسته شده بود به نامزدهای ائتلاف اصلاح طلبان که تحت عنوان "یاران خاتمی" فعالیت می کنند رأی دهند .

تنظیم این بیانیه و جمع آوری امضا برای آن به منیژه حکمت، کارگردان و تهیه کننده سینما نسبت داده شد .

امضاکنندگان این بیانیه، انتخابات مجلس را فرصتی سرنوشت ساز برای تحول در مدیریت فرهنگی، اجتماعی و سیاسی کشور دانسته و اعلام کرده بودند که تحول اساسی در نگرشها و بینشها و اصلاح ساختارهای زیربنایی مدیریت فرهنگی کشور، تنها از مسیر مسالمت آمیز اصلاح طلبی و دموکراسی خواهی می گذرد و حمایت از یاران محمد خاتمی، رئیس جمهور پیشین ایران و نامزدهای ائتلاف اصلاح طلبان، نقطه آغاز چنین مسیری است .

در این بیانیه در عین حال خاطر نشان شده بود که فراخوان مردم برای رأی دادن در انتخابات به منظور تأیید روند برگزاری انتخابات نیست، بلکه هدف از آن اعلام وفاداری به "تفکر فرهنگ محور اصلاح طلبی" است .

اما در پی انتشار این بیانیه، گزارشهایی منتشر شد حاکی از اینکه شماری از امضاکنندگان بیانیه امضای خود را پس گرفته یا اعلام کرده اند که امضای آنها بدون رضایت و اطلاع ایشان پای بیانیه گذاشته شده است .

صداوسیمای ایران موضوع پس گرفتن و تکذیب امضاها را در برنامه های خبری خود منعکس کرد که مورد اعتراض ستاد ائتلاف اصلاح طلبان قرارگرفت و به منزله جانبداری رسانه ملی ایران از جناح رقیب اصلاح طلبان قلمداد شد .

ستاد ائتلاف اصلاح طلبان با استناد به اظهارات برخی از هنرمندان تلویزیون که امضایشان پای بیانیه بود صداوسیما را متهم کرد که از طریق اداره حراست خود، با تعدادی از هنرمندان امضاکنندگان بیانیه تماس گرفته و آنها را تهدید کرده که اگر اعلام حمایت خود از اصلاح طلبان را تکذیب نکنند، همکاری شان با صداوسیما قطع خواهد شد

از جمله این هنرمندان، بهاره رهنما، بازیگر سینما و تلویزیون بود که طی نامه سرگشاده ای اعلام کرد برای اینکه رأی شخصی اش را به صورت عمومی اعلام کرده، مورد بازخواست قرار گرفته است .

خانم رهنما در نامه اش نوشته: "طی نامه ای به یکی از رؤسای محترم تلویزیون جمهوری اسلامی اعلام کرده ام که اگر اظهار نظر علنی من کار درستی در موازین آن سازمان نبوده از اینکه نظرم را علنی اعلام کرده ام عذر می خواهم اما در اینکه رأی می دهم و به حزبی که اعتقاد دارم رأی می دهم شکی نیست ... زمانی که بیانیه ائتلاف اصلاح طلبان (یاران خاتمی) را امضا کردم با اعتقاد این کار را انجام دادم و تا این لحظه هیچ تکذیبیه ای اعلام نکرده ام اما چون عضوی از مجموعه تلویزیون هستم پذیرفتم که نباید به صورت علنی رأیم را اعلام می کردم ... گمان نمی کنم که رأی دادن من که حرفی عرفی و شرعی برای یک

مسلمان ایرانی است بهایش کار نکردن در تلویزیون باشد ."

شماری دیگر از سینماگرانی که نام آنها به عنوان معترضان و تکذیب کنندگان امضایشان در بیانیه منتشر شده بود نیز اعلام کردند که چنین اعتراضی از سوی آنان صحت ندارد و همچنان، حامی نامزدهای اصلاح طلب در انتخاباتند .

از جمله این سینماگران که مجدداً حمایت خود را از اصلاح طلبان اعلام کردند، پگاه آهنگرانی بازیگر سینما بود که طی نامه ای، موقعیت اصلاح طلبان در انتخابات مجلس هشتم را به موقعیت قهرمان فیلمهایی تشبیه کرد که در بدترین شرایط گیر کرده، اوضاع از همه نظر به نفع دشمنان اوست و کوچکترین روزنه امیدی نیست ولی همه منتظرند که اتفاقی بیفتد تا اوضاع تغییر کند و می دانند که می افتد فقط نمی دانند چگونه .

پگاه آهنگرانی که مادرش منیژه حکمت در جلب حمایت سینماگران به نامزدهای اصلاح طلب نقش اصلی داشته، در نامه اش نوشته: "اصلاح طلبان اکنون در ضعیفترین وضعیت قرار دارند، چه از لحاظ بسیج نیروها و چه شرایط بیرونی انتخابات که پایشان را بسته اند و متأسفانه اینجا دیگر دنیای فیلم نیست که بدانی قهرمان در آخرین لحظه پیروز می شود و سرنوشت انتخابات را می توان از هم اکنون حدس زد، چهره های نگران و غمگین اصلاح طلبان این را می گوید، آنها چندان امیدوار نیستند چون باید واقعگرا باشند و خوب احتمالاً زیاد هم فیلم نمی بینند ."

این بازیگر سینما در عین ابراز نومیدی نسبت به موفقیت اصلاح طلبان در انتخابات نوشته همین که عده ای سعی کنند در بدترین شرایط برای تغییر وضعیت کاری انجام دهند و از هر روزنه ای استفاده کنند به خودی خود دراماتیک است و نشاط و هیجان ایجاد می کند: "ما در جایی زندگی می کنیم که باید از حداقل امکان نشاط استفاده کرد، من بشخصه خوشحالم که اصلاح طلبان این راه را انتخاب کردند، حتی وقتی نتیجه را از پیش می دانند، این کار آنها را در نظرم با ارزشتر می کند، آنها برای نتیجه نمی جنگند، آنها می جنگند چون باید زندگی کرد، حتی در بدترین شرایط ."

حامد بهداد، دیگر بازیگر ایرانی که گزارش شده بود امضایش را از بیانیه پس گرفته نیز طی نامه ای اعلام کرد که همچنان حامی اصلاح طلبان است و "به پاس خون شهدایی که برای این مملکت کشته شده اند" به نامزدهای اصلاح طلب رأی خواهد داد .

در مقابل، پرویز پرستویی بازیگر سینما در گفتگو با خبرگزاری فارس اعلام کرد که امضای او را منیژه حکمت بدون اجازه وی پای بیانیه حمایت از اصلاح طلبان گذاشته است .

آقای پرستویی در این مصاحبه گفت که اصلاً ذهنیت منیژه حکمت را قبول ندارد و خانم حکمت حق نداشته از جانب او که ۵۲ سال سن دارد و از اول در جریان تمام اتفاقات انقلاب بوده، تصمیم بگیرد: "من به هر حال با چشم باز در این مملکت زندگی کرده ام و شخصاً بلدم راجع به خودم تصمیم بگیرم که به کسی رأی بدهم یا ندهم و هرگز اختیارم را نمی دهم به دست خانم حکمت که ایشان برای من تصمیم بگیرند، شاید بعضیها می خواهند به چهره اپوزیسیون تبدیل شوند اما من هرگز حاضر نیستم نردبانی بشوم برای دیگری ."

بدین ترتیب، از سویی گزارش صداوسیما و خبرگزاریها و مطبوعات منسوب به جناح اصولگرا از پس گرفتن امضاهای سینماگران از بیانیه حمایت از اصلاح طلبان حکایت می کرد و از سوی دیگر ستاد ائتلاف اصلاح طلبان اعلام کرد که شمار امضاکنندگان بیانیه افزایش یافته و به ۲۵۰ امضا رسیده و امضاکنندگان قرار است ساعت سه بعدازظهر دیروز (سه شنبه) در پارک دانشجو در مرکز تهران گردهم آیند و با حضور محمد خاتمی، حمایت خود را از نامزدهای اصلاح طلب اعلام

کنند. اما این گردهمایی برگزار نشد و خبرگزاریها گزارش دادند که دلیل برگزار نشدن آن، حضور نیافتن هنرمندان بوده است.

149.1 According to the article, what is the primary goal of the petition?
- **a.** To increase voter participation in the upcoming parliamentary elections.
- **b.** To defeat reformists in the Iranian parliament, who the petitioners believe have not carried out fundamental reforms that they had promised.
- **c.** To gather public support for the reformist group "Companions of Khatami".
- **d.** To get filmmakers involved in the parliamentary elections.

149.2 Which of the following most accurately describes Bahareh Rahnama?
- **a.** She is a filmmaker who works for Seda-va-Sima.
- **b.** She is a reformist candidate.
- **c.** She is an actress who did not sign the petition.
- **d.** d. She is a steadfast supporter of "The Companions of Khatami".

150

فریدون آدمیت؛ مورخ خانه نشین

فریدون آدمیت پس از سال ها بالاخره به خانه نشینی پایان داد، اما نه برای بازگشتن به صحنه بحث های فکری و تاریخی، بلکه برای رفتن به بیمارستان .

او از دو روز پیش به خاطر بیماری در بیمارستان بستری شده است، اما در بیمارستان نیز خلوت گزیده است و خوش ندارد کسی به عیادتش برود و جز چند تن از نزدیکان و دوستانش کسی را نمی پذیرد و آنها نیز سعی می کنند نام بیمارستان را اعلام نکنند، با این همه، حال او رضایت بخش است و چنان که مسئولان بیمارستان و دوستانش می گویند به زودی از بیمارستان مرخص خواهد شد .

فریدون آدمیت یکی از برجسته ترین چهره های پژوهش در ایران است که علیرغم گذشت نزدیک به سه دهه از خانه نشینی اختیاری اش، هنوز برجسته ترین مورخ ایرانی در حوزه مشروطه است و پژوهش هایش علیرغم گذشت زمان بسیاری از انتشارشان، هنوز جدی ترین آثار این حوزه بوده و رنگ کهنگی نگرفته اند. نوشتن مقاله و کتاب جدی درباره مشروطه، بدون ارجاع به آثار او تقریبا ناممکن است .

آن چه فریدون آدمیت را از دیگر مورخان ایرانی متمایز می کند، علاوه بر زدودن پاره ای ابهام ها و تاریکی ها از وقایع تاریخی، روش تاریخنگاری اوست. او علاوه بر این که در کتاب هایش در هر موضوع و زمینه ای با مراجعه به اسناد، اطلاعات دست اولی می دهد که برخی از آن ها پیش از آن در کتاب های تاریخی نیامده اند و این اطلاعات با دقت و آگاهی کنار هم می نشینند، به تحلیل وقایع نیز می پردازد .

آثار او نوعی تاریخ تحلیلی و انتقادی دوره مشروطه است، اما ذکر تحلیلی — انتقادی برای توصیف کتاب های آدمیت کفایت نمی کند. او، تاریخ اندیشه یک دوره از ایران را نوشته است و آثار او را نمی توان در تقسیم بندی ها صرفا آثار تاریخی نامید، بلکه باید تاریخ اندیشه نامید که گاه به فلسفه تاریخ نیز نزدیک می شود .

او زمانی این شیوه را در پیش گرفت که کتاب های بسیار کمی در این زمینه در ایران منتشر شده بود و آن کتاب ها نیز نه به لحاظ ارزش های نظری و نه به لحاظ حجم در حدی نبودند که بتوانند جریانی را ساماندهی کنند، اما انتشار کتاب های آدمیت، آن هم در زمانی که بحث هایی مثل مشروطه، مخاطبان را چندان جذب نمی کرد، توانست موجی از توجه به مشروطه

ایجاد کرده و بر پژوهش های مربوط به این دوره تاریخی تاثیر بگذارد .

با این همه فریدون آدمیت مخالفانی از همه طیف ها دارد. برخی از نیروهای غیرمذهبی ایران به خاطر توجه او به نقش روحانیون در مشروطه به آثار او نقد دارند و برخی از مذهبیون هم به خاطر توجه او به نیروهای غیر مذهبی و روشنفکران غیرمذهبی .

برخی از اقلیت های مذهبی مثل بهاییان به خاطر دیدگاه های او درباره بهاءالله منتقد او هستند و برخی از چپ ها به دلیل مواضع او، به او انتقاد دارند، با این همه هنوز با گذشت سه دهه از انتشار آثارش، نقد جدی و علمی بر آثار او منتشر نشده است، اگرچه در سال های اخیر آثاری منتشر شده است که در آن نقد هایی بر شیوه تاریخنگاری آدمیت مطرح شده است .

ماشاء الله آجودانی یکی از کسانی است که در سال های اخیر اشاره هایی انتقادی به آثار آدمیت داشته است. او در کتاب "مشروطه ایرانی " وقتی از تجربه زبانی و تحول مفاهیم سخن می گوید، از مفهوم ملت نام می برد که در دوره مشروطه به معنی اهل دین به کار می رفته است و سپس به معنی مردم یک کشور تغییر معنی داده است، اما در برخی از آثار آدمیت این تحول معنایی نادیده گرفته شده است و ملت در دوره مشروطه نیز در معنای مدرن آن به کار رفته و باعث دریافت های نادرست از برخی سخنان و تحولات شده است .

فریدون آدمیت که اکنون سن ۸۷ سالگی را پشت سر می گذارد، فعالیت کاری خود را به عنوان کارمند وزارت خارجه در دوره رضاخان آغاز کرد و در دوره محمدرضا پهلوی به عنوان یک دیپلمات عالی رتبه فعالیت کرد. او پس از سال ها فعالیت در وزارت خارجه از وزارت خارجه کناره گرفت که در برخی از منابع گفته شده است این اتفاق به خاطر مخالفت با جدا شدن بحرین از ایران صورت گرفته است .

آدمیت که در حین فعالیت های دیپلماتیک نیز به تحقیق و پژوهش می پرداخت، پس از آن به فعالیت های پژوهشی اش افزود و آثار بسیاری منتشر کرد که هنوز تجدید چاپ می شوند و مورد استقبال قرار می گیرند .

از آثار فریدون آدمیت می توان به کتاب های "اندیشه ترقی و حکومت قانون در عصر سپهسالار" ، "ایدئولوژی نهضت مشروطیت ایران" ، "امیرکبیر و ایران" و "فکر دموکراسی اجتماعی در نهضت مشروطیت ایران" اشاره کرد.

150.1 According to the article, what makes Fereydoun Adammiat so different from other historians ?

- **a.** His books contain unprecedented first-hand accounts.
- **b.** He is in the hospital.
- **c.** He is the first and only historian who has specialized in the Iranian constitutional era.
- **d.** None of the above.

150.2 Which position(s) did Adammiat hold earlier in his career?

- **a.** Mohammad Reza Pahlavi's Foreign Minister.
- **b.** The Iranian Ambassador to Bahrain.
- **c.** An administrator in the Ministry of Foreign Affairs during the era of Reza Khan.
- **d.** All of the above.

SECTION 2
Questions Only

1.1 According to the article, please rate cell phone usage in the United States from highest usage to lowest usage:

a. Miami- Los Angeles- Washington- New York.
b. Miami- Los Angeles- New York—Washington.
c. New York- Washington- Los Vegas- Miami.
d. Los Angeles- Miami- New York- Detroit.

1.2 According to the author, which US city/cities has/have a statistically lower cell phone usage rate, and why?

a. Las Vegas, because it's a tourist city and relatively few people live and work there.
b. Washington, because of the number of dropped calls.
c. New York and Washington, because hand-held cell phones have been banned while driving.
d. Miami and Los Angeles, because hand-held cell phones have been banned while driving.

2.1 What is McCurry?

a. A 24-hour open air restaurant that sells a variety of Malaysian food.
b. A 24-hour open air restaurant that sells a variety of Indian food.
c. A fast food chain in Malaysia that sells food replicating the McDonald's menu.
d. A fast food chain that replicates McDonald's sign but sells local Malaysian food such as the McCurry sandwich, an adaptation of the Big Mac to Malaysian tastes.

2.2 What was the jury's verdict?

a. The court ordered to drop the "Mc" from their sign.
b. The court ruled in favor of McCurry, arguing that "McCurry" was just an abbreviation for "Malaysian Chicken Curry".
c. The court ruled in favor of McDonald's, arguing that McCurry had to cease selling curry flavored Big Macs.
d. The court ruled in favor of McDonalds and ordered McCurry to be closed down and to pay a fine.

3.1 Where did the story take place?

a. In a Nepalese community in India.
b. In a Hindu community on the border of India and Nepal.
c. In a school 125 kilometers west of Katmandu, the capital of Nepal
d. Katmandu, the capital of Nepal.

3.2 In Hindu culture, snakes are:

a. The manifestation of the goddess Shiva on earth.
b. The Hindu God of Destruction
c. Sacred animals.
d. The guardian of children.

4.1 This article's main character is :

a. A British Motorist
b. An American driver
c. A suicide bomber from the UK.
d. An British police officer.

4.2 Critics of the speed camera argue that:

a. The cameras malfunction too frequently to be effective.
b. The cameras are a money-making opportunity.
c. The cameras have failed to reduce accidents.
d. The cameras have failed to deliver improved road safety and are little more than a moneymaking opportunity.

5.1 Who is Steve Jordan?

a. An oilman and homeowner in Louisiana.
b. A Louisiana man who cannot afford gas prices.
c. A fan of the show, Beverly Hillbillies.
d. A founding member of the Independent Petroleum Association of America.

5.2 How much will the cost be for Steve Jordan to drill the well in his front yard?

a. 900 thousand dollars.
b. 2 million dollars.
c. 2 thousand dollars.
d. Between 200 and 300 thousand dollars.

6.1 Where did the incident mentioned in the story specifically take place?

a. At the gang's headquarters, in Western Mexico
b. At a coco field, in Northern Mexico.
c. At a drug cartel's bar/café, in Northern Mexico.
d. In a bar/cafe dance floor, in Western Mexico.

6.2 According to the police, the victims of the gang were:

a. Not wealthy people.
b. Drug traffickers
c. Politicians and other government authorities
d. All farmers.

7.1 How has the Kimberly Process affected the blood diamond industry?

a. It has reduced global sales of blood diamonds.
b. It has reduced the ratio of blood diamonds to total global diamond sales by more than a quarter.
c. It has decreased crimes related to the diamond industry.
d. It has not caused any affect on the diamond industry.

7.2 How is The World Diamond Council responding to the release of the Movie "The Blood Diamond"?

a. It has launched an educational campaign indicating that the movie is based on purely false information.
b. It has stated publicly that since 1990, they have resolved the issue by a certification process.
c. It has increased diamond advertisements to counteract negative publicity.
d. It has launched a website and a 10-million-dollar advertising campaign to address the historical perspective issues that the film overlooks.

8.1 According to the article, who criticized Chinese public toilets?
  a. Taiwan's government controlled media.
  b. Jessie Mang
  c. Chinese internet surfers
  d. A and B

8.2 According to the article, the quality of Chinese state controlled television has caused:
  a. All foreign television programs to become popular among the entire Chinese population
  b. Internet use to rise, especially to download entertainment.
  c. Public toilets etiquette to be corrupted.
  d. A and B

9.1 In what country/countries has the film "The Host" been shown?
  a. Japan, Hong Kong, Singapore, and Taiwan.
  b. North Korea.
  c. South Korea.
  d. Europe and the USA.

9.2 The people of which country have been offended by this film?
  a. South Korea.
  b. North Korea.
  c. France.
  d. The United States.

10.1 What was so abnormal about the Swiss man's driving?
  a. He was driving too fast, because he was not afraid of hitting goats.
  b. He was driving too slowly, because he was afraid of hitting goats.
  c. He was driving with goats in his vehicle.
  d. He hit a goat because he was driving too fast.

10.2 What kind of penalty did the Canadian officer give the Swiss driver?
  a. He gave him a ticket for 330 Canadian dollars.
  b. He gave him a ticket for 360 Canadian dollars.
  c. He did not give him a ticket.
  d. He took away his goats and gave him a warning.

11.1 Why did Monica Wong file a lawsuit against her salsa instructor?
  a. Because she did not receive the pre-paid service.
  b. Because she was still overweight after taking the lessons.
  c. Because she was called a lazy cow and treated disrespectfully by her instructors.
  d. Because her classes resulted in low self-esteem.

11.2 According to the judgment, how much money will the salsa instructor pay Wong in damages?
  a. HK $62 million.
  b. HK $120 million.
  c. HK $62 million.
  d. HK $62, plus interest.

12.1 Who may be buried in the cemetery?
- **a.** Argentinean football players.
- **b.** Any football player.
- **c.** Argentinean soccer players who played in the Boca Juniors team.
- **d.** Fans, stars and club executives of the Argentinean Boca Juniors soccer team.

12.2 How does the cemetery fund itself?
- **a.** With commission charged for burying team fans.
- **b.** With team revenues.
- **c.** From the government.
- **d.** Diego Maradona is funding the cemetery.

13.1 Why is Ye Fu living in a cage?
- **a.** Because he wants to learn what it is like to live like a bird .
- **b.** Because he does not want to talk to anyone.
- **c.** Because he has a passion of the arts.
- **d.** Because he is making an socio-artistic experiment.

13.2 What is Ye Fu's next project?
- **a.** He will live in a jungle with lions.
- **b.** He will live with a lion cub in a cage for 10 days.
- **c.** He will drink only milk and live with a child.
- **d.** He does not have a next project.

14.1 Where did the fire take place?
- **a.** At the home of a 19th-century Russian poet's museum estate, which is located outside Moscow
- **b.** On the 19th floor of a Russian apartment complex, where a famous Russian singer lives.
- **c.** At the home of a Russian singer's estate, which is located outside of Moscow
- **d.** On the 19th floor of a Russian apartment complex, where a famous Russian poet lived.

14.2 What kind of damage did the fire inflict?
- **a.** Structural damage.
- **b.** Only superficial damage.
- **c.** Damage to antique furniture.
- **d.** No damage was inflicted.

15.1 The article describes a discrepancy in the establishment of:
- **a.** Funeral services held at the Shanghai Institute of Technology.
- **b.** An advanced funeral management training program at the Shanghai Institute of Technology.
- **c.** A controversial professor at the Shanghai Institute of Technology.
- **d.** A new management class at the Shanghai Institute of Technology.

15.2 Who was/were questioning the necessity of the program ?
- **a.** Qiao Kuanyuan.
- **b.** University staff.
- **c.** University staff and the general public.
- **d.** The people.

16.1 Whom does Nischal primarily accredit for his personal accomplishment?
- **a.** His mother.
- **b.** His mentor.
- **c.** His primary school teacher.
- **d.** The Math lab.

16.2 What did Nischal publish?
- **a.** The Guinness Book of World Records in Sanskrit .
- **b.** A 6-volume book with a set of methods to help children learn mathematics quicker and easier .
- **c.** A 6-volume book with a set of methods to help children memorize random objects quicker and easier .
- **d.** A book about his recent accomplishments.

17.1 Which of the following is not a specific, direct benefit of the new time card system implemented at Yunan University?
- **a.** It saves money
- **b.** It prevents students from skipping class
- **c.** It improves student-instructor relations
- **d.** It saves time.

18.1 Why has Robert Mundell traveled to China?
- **a.** To visit tourist sights.
- **b.** To attend a round table forum for Nobel recipients.
- **c.** To propagate his views on science.
- **d.** To receive his Nobel prize.

18.2 For how long will Robert Mundell be in China?
- **a.** 3 days.
- **b.** 4 days.
- **c.** One week.
- **d.** I don't know.

19.1 On what is the provincial government of the Chinese Shaanxi Province spending 500 million Yuan?
- **a.** Protecting cultural relics.
- **b.** Promoting tourism.
- **c.** Building roads.
- **d.** Promoting Han history.

19.2 Who is Zhao Rong?
- **a.** The mayor of Han and Tang cities in China.
- **b.** Director of the Shaanxi Cultural Relics Bureau.
- **c.** The mayor of Shaanxi.
- **d.** The first Chinese emperor.

20.1 According to the article, what does the discovery of these shoes signify?
- **a.** That children wore shoes in China 1,000 years ago.
- **b.** That the first pair of shoes was invented in China's Gansu Province.
- **c.** That leather shoes were first invented in China.
- **d.** That the history of China's leather shoe-making is some 1,000 years longer than previously believed.

20.2 How does the article describe the shoe?
- **a.** The shoes have shoelaces.
- **b.** They are yellow-colored children's shoes made from cattle hide.
- **c.** The shoes have flat soles.
- **d.** All of the above.

21.1 Which painting is the main subject of this article?
- **a.** "The Battle of Anghiara" by Leonardo DaVinci.
- **b.** Mona Lisa by Leonardo DaVinci.
- **c.** The Battle of Anghiara by Rubens.
- **d.** None of the above.

21.2 What does Martin Koepp think about the painting which is the subject of this article?
- **a.** It changed the way portraits were painted.
- **b.** It transformed narration in paintings.
- **c.** It altered the way paintings describe violence.
- **d.** All of the above.

22.1 Where is the museum receiving its funding from?
- **a.** From museum entrance fees.
- **b.** From the stable incomes of the two investors' respective businesses.
- **c.** From public donations.
- **d.** From the investors' savings.

22.2 Where will the museum be built?
- **a.** In Pingjiang District, China.
- **b.** In downtown Suzhou, China.
- **c.** In an Eastern Chinese tourist city.
- **d.** All of the above.

23.1 What is the biggest fear among architectural scholars about the Sakyamuni Pagoda?
- **a.** That the tilting tower will succumb to the next major quake or hurricane
- **b.** That any repairs will dramatically reduce the religious value of the site
- **c.** That the lack of consensus among scholars will prevent the necessary restoration
- **d.** Both A and B

23.2 In Buddhist belief, ringing the seven-ton bell 108 times:
- **a.** Brings good luck.
- **b.** Dispels a person's 108 worries.
- **c.** Creates world peace.
- **d.** Allows people to reassess their life up to now.

24.1 What is the stated purpose of the art exhibit at the Shaolin Temple?
  a. To unite ancient Shaolin culture with popular culture.
  b. To draw attention to the plight of the ancient Shaolin culture.
  c. To display the works of a Taiwanese artist named Cai Zhi Zhong.
  d. Both A and C.

24.2 According to the temple abbot, what has made the temple famous for centuries?
  a. Stone steles that depict various eras of the temple's history.
  b. Caricatures on stone that depict the temple's modern history.
  c. The temple's openness to various forms of art.
  d. Both A and B.

25.1 What observation led Huang to conclude that the fossil tooth belonged to a giant panda?
  a. Discovery of ancient bamboo in close association with the discovered tooth.
  b. Damages on the enamel on the crown and surfaces of the tooth in compliance with the known diet of the giant panda.
  c. Discovery of the tooth in a province well known for having been home to giant pandas.
  d. The fact that giant pandas have been known to have roamed in the area from about 12,000 to 128,000 years ago.

25.2 According to Huang, what was the major food source for giant pandas?
  a. Shoots and leaves.
  b. Mosses.
  c. The bamboo plant.
  d. Both A and C.

26.1 According to the article, why are some of the art works displayed outside of the Shanghai Museum?
  a. They are far too large to be displayed inside the Museum.
  b. Their subject matter has been deemed inappropriate by the government.
  c. They do not fall under the category of "Hyper Design".
  d. They were intended to be displayed in the People's Park.

26.2 The Western concept of biennial exhibitions is difficult to implement in the East because:
  a. The Chinese strongly hold on to their rich history.
  b. It's not an easy task to infuse a simple art piece with profound Oriental philosophy and wisdom.
  c. In the West, China is well-known for its herbal medicines and witchcraft, which causes Westerners to not take it seriously.
  d. The concept of modern art and "Hyper Design" are too foreign for the Chinese.

27.1 According to the article, what are "green" on-line games?
  a. Games that promote environmentally-friendly behavior.
  b. Games that require less energy.
  c. Games that are suitable for young adults and youth.
  d. Games that prevent the youth from becoming addicted to on-line gaming.

27.2 According to experts, what are the major attractions of the internet to users?

- **a.** Violence, on-line chatting, pornography, and on-line gambling.
- **b.** Alliances between game players that promote healthy on-line entertainment.
- **c.** On-line shopping, bidding, and networking.
- **d.** Both A and C.

28.1 The progress of education recovery work in Pakistan's quake-hit areas is:

- **a.** Impressive.
- **b.** Insufficient.
- **c.** A nearly-impossible task due to the mountainous conditions and the near-complete destruction of the roads.
- **d.** Progressing satisfactorily, but is impeded by the mountainous conditions and the near-complete destruction of the roads.

28.2 According to the article, what were the major logistical and technological challenges of bringing children back to school in Pakistan following the earthquake?

- **a.** The parents lack of value for education and refusal to bring their children to school.
- **b.** Qualified teachers' refusal to travel to badly-hit areas.
- **c.** The destruction of many schools, returning children to school, and creating a learning-friendly environment year-round.
- **d.** Both B and C.

29.1 According to Lukaka, what is China's role on the international stage?

- **a.** It plays an important role due to its tourist attractions and history.
- **b.** It is experiencing rapid growth and quickly becoming a political and economic world power.
- **c.** It is the forefront of the import/export industry in the world.
- **d.** None of the above.

29.2 Why has Kenya adopted a Sino-centric approach?

- **a.** A large number of Chinese immigrants have moved to Kenya in recent years.
- **b.** Many Kenyan youth are interested in Chinese culture and language, and want to emigrate to China.
- **c.** There are many Chinese importer/exporters that are expanding their business to Kenya.
- **d.** Both A and C.

30.1 According to one of the graduates of the University of Hunan, what is even worse than not finding a career after graduation?

- **a.** Applying for low-level jobs and social assistance that hurt graduates' confidence even further.
- **b.** Being forced to work as a Postal Service employee.
- **c.** Not being able to pay for the costs of living.
- **d.** Both A and B.

30.2 According to another university graduate, what is the major drawback for graduates who apply for assistance?

- **a.** Hopelessness and lack of respect from their peers.
- **b.** Settling for the lower wages strips the graduates of their confidence and impedes their future progress.
- **c.** They become lazy and give up looking for real careers.
- **d.** They will not be able to make ends meet.

31.1 According to the Romanian president, what are two changes necessary for the positive growth of the Romanian society?

- **a.** Having a Romanian university in the top 500 universities in the world.
- **b.** A highly performing education system.
- **c.** A better healthcare system.
- **d.** Both B and C.

31.2 According to the article, three important factors in improving Romania's higher education system are:

- **a.** Improving the quality of education, competitiveness, and the equality of opportunities.
- **b.** Improving the health of the students, hiring better teachers, and spending more money on developing school infrastructure.
- **c.** Opening more universities, better educational tools, and guaranteed job placement after graduation.
- **d.** None of the above.

32.1 What other important international day is being promoted during the festival?

- **a.** International Day of Disabled Persons.
- **b.** International World Peace Day.
- **c.** International World Music Day.
- **d.** Both A and B.

32.2 According to the article, what is the main aim of this festival?

- **a.** To break the Guinness World record.
- **b.** To showcase the work of various artists with and without disabilities.
- **c.** To promote the integration of disabled people into the community.
- **d.** To promote creativity among disabled people.

33.1 Where did the Beauty Contest take place?

- **a.** Butrint, Spain.
- **b.** Butrint, Venezuela.
- **c.** Butrint, Albany.
- **d.** None of the above.

33.2 What is the correct order of winners in the Beauty Contest?

- **a.** Viviane Lisbeth Ramos Puma, Silvi Skenderaj, Karian Cabrera.
- **b.** Karian Cabrera, Viviane Lisbeth Ramos Puma, Silvi Skenderaj.
- **c.** Silvi Skenderaj, Viviane Lisbeth Ramos Puma, Karian Cabrera.
- **d.** Viviane Lisbeth Ramos Puma, Karian Cabrera, Silvi Skenderaj.

34.1. This article is about:

   a. The celebration of the 57th birthday of the People's Republic of China in Malaysia.
   b. The celebration of the 57th birthday of the People's Republic of China in China.
   c. The celebration of economic ties between Malaysia and Chine.
   d. None of the above.

34.2 Cheng Yong Hua is:

   a. Malaysian Minister of Human Resources.
   b. Chinese Ambassador to Malaysia.
   c. Chinese Minister of Human Resources.
   d. Malaysian Ambassador to China.

35.1 According to Levin, Yale's connection to China has given Maurice Greenberg and the Starr Foundation confidence in what?

   a. That Yale will continue superior education in matters related to China.
   b. That Yale will allot the $50 million to improving relations with China.
   c. That Yale will be force for positive intellectual, social, and economic change in China and around the world.
   d. Both A and C.

35.2 Maurice Greenberg is:

   a. The Chairman and CEO of the Retirement Funds of American International Group.
   b. The Founder of American International Group.
   c. The Chairman and CEO of C.V. Starr & Company.
   d. Both A and C.

36.1 What kind of game is "Slaves of the Red Mansion"?

   a. An erotic game.
   b. An on-line game.
   c. A historical game.
   d. Both A and B.

36.2 Why are the Chinese irate about "Slaves of the Red Mansion"?

   a. Because it distorts their history.
   b. Because the Chinese romance novel "Dream of the Red Mansion" is major symbol of Chinese literature.
   c. Because the Japanese game shows disrespect to the Chinese nation by spoofing the title and characters of the romance novel "Dream of the Red Mansion".
   d. Both B and C.

37.1 What is Dennis Simon's primary occupation?

   a. Economist.
   b. Vice-president of academic affairs at New York State University.
   c. Entrepreneurial visiting lecturer in Dalian.
   d. Both A and B.

37.2 According to Zhang Bailin:

   a. China's development is in isolation from other countries.
   b. China's development is independent from the development of other countries.
   c. China's progress needs the world, and the world needs China.
   d. All of the above.

38.1 According to Jack Straw, what is the negative significance of veiling?
- **a.** It is a visible symbol of separation and difference.
- **b.** It is a negative political symbol in British government offices.
- **c.** It allows for racial and cultural discrimination against women who veil.
- **d.** It is a symbol of an unwillingness to assimilate.

38.2 According to the article, how has the Muslim community responded to Straw's comments?
- **a.** Political dissent and anger.
- **b.** Racial and cultural attacks on the British.
- **c.** Removal of the veil prior to entrance into British government offices.
- **d.** Increased veiling.

39.1 What is one major concern regarding the scheduled 2009 shutdown of Ignalia power plant?
- **a.** It is similar to Chernobyl where the world's worst nuclear accident happened in 1986.
- **b.** Preventing an energy crisis by building a new power plant to replace Ignalia.
- **c.** Building a nuclear waste storage facility near Ignalia.
- **d.** Creating a diplomatically, financially, and economically sound solution to the nuclear waste problem.

39.2 According to Alexander Lukashenko, where should the nuclear waste storage facility be built?
- **a.** Within five kilometers of the Belarus-Lithuania border.
- **b.** Near the center of Lithuania.
- **c.** In Estonia.
- **d.** Not near the Belarus-Lithuania border.

40.1 Why had Aeroflot suspended its flights from Moscow to Lebanon?
- **a.** The war between Israel and Lebanon.
- **b.** The imprisonment of two Lebanese soldiers by the Israeli government.
- **c.** Russia's disagreement with the Hezbollah.
- **d.** Both A and C.

40.2 In the last sentence of the article, what does the word "آتش بس" mean?
- **a.** Firing squad.
- **b.** Cease fire.
- **c.** Passenger airplane fire regulation.
- **d.** None of the above.

41.1 According to Mikhail Fradkov, what important factors must be kept in mind when attempting to improve Russia's farming technologies?
- **a.** The spread of farming knowledge and improvement of the management system.
- **b.** The improvement of production of consumer goods.
- **c.** Production of eco-friendly consumer goods that attract consumers.
- **d.** Both A and C.

41.2 Agriculture in Russia:

- **a.** Is strongly backed by government subsidies.
- **b.** It is not a priority of the government.
- **c.** Is receiving considerable attention due to new projects in development of farming technologies.
- **d.** Both A and C.

42.1 How do Russia's direct investments in the private sector compare to that of other leading countries?

- **a.** It has outpaced countries such as Japan and Canada.
- **b.** It lags far behind other countries such as Japan and Canada.
- **c.** It is on par with those of Japan and Canada.
- **d.** It is the equivalent of the combined direct investments of Japan and Canada.

42.2 According to the Finance Minister, Alexei Kudrin, what measures should be taken to prevent inflation?

- **a.** Encouraging further inflow of foreign investment in the private sector.
- **b.** Developing financial institutions that strictly ensure the stabilization of currency exchange rates.
- **c.** To increase the value of the Russian ruble by 4.7% in the current fiscal year.
- **d.** Both A and C.

43.1 The allotment of the funds at the National Bank of Moldova is as follows:

- **a.** $270.1 million in securities, $377.7 million in cash and deposits, and $7.4 million in reserve in the International Monetary Fund.
- **b.** $270.1 million in cash and deposits, $377.7 million in securities, and $7.4 million in reserves in the International Monetary Fund.
- **c.** $270.1 million in reserves in the International Monetary Fund, $377.7 million in securities, and $7.4 in cash deposits.
- **d.** $270.1 million in securities, $377.7 million in cash and deposits, and $4.4 million in reserve in the International Monetary Fund.

43.2 According to the National Bank of Moldova, the currency reserves:

- **a.** Have grown at a monthly rate $46.78 million throughout 2006.
- **b.** Have grown at a monthly rate $64.78 million up to September 2006.
- **c.** Have grown at a monthly rate of $6.6 million up to September 2006.
- **d.** Have grown $647.8 in 2006 alone.

44.1 How does the September production compare with the monthly target?

- **a.** The actual production was 3.8% higher than expected.
- **b.** The actual production was 6.9% lower than expected.
- **c.** The actual production exceeded the monthly target by 57,000 metric tons.
- **d.** The actual production was 6.9% higher than expected.

44.2 How much crude oil did Sibneft produce in the first month of 2006?

- **a.** 417.8 million barrels.
- **b.** 57 million barrels.
- **c.** 149 billion barrels.
- **d.** 149 million barrels.

45.1 In what form is the loan being dispersed to Kamaz Trucking Incorporated?
- **a.** 40 million dollars and 50 million Euro.
- **b.** 50 million dollars and 40 million Euro.
- **c.** 100 million dollars.
- **d.** 100 million Euro.

45.2 What type of loan is Kamaz receiving from its lending banks?
- **a.** Savings loan from a major Russian bank.
- **b.** Interest-only loans from various banks including Narodniy Bank.
- **c.** A loan from the parent company Sindika and its subsidiary Narodniy Bank.
- **d.** A syndicated loan from various Russian banks including Narodniy Bank.

46.1 What is the growth rate of Kalina's gross profit for the first half of 2006?
- **a.** Two percent growth in comparison to the same fiscal period the previous year.
- **b.** Two percent annual growth rate.
- **c.** Two percent growth in the last quarter.
- **d.** Two percent capital loss in comparison to the same fiscal period the previous year.

46.2 What has been Kalina's gross profit for the first half of 2006?
- **a.** 15.16 million dollars.
- **b.** 180.2 million dollars.
- **c.** 79 million dollars.
- **d.** 25.6 million dollars.

47.1 What did Ilham Aliyev say was the main aim of the cooperation between Russia and Azerbaijan?
- **a.** Finding a development site in Azerbaijan for energy production.
- **b.** Expansion of trade outside of the sphere of energy.
- **c.** Increased cooperation between the 11 countries of the Black Sea Economic Cooperation Alliance.
- **d.** All of the above.

47.2 What form of energy does Azerbaijan have difficulties in developing and distributing?
- **a.** Nuclear.
- **b.** Petroleum.
- **c.** Electric.
- **d.** wind and solar.

48.1 What sparked the Russian federal government's efforts to draft new gaming laws?
- **a.** Investigations into charges of Russian espionage in Georgia.
- **b.** The wave of shutting down casinos and restaurants affiliated with the Union of Georgia in Moscow.
- **c.** Russian Mafia's involvement in Georgian espionage through gaming facilities in Russia.
- **d.** All of the above.

48.2 How will the new kind of gaming permit affect gambling in residential areas?

- **a.** The federal government takes full charge of issuing permits for the construction and operation of casinos in a given residential area.
- **b.** The federal government issues permits for the construction and operation of casinos in residential areas that must be also approved by the local government.
- **c.** The federal government gives up land that is not earmarked for urban development to gaming facilities that meet the minimum requirements for operation.
- **d.** All of the above.

49.1 What kind of language skills should a person applying for this position have?

- **a.** Native Russian and fluent English.
- **b.** Native English and fluent Russian.
- **c.** Native English and Russian.
- **d.** Fluent in English and Russian.

49.2 What type of salary does the position offer?

- **a.** A stipend.
- **b.** Entry-level.
- **c.** Competitive.
- **d.** The article does not mention the type of salary.

50.1 What did Russian police officers find near the city of Krasnoznamensk?

- **a.** A murder victim.
- **b.** Dynamite.
- **c.** A Vehicle Born Improvised Explosive Device.
- **d.** A Turkish businessman who had links to Al-Qaeda.

50.2 How was the Turkish government involved in the incident described in the article?

- **a.** They provided TNT to Russia's Space Forces.
- **b.** They were intentionally shipping bomb-laden vehicles to Russia.
- **c.** The Turkish government was not directly involved in the incident.
- **d.** The Turkish government arranged with Russian forces to investigate a crime committed by a Turkish citizen on Russian territory.

51.1 What is this article about?

- **a.** Thailand's mysterious creatures—the kissing snakes
- **b.** About a man named Maargyr Tayland and his new world record.
- **c.** About children who died of venomous scorpion bites.
- **d.** About a snake charmer who set the world record in kissing highly poisonous king cobras.

51.2 What was the name of the main character in the article?

- **a.** Maargyr Tayland.
- **b.** Khum Chaibuddee.
- **c.** Tak Tak.
- **d.** The article does not mention the main character's name.

52.1 According to the article, whose flags were mixed up?
- **a.** The Polish government hung the Czech flag instead of the Russian flag.
- **b.** The Czech government hung the Polish flag instead of the Russian flag.
- **c.** The Polish government hung the Bulgarian flag instead of the Russian flag.
- **d.** The Bulgarian government hung the Czech flag instead of the Russian flag.

52.2 How did the Russians react to the mix-up described in the article?
- **a.** They did not publicly express any concern.
- **b.** They publicly expressed their anger.
- **c.** They went and changed the flags to the proper representation.
- **d.** Both B and C.

53.1 What type of sculptures guard Chinese Emperor Qin Shi Huang's tomb?
- **a.** Terracotta warriors.
- **b.** Han soldiers.
- **c.** Warriors made of the Sefalist art style.
- **d.** Sculptures of warriors crafted by a man named Pablo Wendel.

53.2 Based on the article, which one of the statements below is true?
- **a.** Pablo Wendel is a German student.
- **b.** Emperor Qin Shi Huang personally added one more sculpture to his own tomb.
- **c.** Xian said he would go to the capital on the condition that he is granted one of the sculptures from the museum.
- **d.** Pablo Wendel disliked the sculptures.

54.1 Who is Mirek Topolanek?
- **a.** Leader of the right-wing party Politika 21.
- **b.** The Czech Republic's newly elected President.
- **c.** Prime Minister of the Czech Republic.
- **d.** Both A and B.

54.2 On the first line of the last paragraph, what does "انتقام شيرين" refer to?
- **a.** Lucie Talmanova's political triumph in the Czech Parliament.
- **b.** Pavla Topolankova's sweet revenge against her idolatrous husband.
- **c.** Mirek Topolanek's sweet revenge against his idolatrous wife.
- **d.** Pavla Topolankova's political triumph in the Czech Parliament.

55.1 According to the article, who is causing trouble in New Delhi?
- **a.** Tourists.
- **b.** Monkeys
- **c.** Metro riders
- **d.** All of the above.

55.2 Who is Anuj Dayal?
- **a.** Head of New Delhi's tourism industry.
- **b.** Manager of a guest house in New Delhi.
- **c.** Chief of New Delhi's underground transportation system.
- **d.** A representative of the Delhi Metro Rail Corporation.

56.1 What is Wang Shu-hui's agenda?

a. To prevent legislation from being passed that would create a direct link between mainland China and Taiwan.
b. To chew and swallow as many pieces of paper as possible.
c. To defeat Taiwan's Democratic Progressive Party.
d. None of the above.

56.2 What did Chuang Hot-zu do?

a. He declined to comment on the incident.
b. He condemned the incident.
c. He spat on an opposition member.
d. He spat on a member of the Democratic Progressive Party.

57.1 What do diplomatic sources attribute as the reason for the withdrawal decision?

a. The new mandate involves peace-enforcement as opposed to peace-keeping.
b. The new mandate involves peace-keeping as opposed to peace-enforcement.
c. The soldiers were engaged in peace-enforcement as opposed to peace-keeping.
d. The soldiers were engaged in peace-keeping as opposed to peace-enforcement.

57.2 What has to happen before India would hand over its positions to a new UN force?

a. The Israeli-Lebanese conflict is solved.
b. The expiry of the current mandate.
c. The establishment of a new mandate.
d. Both A and C.

58.1 The immigrants described in this article:

a. Have found a loophole that will allow them to enter the EU.
b. Have legal grounds for immigration.
c. Are all Africans.
d. All of the above.

58.2 What kind of medical issues do the immigrants have when they arrive on the Island?

a. Melanoma and Dehydration.
b. Hypothermia and Dehydration.
c. AIDS/HIV and Hypothermia.
d. None of the above.

59.1 Why is the tree in this article so important?

a. Because it is the most ancient tree in Queensland.
b. Because it is the birthplace of an Australian political party.
c. Because it was the last tree containing that exact DNA.
d. Because it is Australia's national tree.

59.2 How was the tree killed?

a. It was not watered, so it dried out.
b. It was cut down.
c. With Ajax.
d. With herbicides.

60.1 How does the article describe the hurricane?
- **a.** The hurricane reached speeds of 85 miles per hour.
- **b.** The hurricane moved north-west at 18 miles per hour.
- **c.** The hurricane moved north-east at 85 miles per hour.
- **d.** The hurricane winds blew at 85 miles per hour and gusts of up to 105 miles per hour.

60.2 What kind of casualties did the hurricane inflict?
- **a.** Deaths.
- **b.** Major injuries.
- **c.** Minor injuries.
- **d.** All of the above.

61.1 According to the forecasters, which of the following statements is true?
- **a.** Isaac should stay to the east of Bermuda.
- **b.** Isaac should stay to the south of Bermuda.
- **c.** Isaac should stay to the west of Bermuda.
- **d.** Isaac should stay to the north of Bermuda.

61.2 Which of the following statements is false?
- **a.** Isaac is the fifth hurricane of the 2006 Atlantic hurricane season.
- **b.** Isaac had top sustained winds near 75 kilometers per hour.
- **c.** Isaac killed two people and left 300,000 houses and businesses without power.
- **d.** None of the above.

62.1 What instigated the armed clash between Hamas militants and members of the security service?
- **a.** Delayed salaries.
- **b.** Decreased wages.
- **c.** Factional tensions.
- **d.** A recent political move by Naser Al Sha'er.

62.2 Having read the entire article, which word best describes Naser al Sha'er_
- **a.** Indifferent.
- **b.** Pragmatist.
- **c.** Stingy.
- **d.** Idealist.

63.1 According to Haneya, why was it wise for the Palestinian government to keep quiet and patient?
- **a.** Because they were able to completely avoid the conflict.
- **b.** Because they essentially allowed emotions and rage to settle before initiating dialogue with the protestors.
- **c.** Because government representatives were able to avoid being physically injured by the violent and heated protestors.
- **d.** Because the protestors were acting disrespectfully.

63.2 According to the article, what is Haneya's primary concern?

- **a.** To appease the protestors.
- **b.** To increase Hamas's power.
- **c.** To resolve the financial crisis.
- **d.** To bring law and order.

64.1 How does Siniora feel about the tension between Lebanon and Israel?

- **a.** He feels that it cannot lead to anywhere
- **b.** He is confident the war can be won with Kuwait's support.
- **c.** He believes the outcome will be good.
- **d.** The article never mentions what Siniora thinks about the tension between Lebanon and Israel.

64.2 How is Kuwait aiding Lebanon?

- **a.** By giving 300 million USD of aid to Lebanon.
- **b.** By investing 500 million USD into Lebanon's Central Bank.
- **c.** By giving a total of 800 million USD of aid to Lebanon.
- **d.** Both (A) and (B)

65.1 Who committed the crime described in the article?

- **a.** Faris Khalil Abdul Hassan.
- **b.** The owner of a gas station near Gailani.
- **c.** A gunman who has been identified but has requested to remain anonymous.
- **d.** The identity of the gunman is unknown.

65.2 Why do these types of attacks occur frequently?

- **a.** Because of tribal conflicts in Iraq.
- **b.** Because of religious conflicts in Iraq.
- **c.** Because the Iraqi security force's perceived collaboration with the United States.
- **d.** Because of economic and political shortcomings in Iraq.

66.1 What issue(s) have the two sides been failing to agree on?

- **a.** Profit sharing.
- **b.** Foreign investor tax breaks.
- **c.** The location of the field.
- **d.** All of the above.

66.2 What is Kamal Daneshyar saying will happen if the Japanese continue to delay the project?

- **a.** Tehran will cancel the deal and let other countries have a bid on the project.
- **b.** Tehran will cancel the deal and give the project to local Iranian corporations.
- **c.** Tehran will cancel the deal and nationalize the field.
- **d.** Tehran will cancel the deal and give the project to another Japanese corporation.

67.1 What was Commander Suleiman's triumph?

- **a.** That Lebanese troops were physically able to hoist the flag on the hilltop.
- **b.** That the Israeli army pulled out of the hilltop border position of Labbouneh.
- **c.** The article does not mention any triumph on the Labenese side of the conflict.
- **d.** That the Israeli army was militarily defeated in Southern Lebanon by Hezbolla.

67.2 What did Major General Alain Pellegrini say?

a. On Sunday, the Israeli army will withdraw its troops from Ghajar.
b. By Sunday, the Israeli army will withdraw its troops completely from the South of Lebanon.
c. The Israeli army will never withdraw its troops until Ghajar authorities agree with security arrangements.
d. The Israeli army had withdrawn its troops from the south except from the village of Ghajar.

68.1 Why was the state of emergency criticized by lawmakers?

a. Because it allows the Iraqi security forces to abuse their powers.
b. Because it has been renewed too many times.
c. The article does not directly imply the reasons for criticism.
d. Because of the political will of Parliamentary speaker Mahmoud al-Mashhadani.

68.2 What does the state of emergency grant the Iraqi security forces?

a. The ability to impose tight security measures on the entire country
b. The ability to impose tight security measures on the Kurdish region.
c. The ability to impose tight security measures on the entire country, except for the Kurdish autonomous region.
d. The ability to impose tight security measures on the entire country, except on the Kurdish people.

69.1 What is the main subject of this article?

a. Israel's permanent withdrawal from the West Bank and Gaza Strip.
b. Statistics indicating that after Yom Kippur, the death toll of Israeli soldiers in the West Bank and Gaza Strip rose.
c. The affect of Yom Kippur on Israel's campaign in the West Bank and Gaza Strip.
d. Jews living in the West Bank and Gaza Strip celebrate Yom Kippur.

69.2 Which of the following activities are traditionally practiced during Yom Kippur?

a. Watching religious programs on television.
b. Engaging into military and political campaigns
c. Shopping, since many stores run sales during Yom Kippur.
d. None of the above.

70.1 Which one of the following statements is true?

a. Iran's Tourism and Cultural Heritage Organization is located in Natanz.
b. Bushehr is a city in Southern Iran with rich uranium sources.
c. Foreign tourists can now visit Iranian nuclear sites.
d. Iran's nuclear program is peaceful.

70.2 In this article what does the Iranian President say motivates Iran's nuclear program?

a. To obtain bargaining power with the West with the development of atomic weapons.
b. To fortify and diversify the nation's energy sources.
c. For the pure sake of scientific research.
d. To promote piece.

71.1 What did the blasts damage?

a. An entire neighborhood, in which was located a school.
b. Military cars and a building.
c. Civilian cars and a building
d. Everything in the area but the military facilities.

71.2 According to the article, what happened to the Iraqi Industry minister?

a. He was killed by a car bomb.
b. It is not clear what happened to the minister.
c. He killed 11 people by planning a car bomb at the al-Masoudi School.
d. He died on the roadside near the Masoudi School.

72.1 In the first paragraph of the text, how does the article describe the city of Jafa?

a. A coastal city adjacent to Tel Aviv.
b. An inland city near Tel Aviv.
c. An inland city adjacent to Tel Aviv.
d. A city just outside of Tel Aviv.

72.2 The incident took place at 8am while local border guard officers were:

a. At a check point, clearing vehicles to pass.
b. Patrolling the local market in search of illegal residents.
c. Checking individuals for illegal substances.
d. Patrolling the local market in search of individuals with illegal goods.

73.1 According to the article, who was arrested?

a. Abu Ayyub al-Masri, a member of Al-Qaeda.
b. Abu Ayyub al-Masri's personal assistant/driver and 31 others.
c. Abu Ayyub al-Masri's driver, Abu Ayyub al-Masri's personal assistant, and 31 others.
d. Abu Ayyub al-Masri, his personal assistant, his driver, and 31 others.

73.2 Abu Ayyub al Masri has been responsible for which of the following acts?

a. 2005 bombings of the Sheraton and Hamra hotels in Baghdad.
b. For making and distributing videos that demonstrate how to build a bomb in a tanker truck.
c. None of the above.
d. Both A and B.

74.1 How did the US administration propose to split up the new Iraqi state?

a. By religious lines.
b. By ethnic lines.
c. By both religious and ethnic lines.
d. The administration recommended to keep the state united.

74.2 What will Baghdad's role be in the recommended system?

a. Baghdad will be the single administrative center for all of Iraq.
b. Baghdad will be exclusively in charge of foreign affairs, border protection and the distribution of oil and other revenue.
c. Baghdad will share the responsibilities of foreign affairs, border protection and the distribution of oil and other revenues with the three governments of the proposed autonomous regions.
d. Baghdad will be one of 3 administrative centers for all of Iraq.

75.1 Why has Sergey Ivanov denied Russian cooperation with the United States in the development of an anti-missile defense system?

a. Russia sees no need for the American development of such a system in Eastern Europe.
b. Russia believes that the need for a strategic anti-missile defense system is an imaginary fear.
c. Both A and B.
d. None of the above.

75.2 The US Government claims that the anti-missile defense system in Eastern Europe

a. Will aid in defending its European allies from long-range missile attacks.
b. Will help bring Russia and the United States into closer cooperation.
c. Was built in response to missile development in Russia.
d. Will prevent the Czech Republic and Poland from becoming Russian satellite nations.

76.1 Initially, under what condition had the president of Romania threatened to resign?

a. Within five minutes of a vote against his interpellation by the Parliament.
b. Within thirty days of a public referendum after an interpellation by the Parliament.
c. Within 48 hours of the publication of the Parliament's vote by a media outlet.
d. Within three months after the election of a new president.

76.2 What serious threat(s) would Romania have faced if the Parliament had voted against the interpellation[1] of President Basesko?

a. The resignation of President Basesko.
b. Political instability, resulting in fall in rank and importance of Romania in the European Union.
c. Being left without a president for thirty days.
d. A complete division of the Parliament.

77.1 What does Wen Jiabao think are two particular difficulties that China has faced?

a. Increasing foreign investments and handling internal funds.
b. Reduction of energy use and the increase of green house gases emissions.
c. Growing inflation and the lack of investments.
d. The increase of the production of grains and the income of farmers.

77.2 What must the Chinese government do In order to prevent further economic pressures?

a. Promote competition among the farmers to increase productivity.
b. Provide subsidies for small businesses and agriculture.
c. Increase its enormous political and economic control.
d. Create more jobs and increase employment.

78.1 What does Liu Jianchao say is China's position on the vote for amendments of the Security Council of the United Nations?

a. China unequivocally opposes the proposal.
b. China supports important and logical amendments.
c. China will oppose any position which will make amendments voluntary.
d. China will side with the majority vote on the issue.

---

[1] a) A parliamentary procedure of demanding that a government official explain some act or policy.
b) The action of interjecting or interposing an action or remark that interrupts.

78.2 Who is Wen Jianbao?
- **a.** The Chinese Foreign Ministry spokesperson.
- **b.** The Prime Minister of China.
- **c.** The Chinese representative at the Unite Nations.
- **d.** The Japanese Prime Minister.

79.1 Why has the Chinese commission been trying to reduce the area dedicated to sites of economic development?
- **a.** The sites have been rapidly replacing farms and damaging China's farming industry.
- **b.** The pollution created from the sites has seeped into China's water sources.
- **c.** Economic growth has caused the destruction of forest parks and recreation in China.
- **d.** New chemical plants have been erected in residential sites.

80.1 What new trend did Merrill Lynch observe in the financial markets?
- **a.** Stock sharing by several individuals and companies.
- **b.** More companies are offering common stocks.
- **c.** Reduction in profits by 46% during the next 12 months.
- **d.** Panicked selling of stocks on the market.

80.2 At the time of writing the article how did the overall income and stocks of European companies compare to the rest of the world?
- **a.** It is higher than any other part of the world.
- **b.** It is lower than in the United States.
- **c.** It is rapidly decreasing and quickly falling behind the United States.
- **d.** It is weaker than Russia and Turkey.

81.1 What does Antonio La Spina think concerning the future economic ties between Italy and China?
- **a.** They will revolve ever more increasingly on imports and exports between the two countries.
- **b.** China will begin to use Italy as a gateway to exporting its goods to other European countries.
- **c.** Italian companies will increasingly invest in China as its economy expands.
- **d.** Chinese companies will invest in Italian fashions such as furniture and clothing.

81.2 What is the difference between Italian companies and other companies in the European Union?
- **a.** Italy has small to medium sized companies that target appropriate markets.
- **b.** Italy's companies do not target the same markets as the European countries.
- **c.** Italian companies try to compete with Chinese companies in Italy.
- **d.** Other European companies have no interest in investing in China.

82.1 According to the Meteorological Agency of Japan, what natural disaster resulted from the earthquakes in Okinawa?
- **a.** Severe thunderstorms.
- **b.** Hurricanes.
- **c.** Tsunamis.
- **d.** More subsequent earthquakes.

83.1 When will parliamentary elections be held in Fiji?
- **a.** Later this year.
- **b.** Within twenty-four after the publication of the announcement.
- **c.** In three years.
- **d.** After settlement talks with the Delegation of European Commission for the Pacific in Suva.

83.2 What is the European Commission's main concern regarding Fiji?
- **a.** Observation of human rights, principles of democracy, and rule of law.
- **b.** Prevention of future coup d'états.
- **c.** Protection of Fijian culture.
- **d.** Both A and C.

84.1 What is the speculated source of the oil spills in waters around Vietnam?
- **a.** Ships of the Vietnamese Navy, which has about 15 tons of oil in the area.
- **b.** An over-turned tanker from China.
- **c.** Oil refineries in Vietnam.
- **d.** It is most likely from an international source in the region.

84.2 What are the important sources of income in Ninh Thuan?
- **a.** Income generated by tourists visiting the beaches' aquaculture.
- **b.** Income from basket weaving.
- **c.** Income from rice farming.
- **d.** Income from oil refineries in the region.

85.1 The yearly IUSSD meeting between the United States and Indonesia____________.
- **a.** Had ceased after the violent episodes in East Timor in 1999.
- **b.** Is intended to promote cooperation between the two countries.
- **c.** Was started in September 2001 with the Indonesian president's visit to Washington, D.C.
- **d.** Does not deal directly with current world events.

85.2 What is the position of Dadi Susanto?
- **a.** Current President of Indonesia.
- **b.** Major General.
- **c.** Brigadier General.
- **d.** Indonesian Foreign Minister.

86.1 What is the explicit purpose of the new bill signed by the Brazilian President?
- **a.** To celebrate the Indigenous People's Day.
- **b.** To ensure more government attention to the needs of the indigenous peoples of Brazil.
- **c.** To establish six new regions to be divided among the countries native tribes.
- **d.** To quiet the indigenous people's uproar with regards to construction on their land.

87.1 What sectors have witnessed an increase in employment in Los Angeles?
- **a.** Health care, law, and skilled labor.
- **b.** Internet sales and development.
- **c.** Finance and banking.
- **d.** Computer sciences and information Technology.

87.2 What is the article about?

- **a.** Increase in number of jobs in major American metro areas.
- **b.** Increase in use of the Internet for finding employment in major American metro areas.
- **c.** Increase in the need for nurses in the Los Angeles and Huston areas.
- **d.** Increase in jobs in the legal sector.

88.1 Which of the following nations is not mentioned in the article as one that Tsar Kaloyan engaged in war with?

- **a.** Byzantium
- **b.** Hungary
- **c.** Serbia
- **d.** Greece

88.2 Who is Stefan Danailov?

- **a.** Current Bulgarian Minister of Culture.
- **b.** Ancient Tsar of Bulgaria, following the reign of Tsar Kaloyan.
- **c.** Current President of Bulgaria.
- **d.** A curator at the historic museum where the remains of an ancient tsar where reburied.

89.1 How will cheating on the college entrance exams be dealt with according to Chinese criminal law?

- **a.** Those convicted of the crime will be sentenced to 30 to 40 days in jail.
- **b.** Those convicted of the crime will be sentenced to up to seven years in jail.
- **c.** Those convicted of the crime will lose their cell phones and computers.
- **d.** Those convicted of the crime will be punished to the fullest extent of the Chinese criminal law.

89.2 According to the article, why would Chinese high school students be tempted to cheat on the college entrance exams?

- **a.** Because it is their only chance to gain access to higher education.
- **b.** Because it is extremely difficult.
- **c.** Because out of 5.9 million Chinese high school graduates only 2.6 passed the exam last year.
- **d.** Because it is a good way to make money.

90.1 What subject matter did the film mentioned in the article depict?

- **a.** Natural childbirth.
- **b.** Caesarean section operation.
- **c.** A horror movie about Dracula.
- **d.** An appendix surgery on a pregnant mother.

90.2 What does Cao Jianping think of the movie?

- **a.** That it will leave a bad impression on such young children.
- **b.** That it will save him the embarrassment of having to tell her children where they came from.
- **c.** That it will scare them from sex and childbirth.
- **d.** That it is instructive and could serve as an educative tool under the right guidance.

91.1 According to Charlotte Chandler, why can her biographies be considered "autobiographies"?

a. Because they are about her own first-hand experiences with the stars.
b. Because they are based firmly on the stars' own words as told to her.
c. Because she transcribed the stars' words before their death.
d. Because she was always present with the stars.

91.2 Were both endings to *Casablanca* filmed?

a. Yes, and it was decided that in the end Ilse would escape with her husband.
b. Yes, and it was decided that in the Ilse would remain in Morocco with Rick.
c. No, because after the filming of the first ending, it was seen as the logical ending.
d. No, because the stars were tired of working on a movie they didn't really want to be in.

92.1 On whose behalf is the NCA collecting royalties from Karaoke restaurants in China?

a. Artists, producers, and copy right holders.
b. Artists, the government, and copy right holders.
c. Artists, copy right holders, and share holders in the arts.
d. Solely for the China Audio and Video Association.

92.2 How did the Karaoke restaurant owners react in Guangzhou and Shanghai?

a. They have declared it "unlawful and unreasonable."
b. They have agreed to pay 12 Yuan per private room per day.
c. They began paying royalties back in February.
d. They have agreed to pay 8 Yuan per private room per day.

93.1 Who is Frank Rijkaard?

a. Barcelona's star soccer player.
b. Getafe's soccer team coach.
c. Getafe's goalie.
d. Barcelona's soccer team coach.

93.2 How did Lionel Messi's gameplay help Barcelona in the Copa del Ray?

a. It has brought them closer to winning since the last time in 1986.
b. It has brought them closer to winning since the last time in 1998.
c. It has helped renew public interest in soccer since Maradona left the field in 1986.
d. It has helped them win against Getafe by a score of two to four.

94.1 What role does Shanghai General Motors play in the Buick China Golf League?

a. It is the organizer.
b. It is the financial backer.
c. It is the founder.
d. It is one of the main contenders for the prize.

94.2 What does Zhang Xiaoning hope will happen as a result of the founding of CGCL?

a. Public opinion about golf will shift from viewing as a bourgeois sport to a public one.
b. It will help advertise the products and services of its sponsoring companies.
c. It will stimulate Shanghai General Motors' market and stocks.
d. It will allow China to become a world-recognized competitor in golf.

95.1 What are some of the aims of the Basketball Without Borders program in Africa?
- **a.** To promote education, leadership, and awareness and prevention of AIDS.
- **b.** To scout exceptional basketball players from South Africa.
- **c.** To give African youth ages 19 and younger hope about their future in the NBA.
- **d.** To bring African-American basketball players back in touch with their roots.

95.2 Who is Dikembe Mutombo?
- **a.** A reporter for a newspaper in Johannesburg.
- **b.** An American basketball player.
- **c.** The South African organizer of Basketball Without Borders.
- **d.** A South African basketball player.

96.1 According to an engineer with the Chinese metrological station, what is the significance of creating artificial snow in Tibet?
- **a.** It strips Tibet of its autonomy by proving that the Chinese government can control their weather.
- **b.** It proves that human beings can change weather even at Earth's highest plateaus.
- **c.** It demystifies Divine Intervention in weather.
- **d.** It will allow the development of ski resorts in Tibet.

96.2 According to Yu, why is artificial precipitation in high altitudes difficult?
- **a.** Because the conditions are not conducive to the formation of hydrometer molecules.
- **b.** Because Tibet has felt the effects of global warming.
- **c.** Because of the drought of lakes.
- **d.** Because of lack of public interest in such projects.

97.1 What did the United States Food and Drug Administration announce regarding the avian flu vaccine?
- **a.** That it will be mandatorily administered to those between the ages of 18 to 64.
- **b.** That it will not be sold commercially in the near future.
- **c.** That it is currently being stockpiled in the United States in case of a pandemic.
- **d.** That it will be sold commercially in the near future.

97.2 Why is the avian flu vaccine an important concern for the United States Food and Drug Administration?
- **a.** Because it has already killed nearly 300 people worldwide.
- **b.** Because if the virus evolves, it can kill tens of millions of people.
- **c.** Because development of a human-safe vaccine can generate income for the American economy.
- **d.** Because cases of the avian flu have been recorded in the United States since 2003.

98.1 According to some parenting experts, what is the most important principle to keep in mind when using the rewards system with children?
- **a.** To ensure that the children do as they are told before any reward is given.
- **b.** To ensure that the children know that there are rewards for good behavior.
- **c.** To ensure that the reward and the behavior are of equal worth.
- **d.** To ensure that a sense of entitlement is reserved for the parents.

98.2 What is one of the problems that Christine Whipple has encountered with her sons when using the rewards system?
- **a.** They will not brush their teeth unless they know that they will get rewarded.
- **b.** Any time that they behave appropriately, they wonder, "What is my reward?"
- **c.** They misbehave around their babysitter until they get the video game they want.
- **d.** They always misbehave at restaurants to get dessert.

99.1 Will Iran use oil as a weapon if further anti-Iran resolutions are passed?
- **a.** Certainly, in order to make known Iran's power in the Middle East.
- **b.** No, as Iran's only policy is exchange and meeting the world's energy needs.
- **c.** Not unless military strikes are carried out against Iran.
- **d.** Yes, Iran will use oil as a weapon against its Arab neighbors who are American allies.

99.2 How much investment is Hamaneh expecting in Iran's oil industry?
- **a.** Slightly more than $20 billion.
- **b.** Over $20 billion.
- **c.** Slightly more than $14.3.
- **d.** Slightly less than $14.3.

100.1 Why do some speculate that Halliburton has exited from Iran?
- **a.** In order to move its operations to Dubai and take over the Iranian market quietly.
- **b.** In order to prove American animosity towards Iran.
- **c.** As a result of Iran's growing relationship with countries such as China and India.
- **d.** Because Dick Cheney plans to attack Iran in the near future.

100.2 What reasons are given for the opinion that India is "miles behind China"?
- **a.** Because China is already exploiting Iran's oil reserves.
- **b.** Because China already plays an important role in Iran's economy and industry.
- **c.** Because China, Malaysia, and Japan have created an alliance to economically exploit Iran.
- **d.** Because China has already constructed metros in Shanghai.

101.1 What was the result of Alisher Osmanov's bid to buy back the former USSR's classic cartoons collection from the American company?
- **a.** The successes of the former USSR's cartoon industry have been brought back to light.
- **b.** Two of Nuresteins's cartoons have been highly ranked on the list of 150 Most Influential Animations.
- **c.** There has been renewed interest in developing the "needlepoint technique" in animation.
- **d.** Oleg Vidov and his wife have decided to outbid Osmanov and buy the collection themselves.

101.2 What was one of the main reasons that the Russian cartoon industry failed to blossom?
- **a.** The CEOs of companies wanted to make more money by selling the movies in Europe.
- **b.** The cartoonists traded-in their future rights for current benefits, and lost a fortune.
- **c.** Walt Disney attempted to kill Russian competition by buying and locking up their works.
- **d.** The Communist era destroyed creativity and the arts in Russia.

101.3 According to Yuri Nurestein, what is the most influential animation of the century?
- **a.** *The Little Hunchback Horse.*
- **b.** *Snow Queen.*
- **c.** *A Night in the Empty Mountain.*
- **d.** *Story of Stories.*

101.4 What is the "needlepoint technique"?
- **a.** Walt Disney's technique for creating vibrant colors and imagery on the screen.
- **b.** Alexander Alexiov that was used in the 1932 animation *Night in the Empty Mountain*.
- **c.** Yuri Nurestein's technique that was used to create two of the 150 Most Influential Cartoons.
- **d.** A very simple technique that uses holes in the film to project more light onto the screen.

101.5 What is *Hedgehog in the Fog* about?
- **a.** A little hedgehog that learns to appreciate the simpler things in life.
- **b.** A little person who learns to appreciate the simpler things in life.
- **c.** A lost wise horse that shows a little person the way through the forest.
- **d.** There is no real story; it is an artistic cartoon about a red apple in a lake in a foggy forest.

102.1 Who does the public think will win the French presidential elections?
- **a.** No one really cares; the public is more pre-occupied with issues of immigration.
- **b.** That Jean-Marie Le Pen is among the top three contenders for the French presidency.
- **c.** That there are three clear forerunners: Segolene Royal, Nicholar Sarkozy, and Francois Bayrou.
- **d.** That Jacque Chirac should run again for the presidency.

102.2 What is Jacque Chirac's advice to his potential successors?
- **a.** Do not ever tolerate extremism, anti-Semitism, racism, and the isolation of the "Other".
- **b.** Continue practicing Gaullist democracy.
- **c.** Promote hateful ideas only if they win you votes in the elections.
- **d.** Extremism has been the cause of France's rebuilding after WWII.

102.3 What is Sarkozy's policy towards immigrants?
- **a.** Being of Hungarian immigrant descent, he promotes acceptance of immigrants in France.
- **b.** He has a radical anti-immigration platform that calls for stripping immigrants of their identity.
- **c.** He blames the Polish immigrants for France's problems.
- **d.** He says that there is no need for a new policy towards immigration.

102.4 Why must France currently bear the huge burden of immigration according to the article?

- **a.** In order to make up for its colonial past and provide opportunities for former colonial subjects.
- **b.** Because its economy is the weakest in the European Union and it must get more laborers.
- **c.** Because it has always offered sanctuary to political exiles from Eastern Europe.
- **d.** Because it has the most lax immigration laws of all European Union countries.

103.1 What are "Healthy On-line Cultural Products"?

- **a.** On-line products that track the spread of on-line gambling and help the government in catching criminals.
- **b.** On-line products that spread knowledge without spreading on-line viruses.
- **c.** On-line products that spread useful knowledge and prevent social decay through Internet use.
- **d.** On-line products that increase awareness about social fitness.

103.2 What does the government hope to achieve through developing and using "Healthy On-line Cultural Products?"

- **a.** Spread Communist doctrine and revitalize a Maoist China.
- **b.** To show the world the glory of ancient Chinese culture and its adaptability in the modern world.
- **c.** To prevent the spread of socialist and Western idealism in China.
- **d.** To monitor and stabilize the rate of growth of Internet usage in China.

104.1 When will the new robots be available to consumers?

- **a.** Beginning in early July of 2007.
- **b.** By about 2013.
- **c.** Although the test models have been successful, the company is still not sure.
- **d.** Within the next nine years.

104.2 What capacities do the robots have?

- **a.** They can do the work of a security guard, a tutor, and a personal trainer among others.
- **b.** They can record songs and play them back, like an amplified MP3 player.
- **c.** They can forward voicemails in the form of text messages to their owners.
- **d.** They can recite poetry and tell stories.

104.3 What are the specific visual characteristics of the two robots?

- **a.** They are dull grey, weigh 80 kg, and are 25 cm tall.
- **b.** They are shiny silver, weigh 25 kg, and are 25 cm tall.
- **c.** They are black and white, weigh 45 kg, and are 60 cm tall.
- **d.** They are shiny white, weigh 25 kg, and are 25 cm tall.

104.4 Based on the article, how do the robots function?

- **a.** Their understanding is based on a series of complex binary codes, which are pre-programmed.
- **b.** Based on sensitive exterior sensors that allow them to "feel".
- **c.** Based on voice-recognition and commands from their owners.
- **d.** Based on a schedule, which is custom-designed for the needs of each individual client.

104.5 What do the robots do if their owners are away in case of emergencies such as a fire?

- **a.** They break open the nearest water pipe in hopes of subduing the fire.
- **b.** They sound the alarms and send text messages to their owners to inform them of the incident.
- **c.** They send text messages to the nearest fire department, and leave the vicinities.
- **d.** Depending on how they have been programmed, they can save precious family heirlooms.

105.1 Why had the Taliban arrested the two journalists and their driver?

- **a.** On grounds of entering off-limits territory and suspected espionage.
- **b.** On grounds of bringing foreign influence into Afghanistan.
- **c.** In hopes that they can be used in hostage exchanges with the United States.
- **d.** They had been convicted of cooperating with the American invasion.

105.2 What has been the cause of growing public dissatisfaction with the interim government?

- **a.** It has shown close leanings towards Italian-style democracy.
- **b.** It demonstrated greater concern for obtaining the freedom of a foreign journalist than his Afghan peer.
- **c.** It has cooperated with the Taliban and imprisoned several notable Taliban leaders.
- **d.** It has refused to cooperate with the Taliban.

105.3 What was the content of the joint Afghan and Italian appeal to the Taliban?

- **a.** To forgive Naqshbandi and allow the government to deal with his crime.
- **b.** To acknowledge that reporters should never be seen as political prisoners.
- **c.** To free Naqshbandi in exchange for killing their driver.
- **d.** To recognize that reporters will always show no bias when reporting from the field.

106.1 What has been the main cause behind the development of problems in the foundations of Mid-Western homes in the United States?

- **a.** The approaching hurricane season.
- **b.** Poor construction with cracks in doors and window panes.
- **c.** Severe droughts followed by monsoon rains.
- **d.** Green house gases emissions in the United States.

106.2 What steps are suggested that homeowners can take to protect their property from destruction?

- **a.** To make sure that water drains into the ground close their house.
- **b.** If the temperature outside reaches 90°F or more for 3 days, don't water the plants in the vicinity.
- **c.** Trim the shrubbery near the building so that the roots don't grow and damage the building.
- **d.** Both C and B.

107.1 What have researchers discovered about consumption of foods high in fats?

- **a.** That the fats will not harm the person if fatty foods are not eaten often.
- **b.** That even one meal that is high in fats seriously affects the functioning of the heart.
- **c.** That people who eat high-fat foods perform better under stress.
- **d.** That people who eat high-fat foods sweat a lot.

107.2 Briefly, what were the main steps of the experiment?
- **a.** Two groups of 15 fasted for a day; one ate a high-fat breakfast; the other ate a cereal-based breakfast.
- **b.** Two groups of 15 were subjected to stress tests; both performed poorly.
- **c.** Two groups of 15 ate high cholesterol breakfasts; the cholesterol caused a heart attack in one subject.
- **d.** Two groups of 15 consumed McDonald's breakfasts; both performed equally bad under pressure.

107.3 What are the effects of consuming foods high in fat in the long-run?
- **a.** Failure to pass stress-inducing tests.
- **b.** Hypertension and heart problems.
- **c.** No long-term effects have been reported.
- **d.** No long-term effects will occur if the individual doesn't eat foods high in fat all the time.

108.1 What is the common factor between human beings, worms, and insects?
- **a.** Their brain.
- **b.** Their spinal cord.
- **c.** Their spine.
- **d.** Their digestive system.

108.2 According to Alexandru Denes, what is the amazing new discovery about the Platynereis?
- **a.** Their anatomy is identical to that of vertebrates.
- **b.** The anatomy of the molecules of their central nervous system is identical to that of vertebrates.
- **c.** They might be the missing link in the history of evolution of human beings.
- **d.** They have their spinal cords in their bellies.

108.3 The new findings being published in *Cell* magazine give rise to what question?
- **a.** Did humans, insects, and worms evolve from the same common ancestor?
- **b.** Do annelids and other insects have structures that we can call a "brain"?
- **c.** Why do annelids and worms have their "brains" on their bellies?
- **d.** At what point in the process of evolution did the central nervous system flip from belly to back?

109.1 According to *Home Media Magazine*, what is the distribution of high-quality discs purchased in the first three months of the current year?
- **a.** 70% HD DVDs and 30% Blu-Ray discs.
- **b.** 53640 Blu-Ray disks and 31590 HD DVDs.
- **c.** 70% Blu-Ray discs and 30% HD DVDs.
- **d.** 8 out of every 10 high quality disc purchases have been HD DVDs.

109.2 What is the correct order of sales, from highest to lowest, for the following titles and formats?
- **a.** *Casino Royal* Blu-Ray, *The Departed* HD DVD, *The Departed* Blu-Ray
- **b.** *The Departed* Blu-Ray, *Casino Royal* Blu-Ray, *Casino Royal* HD DVD
- **c.** *Casino Royal* HD DVD, *The Departed* HD DVD, *The Departed* Blu-Ray
- **d.** *Casino Royal* Blu-Ray, *The Departed* Blu-Ray, *The Departed* HD DVD

109.3 Why are researchers not surprised by the sales results for Blu-Ray compared to HD DVD?

- **a.** Since only three major studios support Blu-Ray, it is little surprise that HD DVD is doing better.
- **b.** Since 5 major studios support Blu-Ray and only 3 support HD DVD, Blu-Ray is doing better.
- **c.** Since most people don't yet own the equipment to play Blu-Ray discs, HD DVD is doing better.
- **d.** The higher quality of Blu-Ray has made it an instant hit.

110.1 What has Google Inc. announced?

- **a.** That it will provide software for video conferencing.
- **b.** That it hope that Marratech Group will go bankrupt.
- **c.** That it will sell its shares to Microsoft.
- **d.** That it hope to become Marratech's next biggest competitor.

110.2 Will the video conferencing software be available free of charge or for a fee?

- **a.** Google has announced that it will be available free of charge.
- **b.** Google has announced that it will be available at a small fee.
- **c.** Google has not yet announced whether it will be available at a fee or for free.
- **d.** Due to laws protecting Microsoft, Google can't legally offer the services for free.

110.3 If Google offers this service for free, how will it affect Cisco?

- **a.** It will hurt them since they recently spent $3.2 billion to buy competing technology.
- **b.** It will stimulate competition for Cisco, and raise their sales.
- **c.** It will definitely cause Cisco to declare bankruptcy.
- **d.** It will force Microsoft and Cisco to merge.

111.1 Where was Egyptsat 1 launched to space from?

- **a.** Mena, Kazakhstan.
- **b.** Outside of Cairo, Egypt.
- **c.** Baikonur, Kazakhstan.
- **d.** Huston, Texas.

111.2 How many satellites has Egypt launched for scientific purposes?

- **a.** 14, including Nilesat 101 and Nilesat 102.
- **b.** Numerous other satellites, including Nilesat 101, and Nilesat 102.
- **c.** Egyptset 1 is the first satellite that Egypt has launched for scientific purposes.
- **d.** Several, including some in cooperation with Saudi Arabia.

111.3 What purpose do the previously launched Egyptian satellites serve now?

- **a.** They use complex infrared technology to send scientific information back to Earth.
- **b.** They broadcast over 150 radio and television channels.
- **c.** They are used to signal possible attacks on the Middle East.
- **d.** They are used to fight desertification, and help in developing agriculture.

112.1 What other important event coincided with the International exhibit "Biennial of the Islamic World" this year?

a. "The Year of National Unity and Islamic Identity".
b. The death of Morteza Momayyez.
c. Identical exhibits were simultaneously opened in Algeria, Tunisia, and Australia.
d. The birthday of Prophet Mohammed.

112.2 Who was Morteza Momayyez?

a. An Arab artist who is viewed by many as the father of modern graphic art of the Middle East.
b. An Iranian artist who is viewed by many as the father of modern graphic art of Iran.
c. A cancer patient who fought to bring about more awareness of his condition.
d. The organizer of the second International exhibit Biennial of the Islamic World.

113.1 According to Katy Ross, what causes an increase in the probabilities of death for a widow or widower?

a. Heartbreaks or separating from a loved one.
b. Increased drinking, smoking, and bad eating habits after the death of a significant other.
c. Going on a hunger strike.
d. Doing dangerous things that the significant other didn't allow while he/she was still alive.

113.2 Which of the following is the correct order in which a companion died after the death of the other companion?

a. Joan Carter-Cash died at the age of 73, four months after Johnny Cash died at the age of 71.
b. Joan Carter-Cash died at the age of 73, four months later Johnny Cash died at the age of 71.
c. James Callaghan died 10 days before her spouse of 67 years.
d. James Callaghan's spouse died right after James Callaghan.

114.1 Why did Waled Amjad Malek win an award?

a. He is one of the sixteen college students who wrote notable papers on human rights and poverty.
b. He proposed cooperation between the public and private sectors to improve Pakistan's educational system.
c. He advocated the benefits of private education.
d. He advocated the benefits of public education.

114.2 What is the main focus of this article?

a. Waled Amjad Malek's articles.
b. The Prime Minister's appeal to improve Pakistan's reputation in the world.
c. The Minister of Education's appeal to improve education in Pakistan.
d. Showing the quality of Pakistani education.

115.1 How do the new airbags developed by Siemens operate?

a. They are activated by sensing changes in the sound waves as a result of an accident.
b. They are activated by picking up the accident victims' cries for help.
c. They are activated by changes in the shape of the car's chassis.
d. They are equipped with sensors outside the car that predict the accident.

115.2 According to the article, how fast do traditional airbags activate, and how do the new airbags compare?

- **a.** Currently, airbags activate too quickly, even at low-speed accidents, causing injuries.
- **b.** Currently, airbags activated too violently causing back and neck injuries.
- **c.** Currently, airbags activate in 30 milliseconds, but the new airbags will activate much faster.
- **d.** Currently, airbags activate in 30 seconds, but the new airbags will activate much faster.

116.1 What are the benefits and drawbacks of this "smart tooth"?

- **a.** Its good for forgetful patients—like Alzheimer's patients—but it's so small that it can be swallowed.
- **b.** It makes patients more independent, but it strips many nurses of their jobs.
- **c.** It releases medicines slowly overtime, but it generally makes mistakes about the amounts.
- **d.** It has been successful in trials, but in all likelihood it will be too expensive for most patients.

116.2 How does the "smart tooth" operate?

- **a.** It sends a buzz to the patients, reminding them to take their medicine.
- **b.** It is programmed by a doctor to release the correct dosage at the right time.
- **c.** It sends messages to the doctor, noting whether or not the patient has been taking their medicine.
- **d.** It measures the amount of medicine in the body by testing the saliva regularly.

117.1 What is most notable about this flight into space?

- **a.** Martha Stewart sponsored her friend to go see space.
- **b.** Martha Stewart catered the launch party.
- **c.** It is the first time a civilian has gone into space as a tourist.
- **d.** It has brought about cooperation between the United States and Russian astronauts.

117.2 Who is Charles Simonyi?

- **a.** The 58-year-old co-founder of Microsoft and a billionaire.
- **b.** The 58-year-old founder of Microsoft and a billionaire.
- **c.** A 58-year-old Russian astronaut who is a friend of Martha Stewart.
- **d.** A 58-year-old space enthusiast who helped Martha Stewart cater the space flight.

118.1 What role can an iPod play in helping diagnose illnesses?

- **a.** It can be used to play therapeutic music to heal patients.
- **b.** The kinds of music played by an individual can help the doctors guess what illness they have.
- **c.** By listening to the sounds of a heart beat 400 times, doctors can more accurately diagnose patients.
- **d.** By listening to an iPod while at work, doctors can reduce their stress and work better.

119.1 What areas have been affected by the oil spill mentioned in the article?

- **a.** Beaches, mangroves, and aquaculture farms along Vietnam's coastline.
- **b.** Various countries' coastlines along the South China Sea.
- **c.** Chinese beaches, mangroves, and aquaculture farms.
- **d.** Japan's beaches, mangroves, and aquaculture farms.

119.2 Why did the problem of the oil spills alarm authorities?

- **a.** Because the spills may be the result of a malicious act from a neighboring country.
- **b.** Because blame-shifting has been observed in the region, which can lead to armed conflict.
- **c.** Because the spills are negatively affecting both wildlife and economy in the country.
- **d.** Because the resulting loss of oil will lead to higher fuel prices in affected countries.

120.1 What is the most radical plan proposed by Indonesia's environment minister to reduce pollution in developing areas of the country?

- **a.** To ban the sale of all new cars.
- **b.** To enforce stricter emission laws.
- **c.** To shut down car production plants.
- **d.** To heavily tax car owners in developing areas of the country.

120.2 Why is Indonesia facing problems of poor air quality?

- **a.** Increased traffic.
- **b.** An 11% annual growth rate of car ownership.
- **c.** More foreign countries are moving their factories to Indonesia.
- **d.** Both A and B.

121.1 What are two aims of the 16 groups that are cooperating in order to help the environment?

- **a.** Increasing public knowledge of the dangers of electronic wastes.
- **b.** Reducing the number of cases of human illness as a result of exposure to electronic wastes.
- **c.** Increasing electronic recycling and creating products with longer life expectancy.
- **d.** Maintaining current prices of indium, which have gone up from $70 to $725 per kg since 2002.

121.2 Why has increased electronic waste lead to higher prices in some valuable metals such as gold and platinum?

- **a.** When electronic items that incorporate such metals are thrown away, the precious metals they contain are no longer useable.
- **b.** Increased demand for electronic consumer goods has driven up the prices of these metals.
- **c.** It is not cost-effective to recycle electronic waste in order to extract the precious metals.
- **d.** Some of these metals are used in degrading electronic waste, and they are becoming more rare.

122.1 What is the main focus of this article?

- **a.** The decrease in the use of the Internet among young Chinese as the main source of obtaining information.
- **b.** Decreased readership of printed texts and books among the young Chinese.
- **c.** The problems caused by buying too many books without really wanting to read them.
- **d.** One woman's addiction to buying books.

122.2 According to Chen Lee, many people ___________________.

a. Prefer to look at pictures and websites to get their information.
b. Forget the importance of reading and studying in cultivating their creativeness and skills.
c. Buy books without having the time to read them.
d. Attempt to flee their hectic lives by reading books.

123.1 In Zafar's opinion, what does decreased attendance at rallies signify?

a. Attempts to mislead the public and politicize the issue at hand have failed.
b. That the public does not care about constitutional issues.
c. That there is a new trend of public detachment with regards to political issues.
d. That only a few hundred lawyers care about this particular issue.

124.1 Why did the Pakistani embassy's spokesman issue a statement declaring that Pakistan will not allow the Taliban ideology to spread in Pakistan?

a. Because the United States government accused Pakistan of cooperating with the Taliban.
b. Because Washington Times writer Arnaud de Borchgrave made remarks about the "Talibanization of the Pakistani society."
c. Because Pakistani-Americans have recently been subjected to racism and hate as a result of anti-Taliban sentiments in America.
d. Because of a perceived increase in support for the Taliban in Pakistan.

124.2 Why would the Talibanization of Pakistan be pointless for Pakistanis?

a. It would subject the country to attacks from the United States.
b. It was cause political instability in Baluchestan.
c. As a result of improved relations with India, and the nuclearization of South Asia.
d. Because Pakistanis perceive Talibization as a threat to their culture.

125.1 According to Dr. Salman Shah, what trend signifies the global investors' growing trust in the long-term strength of the country's economy?

a. Record high inflow of foreign investments.
b. Stimulated growth in production in the country.
c. Pakistan's growing education programs on imports and exports.
d. The founding of new independent banks.

125.2 Pakistan has not attracted investment from which of the following areas?

a. Europe.
b. United States.
c. Far East.
d. South Africa.

126.1 The objective of the project is_________________.

a. To wipe out poverty from South Asia.
b. To promote the development of microfinance by expanding microfinance outreach to the poorest in the country.
c. To stimulate investments in the Japanese banking sector.
d. To have the United States pay the Pakistani national debt.

126.2 Why do the poor need savings services from banks?

a. To better manage emergencies and meet expected demands for large sums of cash.
b. To be able to buy consumer goods and stimulate economic growth.
c. To stop buying on credit and reduce the national debt.
d. To pay off their debts and become financial independent members of society.

127.1 For what reason does Trade Minister Mari Elka Pangestu believe exporters deserved to be named "heroes of development"?

a. For their active role in protecting human rights.
b. For their role in activating the national economy, and creating job opportunities.
c. For their lack of support of the government's programs to eradicate poverty.
d. For their generous donations to various organizations that fight human rights violations.

127.2 What is the best estimated target for growth of national export for 2007?

a. Eight percent.
b. Twenty-five percent.
c. Twenty percent.
d. Fourteen-and-one-half percent.

128.1 Why do astronomers believe that life may exist on this newly discovered planet?

a. Because the surface temperatures are between 0˚C and 40˚C, allowing for the existence of water.
b. Because signs of a previous civilization have been discovered on the planet's surface.
c. Because the satellites sent to the planet have brought back dirt from it.
d. Because sensors have detected an atmosphere with oxygen enveloping the planet.

128.2 Why doesn't Super Earth burn even though it is fourteen times closer to Gliese 581 than Earth is to the Sun?

a. Because Super Earth travels so fast that it completes its orbit around Gliese 581 in 13 days.
b. Because its atmosphere is much thicker and keeps out harmful rays from Gliese 581.
c. Because Gliese 581 is much cooler and smaller than our Sun.
d. Because Gliese 581 is much bigger and cooler than our Sun.

128.3 Under what condition can a planet be designated an "Extrasolar Planet"?

a. It must orbit a star.
b. It must have a detectable atmosphere.
c. It must have water in any form (frozen, liquid, vapor).
d. It must have at least one moon.

128.4 According to the article, why have most planets that have been discovered until now been deemed unable to support life?

a. They are either too small or too big to have the moderate climate necessary for maintaining life.
b. They are either so close to the star that they are scorched, or so far that they are frozen.
c. They lack an atmosphere.
d. They are too far from Earth to be sufficiently studied.

129.1 Why did MP Giorgi Bokeria argue that Griboyedov did not belong in the pantheon of Georgia's greats?

- **a.** Because Griboyedov was a Russian, and not an ethnic Georgian.
- **b.** Because Bokeria does not view Griboyedov's work as important.
- **c.** Because Griboyedov was murdered by a mob in Tehran, where he served as ambassador.
- **d.** Because Bokeria publicly wanted to incite popular anger towards the Russians.

129.2 What is Mtatsminda?

- **a.** Capital of Georgia.
- **b.** Griboydov's hometown.
- **c.** The cemetery of writers and public figures of Georgia in Tbilisi.
- **d.** A city on the southern border of Russia.

130.1 According to Minister Datuk Mohd Shafie Apdal, is there really a shortage of cooking oil in Indonesia?

- **a.** Yes, because more and more oil is being devoted to other uses.
- **b.** No, because Indonesia is one of the world's largest producers of palm oil.
- **c.** Yes, because producers are causing artificial shortages so that they can drive up prices.
- **d.** No, because the country has previously stock-piled oil in 2-kg packages.

130.2 According to Datuk Mohd Shafie Apdal, why were consumers in the north facing difficulties in obtaining oil?

- **a.** Because of conflicts in the market, leading to higher prices.
- **b.** Because producers did not have permits to package oil for consumers.
- **c.** Because there is not enough palm oil for use in both industry and cooking.
- **d.** Because recent climatic changes have severely damaged the country's oil-producing crops.

130.3 Who is Datuk Seri Abdullah Ahmad Badawi?

- **a.** An Indonesian reporter.
- **b.** The Minister of Domestic Trade and Consumer Affairs in Indonesia.
- **c.** The Indonesian Prime Minister.
- **d.** The Indonesian Minister of Education.

131.1 For what purpose where hundreds of Buddhist monks gathered outside of the Thai Parliament?

- **a.** To commemorate a Buddhist holy day.
- **b.** To demand the recognition of Buddhism as the country's official faith in the Constitution.
- **c.** To demand self-determination for Buddhists in the country.
- **d.** To demand the protection of their minority rights in the country.

131.2 What do the opponents of the Buddhists' proposal say?

- **a.** That since Buddhism is a minority religion in the country, it should not be nationally recognized.
- **b.** That the country would be further divided, especially in the southern regions where the majority of the population is Muslims.
- **c.** That such an action is way overdue since the majority of the population is Buddhist.
- **d.** That Buddhists will turn to violence to achieve national recognition.

131.3 If the Buddhists' proposal is accepted_________________.

- **a.** The new constitution will be subjected to a referendum in September before a general election is held in December.
- **b.** More than 200,000 monks and ordinary people will be mobilized from throughout the country.
- **c.** The Muslims in the country will be subjected to much violence.
- **d.** The world will view Thailand as a theocracy.

132.1 According to Datuk Ch'ng Toh Eng, why has Minister Tan Sri Muhyiddin Yassin agreed to abolish the permit?

- **a.** Obtaining the permit was easy for wholesalers and fishermen.
- **b.** Obtaining the permit was not expensive for wholesalers and fishermen.
- **c.** Obtaining the permit was burdensome to wholesalers and fishermen.
- **d.** Wholesalers had not voiced dissatisfaction with the permit requirements.

133.1 According to Datuk Seri Najib Tun Razak, what was the reason for Tan Sri Abdul Khalid Ibrahim's animosity toward the Barisan National (BN) government?

- **a.** Ibrahim did not agree with BN's policies and platform.
- **b.** Ibrahim was unsuccessful in obtaining 20% of Berhard's stocks.
- **c.** Ibrahim had been accused of insider trading by the BN.
- **d.** The BN would only give Ibrahim 6.5% of Berhard's shares.

133.2 For what purpose does Datuk Seri Najib Tun Razak think the profit from Berhard should be used?

- **a.** To fight poverty and improve the economy of Malaysia.
- **b.** To enrich prominent individuals.
- **c.** To expand the policies of the BN government.
- **d.** To investigate the extent of corruption that Ibrahim was involved in.

133.3 According to Datuk Seri Najib Tun Razak, how did Tun Ismail Ali betray the Malaysian people?

- **a.** By signing loans to Ibrahim that would allow him to take bigger shares of Berhard.
- **b.** By withholding information about Ibrahim's plans.
- **c.** By collaborating with Ibrahim to split the profits from Berhard.
- **d.** By lying under oath about his role in helping Ibrahim to obtain 20% of Berhard's stocks.

134.1 According to General Sonthi, what caused the explosions in the munitions depots on Tuesday?

- **a.** The lack of appropriate safety measures at the depots.
- **b.** A combination of the high temperatures and/or phosphorus leaks from the weapons.
- **c.** Rebel efforts to bring down the government.
- **d.** Exposure to the sun.

134.2 What has been the estimated damage as a result of the explosions?

- **a.** About 400,000 Thai bahts and many injuries and deaths.
- **b.** About 400,000 Thai bahts and no deaths and injuries.
- **c.** The damages have not yet been fully assessed.
- **d.** Permanent relocation of hundreds of families who lost their homes.

135.1 What is the purpose of the agreement between Singapore and Indonesia?
- **a.** The repatriation of criminals to their country of origin to face justice.
- **b.** To allow each country to provide sanctuary to the other country's criminals.
- **c.** To imprison criminals for no less than 33 years.
- **d.** To increase cooperation between the two countries' police and bounty hunters.

135.2 How does Thohari describe Singapore's relations with Indonesia?
- **a.** Singapore is a poor country that mistreats its neighbors.
- **b.** Singapore is a wealthy nation that looks first after its own interests and not those of other countries.
- **c.** Singapore purposely evades cooperation with its neighbors.
- **d.** Singapore is a vast nation with huge concerns for foreign policy.

136.1 According to the doctor, how successful was the surgery?
- **a.** Worse than expected; since March the girls have been losing their appetite and weight.
- **b.** As expected; the girls are slowly recovering.
- **c.** As expected; the girls' appetite has been improving and they have gained weight since March.
- **d.** Better than expected; the girls' appetite has been improving and they have gained weight since March.

136.2 What is the significance of the girls' names?
- **a.** They both have "Shen" in their name to remind them that the doctors in Shanghai saved their lives.
- **b.** They both have "Shen" in their name because they are twins and their mother wanted them to have similar names.
- **c.** They both have "Shen" in their name because it signifies the town in which they were born.
- **d.** They both have "Shen" in their name because the doctors in Shanghai renamed them.

136.3 In what areas were the sisters conjoined at?
- **a.** Abdomen and chest.
- **b.** Belly and chest.
- **c.** Side and chest.
- **d.** Pelvis and chest.

137.1 What is this article about?
- **a.** How youth in Singapore feel about Internet providers and the use of the Internet.
- **b.** How youth in Singapore have developed ways to protect their intellectual property.
- **c.** How youth in Singapore feel about intellectual property rights and the use of the Internet.
- **d.** How youth in Singapore feel about their limited use of the Internet.

137.2 What do the results of the study reveal?
- **a.** Most Singaporean youth feel that intellectual property rights are bad.
- **b.** Most Singaporean youth feel that intellectual property rights are insufficient.
- **c.** Most Singaporean youth do not view downloading movies and music as illegal.
- **d.** Most Singaporean youth do not really understand intellectual property rights.

137.3 What is the justification that Singaporean youth give in using the Internet to download material?

a. That the Internet is public domain and any material posted through it is public property.
b. That they can afford most of the material they download from the Internet.
c. That the sole purpose of the Internet is for downloading material legally.
d. That the Internet is private domain that they can use as they please.

137.4 What is one interesting disparity between the way the Singaporean youth view intellectual property rights and piracy of arts and entertainment material?

a. While 82% agree that piracy is wrong, 42% agree that intellectual property rights are bad.
b. While 82% agree that intellectual property rights are necessary, 42% have no problem with piracy.
c. While 82% agree that piracy is okay, only 22% think about the consequences of piracy.
d. While 82% think about the consequences of piracy, only 42% commit piracy.

138.1 How does Wang Minzhong view today's youth that were born in the 1980s?

a. Useless automatons that choose pop stars as their role models.
b. Active members of the society who choose pop stars as their role models.
c. Active members of the society who contribute to their communities.
d. Mindless followers of mass media.

138.2 What evidence does Minzhong use to support his view?

a. In a recent survey, many college students named Zhou Enlai as their role model.
b. In a recent survey, many college students names Andy Lao and Jay Chow as their role models.
c. In a recent survey, 60% of college students said "public service" is of little importance.
d. According to a recent survey, many college students are no longer nationalistic.

138.3 According to Song Dawo, many college students do not lose faith in their nation __________.

a. When their nation is experiencing growth.
b. Even when their national dignity is being questioned.
c. Only when their national dignity is being questioned.
d. At times when their nation is experiencing difficult times.

139.1 What is different about the stay of this American couple in Hebei from other foreigners?

a. They are staying longer than any other foreigner.
b. The wife has set up a small library at the school.
c. The husband has given the children in his class Anglicized names.
d. They travel 3 hours by train to teach at the village.

139.2 What made the couple move to the village?

a. They didn't want to live in California anymore.
b. They wanted to help Chinese children in villages.
c. Their friends took them to the city where they realized they did not like city life.
d. They enjoy the celebrity they have gained as a result of their blonde hair.

139.3 What foundation did John help found in 2004?

a. A foundation that aims to help poor children in poverty-stricken areas in Canada.
b. A foundation that aims to help poor children in poverty-stricken areas in America.
c. A foundation that aims to help poor children in poverty-stricken areas globally.
d. A foundation that aims to teach English to poor Asian children.

140.1 According to the director, what is the purpose of this film?

a. To prevent public amnesia about the events of September 11th.
b. To prevent loss of public interest in the plight of Afghans as a result of the war.
c. To show how two brave women overcame their grief.
d. To chronicle the efforts of two women to help those who lost their spouse on Sept. 11th.

140.2 How did one Afghan woman lose three of her children?

a. They died of hunger.
b. They died during the war.
c. American soldiers killed her sons.
d. They died of disease.

140.3 What is one criticism that the two American face?

a. That they chose to help Americans instead of Afghans.
b. That they chose to help Afghan war widows instead of American war widows.
c. That they may be cooperating with Al-Qaeda since they are helping Afghans.
d. That they are not patriotic.

140.4 What is the justification that the two American women gave for helping Afghan war widows?

a. That Afghan women don't have enough education to feed their families.
b. That Afghan women don't know how to raise chickens.
c. That Afghan women have far fewer options for taking care of themselves than their American counterparts.
d. That Afghan women are uneducated and unintelligent and need outside help.

141.1 According to the Indonesian president, what was the main aim of the sanctions imposed by the U.N. against Iran?

a. To force Iran to stop its nuclear program.
b. To force Iran to participate in peaceful talks and negotiations.
c. To cause economic ruin for Iran and force it to seek U.N. aid.
d. To identify Iran as a global threat.

141.2 What does the Indonesian president think of any country's nuclear development program?

a. That it is okay as long as it is intended for peaceful and energy uses.
b. That it should not be allowed for any country.
c. That it makes peaceful negotiations much harder.
d. That if the purposes for its development are unclear, it should be immediately stopped.

142.1 What is Aishwara Ray accused of?

- **a.** Public indecency in the form of a movie scene with "obscene kissing."
- **b.** Deeply kissing Richard Gere at an HIV/AIDS awareness benefit.
- **c.** Kissing her husband on the screen.
- **d.** Using obscenities in a new film.

142.2 Under what law have both Richard Gere and Aishwara Ray been convicted of this crime?

- **a.** The Public Indecency Act of 1873.
- **b.** The Public Obscenity Act of 1783.
- **c.** The Obscene and Offensive Act put into effect during the time of India's colonization.
- **d.** The International Public Indecency Act.

142.3 According to the article, why did public kissing scenes cause a stir in India?

- **a.** Because Indian nation prides itself on its dignity and shame.
- **b.** Because the Sikhs view sex as only meant for the gods.
- **c.** Because the Sikhs have begun burning effigies in the entertainment district.
- **d.** Because the Sikhs have begun causing public disturbances in protest.

143.1 According to the article, what is nature's preferred way of reproduction and growth?

- **a.** Sound waves.
- **b.** Consensus making.
- **c.** Light waves.
- **d.** Harmony.

143.2 What does the author predict will happen in the near future?

- **a.** A new world order based on harmony and consensus will replace current democracy.
- **b.** There will be a second renaissance whereby we will go back to practicing ancient democracy.
- **c.** Human senses will become so hyper-sensitive that we will live in harmony.
- **d.** Human beings will discover new sources of energy.

143.3 According to the author, Consensus Harmony will_________________.

- **a.** Take more than 400 years to develop into a useful form.
- **b.** Evolve much more quickly than democracy and be put to use.
- **c.** Quickly become obsolete and be replaced by democracy.
- **d.** Will give birth to new theories on the world that we live in.

144.1 Which of the following ingredients is not used in the recipe?

- **a.** Stewing beef.
- **b.** Beans.
- **c.** Finely chopped herbs.
- **d.** Eggs.

144.2 What is the correct order of the procedures mentioned by the recipe?

- **a.** Cut the excess fat from the beef; brown the beef; add the onions, and fry.
- **b.** Cut the excess fat from the beef; brown the onions, and add the beef.
- **c.** Brown the beef; add the onions; add the beans.
- **d.** Brown the herbs; brown the onions; add the beef.

144.3 Using the recipe above complete the sentence: "This is a ____________.".

- **a.** "Wonderful Persian dish."
- **b.** "Difficult Persian dish."
- **c.** "Favorite Persian dish."
- **d.** "Easy Persian dish."

145.1 For how long do you initially cook the chicken pieces?

- **a.** Until they have become brown and aromatic.
- **b.** Until they have become aromatic.
- **c.** Until they have changed color.
- **d.** Until the onions have become brown and aromatic.

145.2 What is the appropriate container in which to prepare this food?

- **a.** A large pot.
- **b.** A cauldron.
- **c.** A non-stick pan.
- **d.** A large casserole dish.

145.3 In the first round of cooking the rice, how well done should it be?

- **a.** It should be completely well done and ready to eat.
- **b.** It should still be a little too hard to eat.
- **c.** It should still be entirely too hard to eat.
- **d.** It should be almost entirely uncooked, and just slightly boiled.

145.4 What is not a main ingredient of this dish?

- **a.** Chicken.
- **b.** Saffron.
- **c.** Sour cream.
- **d.** Egg yolks.

146.1 What is movie about?

- **a.** A young Iranian boy who accidentally loses her sister's shoes.
- **b.** A young Iranian boy who wants to compete in the marathon.
- **c.** A young Iranian boy who wants to buy his sister a new pair of shoes.
- **d.** A young Iranian boy who loses his shoes and has to share his sister's shoes.

146.2 What do the reviewers generally think of the film?

- **a.** That it is a masterpiece that is hardly worth watching.
- **b.** That it is a film that no one should miss.
- **c.** That it is pointless and simple story.
- **d.** That it should make all Iranians proud of their children.

146.3 According to Adel, what are two reasons why this movie might be hard to watch?

- **a.** The poverty depicted in this movie is heart-wrenching.
- **b.** The story is too emotional.
- **c.** The subtitles might be too hard for young audiences and the story is slow.
- **d.** The story is not applicable to young audiences.

146.4 How does Farid describe the movie?
- **a.** He says that the film has already taken its place on many top 100 films lists.
- **b.** That the movie is hardly worth watching.
- **c.** That you will regret seeing this movie.
- **d.** That you will regret missing this movie.

146.5 What is not one of the things mentioned by Salim as things that make the boy happy?
- **a.** A bubble.
- **b.** A kind old man on the street.
- **c.** A new pen.
- **d.** Losing his sister's shoes.

147.1 Who is Hage Geingob?
- **a.** Namibia's first Prime Minister.
- **b.** An American scholar of African politics.
- **c.** A non-fiction author.
- **d.** A Namibian diplomat.

147.2 What is the significance of Hage Geingob's book?
- **a.** It encourages the public to vote.
- **b.** It shows that Namibia is ready to be sovereign and have international respect for its democracy.
- **c.** It shows that there is still much room for improvement in the country's constitution.
- **d.** It shows the corruption that most African countries suffer from.

147.3 What is the title of the book?
- **a.** *Drafting Namibia's Constitution.*
- **b.** *My Struggle: or How I became the Prime Minister.*
- **c.** *Building Namibia's Government.*
- **d.** *Namibia's Constitution.*

147.4 What is Geingob doing now?
- **a.** He is a Member of the Parliament of Namibia.
- **b.** He is pursuing his higher education in the United States.
- **c.** He is currently a public defense lawyer.
- **d.** He has left the political arena.

148.1 Why would the Arabs and some foreign investors want to rename the Persian Gulf?
- **a.** Because they would like to exploit its riches for themselves.
- **b.** Because the hate the name "Persia".
- **c.** Because Iran is developing nuclear weapons and becoming a dangerous threat.
- **d.** Because Saudi Arabia owns most of the islands in the Gulf.

148.2 What is the correct order of the following gulfs, from smallest to largest?
- **a.** Gulf of Mexico, Hudson Bay, Persian Gulf.
- **b.** Persian Gulf, Hudson Bay, Gulf of Mexico.
- **c.** Hudson Bay, Persian Gulf, Gulf of Mexico.
- **d.** Persian Gulf, Gulf of Mexico, Hudson Bay.

148.3 Of what significance is the Persian Gulf to archaeologists?

- **a.** Some archaeologists believe this area to be the center of civilization.
- **b.** Archaeologists have found ancient sea-faring boats in this area.
- **c.** Archaeologists believe that Persian Gulf natives traveled all the way to the North Pole.
- **d.** It has been known by the same name in many languages.

149.1 According to the article, what is the primary goal of the petition?

- **a.** To increase voter participation in the upcoming parliamentary elections.
- **b.** To defeat reformists in the Iranian parliament, who the petitioners believe have not carried out fundamental reforms that they had promised.
- **c.** To gather public support for the reformist group "Companions of Khatami".
- **d.** To get filmmakers involved in the parliamentary elections.

149.2 Which of the following most accurately describes Bahareh Rahnama?

- **a.** She is a filmmaker who works for Seda-va-Sima.
- **b.** She is a reformist candidate.
- **c.** She is an actress who did not sign the petition.
- **d.** d. She is a steadfast supporter of "The Companions of Khatami".

150.1 According to the article, what makes Fereydoun Adammiat so different from other historians ?

- **a.** His books contain unprecedented first-hand accounts.
- **b.** He is in the hospital.
- **c.** He is the first and only historian who has specialized in the Iranian constitutional era.
- **d.** None of the above.

150.2 Which position(s) did Adammiat hold earlier in his career?

- **a.** Mohammad Reza Pahlavi's Foreign Minister.
- **b.** The Iranian Ambassador to Bahrain.
- **c.** An administrator in the Ministry of Foreign Affairs during the era of Reza Khan.
- **d.** All of the above.

Section 3

Dictionaries

ا

ائتلاف	Integration
ابتدایی	Primary
ابعاد	Dimensions
ابقا کرده	Retained
ابقاء	Maintenance
اتحادی	Federal
اتصال	Contact
اتکا	Reliance
اتمی	Nuclear
اثر شدید	Impact
اثر طبیعی	Phenomenon
اجازه	License
اجازه	License
اجتماع	Community
اجتناب ناپذیر	Inevitably
اجرا	Enforcement
اجراء	Enforcement
اجرت	Fees
احاطه کردن	Sphere
احتمال	Presumption
اختصاص داده شده	Assigned
اختلاف	Diversity
آداب و رسوم	Protocol
اداره یا حکومت کردن	Policy

ارائه شده	Submitted
ارتباط	Communication
ارزیابی	Assessment
ارزیابی	Evaluation
ارسال	Transmission
ارقام	Statistics
از این گذشته	Furthermore
از طرف	Behalf
از طریق	Via
اساس	Elements
اسبق	Preceding
اسبق	Prior
استثمار	Exploitation
استراتژی	Strategies
استمرار	Duration
استنتاج	Deduction
استنتاج شده	Derived
آسیب	Injury
اشاره کردن	Implies
آشکار	Apparent
آشکار	Explicit
آشکار شده	Revealed
آشکاری	Exposure
اصابت	Impact

Bulk	اکثریت
Aware	آگاه
Intelligence	آگاهی
Insert	الحاق کردن
Vision	الهام
Forthcoming	اماده ارائه دادن
Statistics	آمار
Integrity	امانت
Task	امر مهم
Security	امنیت
Partnership	انبازی
Accumulation	انباشتگی
Expansion	انبساط
Option	انتخاب
Publication	انتشار
Transfer	انتقال
Integral	انتگرال
Implementation	انجام
Deviation	انحراف
Energy	انرژی
Integration	انضمام
Reaction	انفعال
Revolution	انقلاب
Motivation	انگیزش
Incentive	انگیزه
Label	اصطلاح خاص
Amendment	اصلاح
Amendment	اصلاح
Modified	اصلاح شده
Radical	اصلاحات اساسی
Techniques	اصول مهارت
Underlying	اصولی یا اساسی
Plus	اضافی
Constraints	اضطرار
Data	اطلاعات
Assurance	اطمینان
Credit	اعتبار
Validity	اعتبار
Credit	اعتبار
Reliance	اعتماد
Granted	اعطا شده
Commenced	آغاز کردن
Adults	افراد بالغ
Depression	افسردگی
Exposure	افشاء
Adaptation	اقتباس
Economic	اقتصاد
Items	اقلام
Minorities	اقلیت ها
Acquisition	اکتساب

Goals	اهداف
Emphasis	اهمیت
Bond	اوراق قرضه
Prime	اول
Authority	اولیاء امور
Initial	اولین
Primary	اولیه
Create	ایجاد کردن
Forthcoming	آینده
Function	آیین رسمی
Regulations	آیین نامه

ب

Invoked	با التماس خواستن
Nonetheless	با این حال
Despite	با اینکه
Constant	باثبات
Output	بازده
Inspection	بازرسی
Recovery	بازیافت
Intrinsic	باطنی
Enhanced	بالا بردن
Mature	بالغ
Attained	بانتهار رسیدن
Portion	بخش
Obtained	بدست آورده
Framework	بدنه
Neutral	بدون جانبداری
Conversely	بر عکس
Survey	برآورد
Predominantly	برجسته
Highlighted	برجسته ساختن
Label	برچسب
Removed	برداشته
Established	برقرار کردن
Schedule	برنامه
Logic	برهان
Confined	بستری
Adequate	بسنده
Comprehensive	بسیط
Visual	بصری
Vision	بصیرت
Automatically	بطور اتوماتیک
Likewise	بعلاوه
Undertaken	بعهده گرفته شده
Implicit	بلا شرط
Hence	بنابراین
Clause	بند
Paragraph	بند
Institute	بنگاه
Foundation	بنیاد

بنیاد نهادن	Founded
بنیادی	Fundamental
به اصطلاح	So-Called
به رسمیت نشناختن	Ignored
به همچنین	Likewise
بهبودی	Recovery
بوم	Region
بومی	Domestic
بی پرده	Straightforward
بی مسمی	Abstract
بی میل	Reluctant
بی همتا	Unique
بیحال	Passive
بیرون آمد	Emerged
بینش	Intelligence

پ

پارامتر	Parameter
پالا ئیدن	Refine
پایا	Persistent
پایان دهی	Termination
پایان نامه	Thesis
پخش	Release
پدیده	Phenomenon
پرونده	File
پزشکی	Medical
پول رایج	Currency
پویا	Dynamic
پیش بینی شده	Anticipated
پیش گویی شده	Predicted
پیشقدر	Bias
پیشقدمی	Initiatives
پیوسته	Attached
پی بردن به	Trace

ت

تا حدی	Somewhat
تا سیس	Foundation
تاب نیاوردن	Notwithstanding
تابع	Subordinate
تابع	Subordinate
تابلو	Panel
تاکید	Stress
تاکید	Emphasis
تالیف و تصنیف کردن	Author
تامین	Security
تانیث	Gender
تایید شده	Confirmed
تبدیل کرده	Converted
تبعیض	Discrimination
تجاهل کرده	Ignored
تجدید نظر	Revision

Facilitate	تسهیل کردن
Simulation	تشبیه
Distinction	تشخیص
Encountered	تصادف
Random	تصادفی
Acknowledged	تصدیق کردن
Notion	تصوّر
Conceived	تصور کردن
Resolution	تصویب
Image	تصویر
Conflict	تضاد
Ensure	تضمین کردن
Simulation	تظاهر
Demonstrate	تظاهرات کردن
Complement	تعارفات معمولی
Modified	تعدیل کرده
Definition	تعریف
Mediation	تعمق
Commitment	تعهد
Specified	تعیین شده
Fluctuations	تغییر
Shift	تغییر مکان
Shift	تغییر مکان
Interpretation	تفسیر
Empirical	تجربی
Equipment	تجهیزات
Distorted	تحریف شده
Induced	تحریک شدن
Prohibited	تحریم کردن
Investigation	تحقیق
Research	تحقیق
Analysis	تحلیل
Undergo	تحمل کردن
Imposed	تحمیل شده
Transition	تحول
Allocation	تخصیص
Violation	تخلف
Estimate	تخمین زدن
Device	تدبیر
Legislation	تدوین و تصویب قانون
Transport	ترابری
Sequence	ترادف
Distinction	ترجیح
Trace	ترسیم کردن
Promote	ترقی دادن
Incorporated	ترکیب کردن
Component	ترکیب کننده
Compounds	ترکیبات
Restore	ترمیم کردن

Team	تیم

ث

Consistent	ثابت قدم
Stability	ثبات
Registered	ثبت شده

ج

Displacement	جا بجا سازی
Insert	جا دادن
Rigid	جامد
Precise	جامع
Devoted	جانسپار
Substitution	جانشینی
Compensation	جبران کردن
Offset	جبران کردن
Controversy	جدال
Physical	جسمانی
Couple	جفت
Link	جفت کردن
Volume	جلد
Restraints	جلوگیری
Inhibition	جلوگیری (از بروز احساسات)
Display	جلوه
Aggregate	جمع شده

Comment	تفسیر
Denote	تفکیک کردن
Approximate	تقریبی
Reinforced	تقویت کردن
Odd	تک
Evolution	تکامل تدریجی
Deny	تکذیب کردن
Supplementary	تکمیلی
Contact	تماس
Inclination	تمایل
Trend	تمایل
Affect	تمایل داشتن
Concentration	تمرکز حواس
Proportion	تناسب
Decline	تنزل کردن
Adjustment	تنظیم
Regulation	تنظیم
Diversity	تنوع
Adaptation	توافق
Sequence	توالی
Bulk	توده
Distribution	توزیع
Scheme	توطئه
Output	تولید
Generated	تولید شده

جنباننده	Dynamic
جنس	Gender
جنسیت	Sex
جهانی	Global
جهت یابی	Orientation
جوابگویی	Response

چ

چاپ	Edition
چرخه زدن	Cycle
چسبنده	Inherent
چگونگی	Circumstances
چنبره	Core
چهارچوبه	Framework

ح

حاشیه ای	Marginal
حاصل جمع	Sum
حاصل کرده	Generated
حاکی از	Significant
حجم	Volume
حداقل	Minimum
حداکثر	Maximum
حذف کردن	Eliminate
حرفه ای	Occupational
حفظ کرده	Retained
حق العمل کار	Factors
حق تقدم	Priority
حقیقی	Intrinsic
حکم	Brief
حکمفرما	Dominant
حلقه زنجیر	Link
حمایت کردن	Advocate
حوزه	Domain

خ

خاتمه	Conclusion
خاص	Specific
خانگی	Domestic
خانگی	Domestic
خریداری کردن	Purchase
خصوصیات	Features
خصیصه اختیاری	Option
خطا	Error
خلاصه	Summary
خلاصه	Abstract
خنثی	Neutral

د

داخلی	Internal
دارایی	Estate
داوطلبانه	Voluntary
دایره	Domain

Advocate	دفاع کردن
Journal	دفتر وقایع روزانه
Accurate	دقیق
Precise	دقیق
Alter	دگرگون شدن
Transformation	دگرگونی
Justification	دلیل آوری
Pursue	دنبال کردن
Series	دنباله
Decades	دهه
Mutual	دو جانبه
Prospect	دورنما
Period	دوره
Decades	دوره ده ساله
Monitoring	دیده بانی

ذ

Inherent	ذاتی

ر

Relaxed	راحت کردن
Route	راه
Instructions	راهنمایی ها
Computer	رایانه
Rejected	رد شده
Classical	رده ای
Regime	رژیم

Income	در آمد
Ongoing	در حال پیشرفت
Whereas	در حالیکه
Appropriate	در خور
Percent	در صد
Thereby	در نتیجه
Revenue	درآمد
Grade	درجه بندی شده
Prime	درجه یک
Integral	درست
Integrity	درستی
Virtually	درمعنی
Insights	درون بینی
Input	درون گذاشت
Consequences	دست آورد
Available	دسترس پذیر
Disposal	دسترس ف در اختیار
Manipulation	دستکاری
Device	دستگاه
Fees	دستمزد
Team	دسته
Manual	دستی
Access	دستیابی
Challenge	دعوت بجنگ کردن

Medium	رسانه
Media	رسانه ها
Assistance	رسیدگی
Investigation	رسیدگی
Range	رشته
Mature	رشد کردن
Consent	رضایت دادن
Code	رمز
Abandon	رها سازی
Release	رها کردن
Guidelines	رهنمون
Sex	روابط جنسی
Psychology	روانشناسی
Traditional	روایت متداول
Mental	روحی
Journal	روزنامه
Procedure	روش
Attitudes	روش و رفتار
Liberal	روشنفکر
Clarity	روشنی
Procedure	روند
Overlap	روی هم افتادن
Overall	رویهمرفته
Theme	ریشه

ز

Extract	زبده
Eliminate	زدودن
Removed	زدوده
Categories	زمره
Context	زمینه
Survive	زنده ماندن
Couple	زوج

س

Previous	سابقی
Construction	ساخت
Structure	ساختمان
Annual	سالانه
Mode	سبک
Structure	سبک
Style	سبک
Lecture	سخنرانی
Straightforward	سر راست
Ultimately	سرانجام
Funds	سرمایه ثابت یا همیشگی
Investment	سرمایه گذاری
Welfare	سعادت
Rigid	سفت
Hierarchical	سلسه مراتب
Conduct	سلوک

سمج	Persistent
سند	Document
سنن ملی	Traditional
سهم	Ratio
سهو	Error
سوال پیچ کرده	Posed
سود	Benefit
سیما	Features
سیما	Aspect

ش

شاغل مقام (طبابت یا وکالت)	Practitioners
شالوده	Foundation
شالوده	Infrastructure
شامل بودن	Comprise
شبکه	Network
شبیه	Similar
شرح ویژه	Version
شرکت تعاونی	Cooperative
شرکت کردن	Participation
شروع	Commence
شعبه	Chapter
شغل	Job
شق	Alternative
شگرد شناسی	Technology
شماره	Issues
شناسایی شده	Identified
شی قابل قیاس	Analogous
شیمیایی	Chemical
شیوع مرض	Incidence
شیوه	Method

ص

صادرات	Export
صحیح	Accurate
صفحه هیئت	Panel
صلاحدید	Discretion
صلاحیتدار	Capable
صناعت	Technical
صورت	Phase

ض

ضمانت	Guarantee
ضمیمه	Appendix
ضمیمه	Attached

ط

طبع و نشر کردن	Published
طبقه بندی	Layer
طبیعی	Normal
طرح	Design
طرح	Project
طرح	Scheme

طرح ریزی کردن	Conceived
طرح فیلم	Scenario
طرح کردن	Draft
طرز	Mode
طرز تفکر	Ideology
طرز کار	Mechanism
طلب شده	Sought
طومار	Role

ظ

ظاهری	External
ظرفیت	Capacity
ظواهر	Aspects

ع

عادی	Normal
عاقبت	Eventually
عامل	Factors
عامل	Factors
عامل بالقوه	Potential
عبادت	Mediation
عبارت	Quotation
عجیب	Odd
عزم	Resolution
عصاره	Extract
عضو فرهنگستان	Academic
عقلانی	Rational
عقیده	Concept
علم لشکر کشی	Strategies
عمارت	Construction
عمده	Principal
عمده	Major
عمده	Prime
عمل کردن	Function
عناصر	Elements
عنوان	Topic
عیناً	Identical

ف

فاصله	Interval
فدایی	Devoted
فرایند	Process
فرسایش	Erosion
فرض کردن	Assume
فرضیه	Theory
فرق گذاری	Differentiation
فرمانداری	Administration
فرهشت	Theme
فرهنگی	Cultural
فروریختن	Collapse
فروریختگی	Collapse
فشار	Constraints
فشار	Stress

فصل (کتاب)	Chapter
فعل و انفعال	Interaction
فکری	Mental
فلسفه	Philosophy
فنون	Technology
فنی	Technical
فهرست	Schedule
فیزیکی	Physical

ق

قابل تحمل	Sustainable
قابل توجه	Considerable
قابل ذکر	Cited
قابل رویت	Visible
قابلیت انعطاف	Flexibility
قادر ساختن	Enable
قاطع	Crucial
قاعده	Formula
قاعده کلی	Principle
قالب	Format
قانع کرده	Convinced
قانون	Code
قانونی	Legal
قدر دانی	Appreciation
قرارداد	Contract
قرارداد	Convention
قرینه	Proportion
قصد	Design
قصد	Design
قضیه فرضی	Hypothesis
قطاع	Sector
قطعه خبری	Item
قطعی	Definite
قطعی	Final
قلمرو	Scope
قوت	Intensity
قوت	Stress

ک

کار	Job
کار	Labor
کاربردپذیری	Utility
کارشناس	Expert
کاستن	Decline
کاغذ گیر	File
کافی	Sufficient
کافی	Sufficient
کالا	Commodity
کانال	Channel
کانون عدسی	Focus
کاهیده شده	Diminished
کاوش	Analysis

کتاب راهنما	Manual
کثرت	Intensity
کره	Sphere
کسب موفقیت کردن	Achieve
کشش	Tension
کشف کردن	Detected
کشمکش	Tension
کشوری	Civil
کلاسیک	Classical
کمترین	Minimum
کمک	Accommodation
کمک کردن	Aid
کمکی	Subsidiary
کمین	Minimal
کمینه ساختن	Minimizes
کنایه ای	Symbolic
که به وسیله آن	Whereby
کوچ	Migration
کوشش	Labor
کیفی	Qualitative

گ

گرچه	Nevertheless
گردآوری	Compiled
گردش	Cycle
گروه	Assembly
گروه	Team
گروی	Assurance
گزیدن	Select
گواهی	Evidence
گود شدگی	Depression

ل

لایه	Layer
لباس کار	Overall
لحاظ	Perspective
لیست شده	Registered

م

مابعد	Subsequent
ماده	Clause
ماشه	Trigger
ماشه	Trigger
ماشین حساب	Computer
مالکیت	Acquisition
مالی	Financial
مالیات	Levy
مامورین	Commission
مأموریت	Commission
مانند	Analogous
ماهر	Expert
مباحثه	Controversy

Aggregate	مجموع	Debate	مباحثه کردن
Series	مجموعه	Ambiguous	مبهم
Confined	محدود شده	Affect	متاثر کردن
Range	محدوده	Commodity	متاع
Motivation	محرک	Exceed	متجاوز شدن
Restricted	محصور	Corporate	متحد
Rigid	محکم	Unified	متحد کردن
Location	محل	Professional	متخصص
Site	محل	Subsequent	متعاقب
Compounds	محوطه ها	Overseas	متعلق به ماوراء دریاها
Environment	محیط	Variables	متغییرات
Transmission	مخابره	Subsidiary	متمم
Brief	مختصر	Text	متن
Complex	مختلط	Finite	متناهی
Intervention	مداخله	Alternative	متناوب
Theme	مدار	Successive	متوالی
Ongoing	مداوم	Successive	متوالی
Duration	مدت	Medium	متوسط
Aid	مدد کار	Ceases	متوقف شده
Document	مدرک	Plus	مثبت
Civil	مدنی	Positive	مثبت
Principal	مدیر	Adjacent	مجاور
Conference	مذاکره	Channel	مجرا
Visual	مرئی	Assembly	مجلس
Relevant	مربوط	Convention	مجمع

Approach	معبر
Contrary	معکوس
Reverse	معکوس
Definition	معنا
Suspended	معوق گذاردن
Criteria	معیارها
Contradiction	مغایرت
Contrast	مغایرت
Text	مفاد
Concept	مفهوم
Context	مفهوم
Implications	مفهوم
Notion	مفهوم
Utility	مفیدیت
Contrast	مقابله
Dominant	مقتدر
Appropriate	مقتضی
Inferred	مقدار نامعلوم
Qualitative	مقداری
Preceding	مقدم
Previous	مقدم
Preliminary	مقدماتی
Section	مقطع
Categories	مقوله منطقی
Phase	مرحله
Marginal	مرزی
Focus	مرکز توجه
Area	مساحت
Survey	مساحی کردن
Accommodation	مساعده
Arbitrary	مستبدانه
Excluded	مستثنی کرده
Resident	مستقر
Predominantly	مسلط
Definite	مسلم
Route	مسیر
Partnership	مشارکت
Consultation	مشاوره
Incidence	مشمولیت
Incentive	مشوق
Persistent	مصر
Consumer	مصرف کننده
Illustrated	مصور شده
Constitutional	مطابق قانون اساسی
Abstract	مطلق
Scope	مطمح نظر
Equivalent	معادل
Equation	معادله
Contemporary	معاصر

Aware	مواظب
Instance	مورد
Involved	مورد بحث
Required	مورد نیاز
Issues	موضوع
Topic	موضوع
Temporary	موقتی
Intermediate	میانجی

ن

Area	ناحیه
Incompatible	ناسازگار
Levy	نام نویسی
Outcomes	نتایج
Conclusion	نتیجه
Adjacent	نزدیک
Approach	نزدیک شدن
Ethnic	نژادی
Format	نسبت
Ratio	نسبت
Credit	نسبت دادن
Attributed	نسبت دادنی
Generation	نسل
Demonstrate	نشان دادن
Target	نشانه

Norms	مقیاس ها
Resident	مقیم
Communication	مکاتبه
Corresponding	مکاتبه کننده
Location	مکان
Site	مکان
Mechanism	مکانیزم
Perceived	ملاحظه کردن
Resources	منابع
Relevant	مناسب
Revenue	منافع
Source	منبع
Individual	منحصر بفرد
Solely	منحصراً
Logic	منطق
Region	منطقه
Rational	منطقی
Prospect	منظره
Isolated	منفرد شده
Passive	منفعل
Negative	منفی
Immigration	مهاجرت
Significant	مهم
Encountered	مواجهه
Parallel	موازی

نشریه	Publication
نظامی	Military
نظریه	Comment
نظیر	Analogous
نقش	Role
نقشه	Project
نقض عهد	Violation
نقطه	Period
نقل قول	Quotation
نگهداری	Maintenance
نمادی	Symbolic
نمایان ساختن	Indicate
نمایش	Display
نمایش دادن	Exhibit
نمایشی	Dramatic
نماینده	Index
نمود	Phase
نمودار	Chart
نمونه	Instance
نمونه	Paradigm
نهاد	Inclination
نهادها	Entities
نهال	Offset
نهایی	Final
نو اوری	Innovation
نوار	Tapes
نوار ضبط صوت	Tapes
نوسان	Fluctuations
نیروی مصرف شده	Input

ه

هدایت کردن	Conduct
هدف	Objective
هدف	Scope
هدف	Target
هسته	Core
هسته ای	Nuclear
هم تافت	Complex
هم کارها	Colleagues
همان	Identical
هماهنگی	Coordination
همدستی	Assistance
همراهی کردن	Accompany
همزمان	Concurrent
همزمان بودن با	Coincide
همسان	Similar
همفکری	Consultation
همکاری و کمک	Contribution
همگردانی	Compiled
همنوایی	Conformity
همه جا متداول	Widespread

هنگفت	Enormous
هویدا	Obvious
هیئت شورا	Institute

و

وابستگی	Coherence
وابسته بعلم اخلاق	Ethical
وارث مسلم	Apparent
واسطه	Intermediate
واضح	Explicit
واقع شدن	Occur
واکنش	Reaction
واکنش	Response
واگذاری	Transfer
وثیقه	Guarantee
وخیم	Crucial
وزارتخانه	Ministry
وسایل	Resources
وسیع	Comprehensive
وسیله نقلیه	Transport
وسیله نقلیه	Vehicle
وصایت	Administration
وضع	Deduction
وضعیت	Estate
وضعیت	Status
وضوح	Clarity
وظیفه	Task
وقفه	Interval
وکیل مدافع	Advocate
ولواینکه	Albeit
ویرایش	Edition

ی

یقین	Positive
یکسان	Uniform
یکنواخت	Uniform

English-Farsi Dictionary

A

Abandon	رها سازی
Abstract	خیالی ، مطلق ، بی مسمی
Academic	عضو فرهنگستان
Access	دستیابی
Accommodation	کمک ، مساعده
Accompany	همراهی کردن
Accumulation	انباشتگی
Accurate	دقیق ، صحیح
Achieve	کسب موفقیت کردن
Acknowledged	تصدیق کردن
Acquisition	اکتساب ، مالکیت
Adaptation	اقتباس ، توافق
Adequate	بسنده
Adjacent	مجاور ، نزدیک
Adjustment	تنظیم
Administration	فرمانداری ، وصایت
Adults	افراد بالغ
Advocate	دفاع کردن ، وکیل مدافع
Affect	متاثر کردن، تمایل داشتن
Aggregate	مجموع ، توده کردن
Aid	مدد کار، کمک کردن
Albeit	ولواینکه
Allocation	تخصیص
Alter	دگرگون شدن
Alternative	متناوب، شق
Ambiguous	مبهم
Amendment	اصلاح ، ترمیم
Analogous	مانند ، نظیر، شی قابل قیاس
Analysis	تحلیل ، کاوش
Annual	سالانه
Anticipated	پیش بینی شده
Apparent	آشکار ، وارث مسلم
Appendix	ضمیمه
Appreciation	قدر دانی
Approach	معبر ، نزدیک شدن
Appropriate	در خور، مقتضی
Approximate	تقریبی
Arbitrary	مستبدانه
Area	ناحیه، مساحت
Aspects	جنبه ها، ظواهر
Assembly	اجتماع ، گروه
Assessment	ارزیابی
Assigned	اختصاص داده شده
Assistance	همدستی، رسیدگی
Assume	فرض کردن
Assurance	وثیقه ، گروی
Attached	پیوسته ، ضمیمه
Attained	بانتهار رسیدن

Civil	مدنی ، غیر نظامی
Clarity	وضوح ، روشنی
Classical	رده ای ، کلاسیک
Clause	بند ، ماده
Code	رمز ، قانون
Coherence	وابستگی
Coincide	همزمان بودن با
Collapse	فروریختن ، غش کردن
Colleagues	هم کارها
Commenced	آغاز کردن ، شروع
Comments	توضیح
Commission	گماشتن، مامورین
Commitment	تعهد ، حکم توقیف
Commodity	متاع ، کالا
Communication	ارتباط ، مکاتبه
Community	اجتماع
Compensation	جبران کردن
Compiled	گردآوری ، مگردانی
Complement	تعارفات معمولی
Complex	هم تافت، مختلط
Component	ترکیب کننده
Compounds	ترکیبات ، محوطه ها
Comprehensive	وسیع ، بسیط
Comprise	شامل بودن
Computer	رایانه، ماشین حساب

Attitudes	روش و رفتار
Attributed	نسبت دادنی
Author	تالیف و تصنیف کردن
Authority	اولیاء امور
Automatically	بطور اتوماتیک
Available	دسترس پذیر
Aware	آگاه ، مواظب

B

Behalf	از طرف
Benefit	فایده بردن
Bias	پیشقدر
Bond	اوراق قرضه
Brief	مختصر ، حکم
Bulk	توده ، اکثریت

C

Capable	صلاحیتدار
Capacity	ظرفیت
Categories	زمره، مقوله منطقی
Ceases	متوقف شده
Challenge	دعوت بجنگ کردن
Channel	مجرا ، کانال
Chapter	شعبه، فصل (کتاب)
Chart	نمودار
Chemical	شیمیایی
Circumstances	چگونگی
Cited	قابل ذکر

Contract	قرارداد
Contradiction	مغایرت
Contrary	معکوس
Contrast	مغایرت ، مقابله
Contribution	همکاری و کمک
Controversy	مباحثه ، جدال
Convention	مجمع، قرارداد
Conversely	بطور محاوره ای
Converted	تبدیل کرده
Convinced	قانع کرده
Cooperative	شرکت تعاونی
Coordination	هماهنگی
Core	چنبره، هسته
Corporate	بصورت شرکت در آمده
Corresponding	مکاتبه کننده
Couple	زوج ، جفت
Create	ایجاد کردن
Credit	اعتبار ، نسبت دادن
Criteria	معیارها
Crucial	وخیم ، قاطع
Cultural	فرهنگی
Currency	پول رایج
Cycle	سیکل، چرخه زدن

D

Data	اطلاعات
Debate	مباحثه کردن

Conceived	تصور کردن ، طرح ریزی کردن
Concentration	تمرکز حواس
Concept	عقیده ، مفهوم
Conclusion	فرجام، نتیجه
Concurrent	همزمان
Conduct	سلوک ، هدایت کردن
Conference	مذاکره
Confined	بستری ، محدود شده
Confirmed	تایید شده
Conflict	تضاد
Conformity	همنوایی
Consent	رضایت دادن
Consequences	دست آورد
Considerable	قابل توجه
Consistent	ثابت قدم
Constant	باثبات
Constitutional	مطابق قانون اساسی
Constraints	فشار، اضطرار
Construction	عمارت، ساخت
Consultation	مشاوره ، همفکری
Consumer	مصرف کننده
Contact	اتصال ، تماس
Contemporary	معاصر
Context	زمینه ، مفهوم

Decades	دهه ، دوره ده ساله
Decline	تنزل کردن، کاستن
Deduction	استنتاج، وضع
Definite	قطعی ، مسلم
Definition	معنا ، تعریف
Demonstrate	نشان دادن، تظاهرات کردن
Denote	تفکیک کردن
Deny	تکذیب کردن
Depression	گود شدگی ، افسردگی
Derived	استنتاج شده
Design	طرح، زمینه، تدبیر، قصد
Despite	با اینکه
Detected	کشف کردن
Deviation	انحراف
Device	شیوه ، دستگاه
Devoted	جانسپار ، فدایی
Differentiation	فرق گذاری
Dimensions	ابعاد
Diminished	کاهیده شده
Discretion	صلاحدید
Discrimination	تبعیض
Displacement	تغییر مکان
Display	نمایش ، جلوه
Disposal	دسترس ف در اختیار
Distinction	ترجیح، تشخیص
Distorted	تحریف شده
Distribution	توزیع
Diversity	تنوع ، تفاوت
Document	مدرک، سندیت دادن
Domain	قلمرو ، دایره
Domestic	رام، بومی، خانگی
Dominant	حکمفرما ، مقتدر
Draft	طرح کردن
Dramatic	نمایشی
Duration	مدت ، استمرار
Dynamic	جنباننده ، پویا

E

Economic	اقتصاد
Edition	چاپ ، ویرایش
Elements	عناصر، اساس
Eliminate	زدودن ، حذف کردن
Emerged	بیرون آمد
Emphasis	اهمیت ، تکیه
Empirical	تجربی
Enable	قادر ساختن
Encountered	مواجهه ، تصادف
Energy	انرژی
Enforcement	اجراء ، انجام
Enhanced	بالا بردن
Enormous	هنگفت

Ensure	تضمین کردن
Entities	نهادها
Environment	محیط
Equation	معادله
Equipment	تجهیزات
Equivalent	معادل
Erosion	فرسایش
Error	خطا ، سهو
Established	برقرار کردن
Estate	دسته ، وضعیت
Estimate	تخمین زدن
Ethical	وابسته به علم اخلاق
Ethnic	نژادی
Evaluation	ارزیابی
Eventually	عاقبت
Evidence	گواهی
Evolution	فرضیه سیر تکامل
Exceed	متجاوز شدن
Excluded	مستثنی کرده
Exhibit	نمایش دادن
Expansion	انبساط
Expert	ماهر ، خبره
Explicit	واضح ، آشکار
Exploitation	استثمار
Export	صادرات
Exposure	آشکاری ، افشاء
External	ظاهری
Extract	عصاره، زبده

F

Facilitate	تسهیل کردن
Factors	عامل، فاکتور، حق العمل کار
Features	سیما ، خصوصیات
Federal	فدرال ، اتحادی
Fees	دستمزد ، اجرت
File	پرونده ، فهرست
Final	نهایی، قطعی
Financial	مالی
Finite	متناهی
Flexibility	قابلیت انعطاف
Fluctuations	نوسان ، تغییر
Focus	کانون عدسی ، مرکز توجه
Format	قالب ، نسبت
Formula	قاعده
Forthcoming	اماده ارائه دادن، آینده
Foundation	بنیاد ، تا سیس ، شالوده
Founded	بنیاد نهادن
Framework	چهارچوبه، بدنه
Function	عمل کردن ، آیین رسمی
Fundamental	بنیادی

Immigration	مهاجرت
Impact	اصابت، اثر شدید
Implementation	انجام
Implications	مفهوم
Implicit	بلا شرط
Implies	اشاره کردن
Imposed	تحمیل شده
Incentive	مشوق ، انگیزه
Incidence	شیوع مرض ، مشمولیت
Inclination	نهاد ، انحراف
Income	در آمد
Incompatible	ناسازگار
Incorporated	ترکیب کردن
Index	بصورت الفبایی مرتب کردن
Indicate	نمایان ساختن
Individual	منحصر بفرد
Induced	تحریک شدن
Inevitably	اجتناب ناپذیر
Inferred	مقدار نامعلوم
Infrastructure	شالوده
Inherent	ذاتی ، چسبنده
Inhibition	جلوگیری از بروز احساسات
Initial	اولین
Initiatives	پیشقدمی
Funds	سرمایه ثابت یا همیشگی
Furthermore	از این گذشته

G

Gender	تانیث ، جنس
Generated	تولید شده ، حاصل کرده
Generation	نسل
Global	جهانی
Goals	اهداف
Grade	درجه بندی شده
Granted	اعطا شده
Guarantee	ضمانت ، وثیقه
Guidelines	رهنمون

H

Hence	بنابراین
Hierarchical	سلسه مراتب
Highlighted	برجسته ساختن
Hypothesis	قضیه فرضی

I

Identical	عیناً ، همان
Identified	شناسایی شده
Ideology	طرز تفکر
Ignored	به رسمیت نشناختن ، تجاهل کرده
Illustrated	مصور شده
Image	تصویر

Injury	آسیب
Innovation	نو اوری
Input	نیروی مصرف شده ، درون گذاشت
Insert	جا دادن ، الحاق کردن
Insights	درون بینی
Inspection	بازرسی
Instance	نمونه، مورد
Institute	بنیاد، هیئت شورا
Instructions	راهنمایی ها
Integral	درست ، انتگرال
Integration	ائتلاف ، انضمام
Integrity	کمال ، امانت
Intelligence	بینش ، آگاهی
Intensity	کثرت ، قوت
Interaction	فعل و انفعال
Intermediate	واسطه ، میانجی
Internal	داخلی
Interpretation	تفسیر
Interval	فرجه ، وقفه
Intervention	مداخله
Intrinsic	ذاتی ، حقیقی
Investigation	رسیدگی ، تحقیق
Investment	سرمایه گذاری
Invoked	با التماس خواستن
Involved	مورد بحث
Isolated	منفرد شده
Issues	موضوع ، شماره
Items	اقلام ، قطعه خبری

J

Job	شغل ، کار
Journal	روزنامه، دفتر وقایع روزانه
Justification	دلیل آوری

L

Label	برچسب ، اصطلاح خاص
Labour	کار، کوشش
Layer	طبقه بندی، لایه
Lecture	سخنرانی
Legal	قانونی
Legislation	تدوین و تصویب قانون
Levy	مالیات ، نام نویسی
Liberal	روشنفکر
License	اجازه ، جواز شغل
Likewise	بعلاوه ، به همچنین
Link	جفت کردن، حلقه زنجیر
Location	محل ، مکان
Logic	منطق ، برهان

M

N

Negative	منفی
Network	شبکه
Neutral	خنثی ، بدون جانبداری
Nevertheless	گرچه
Nonetheless	با این حال
Normal	عادی ، طبیعی
Norms	مقیاس ها
Notion	مفهوم ، خیال
Notwithstanding	تاب نیاوردن
Nuclear	هسته ای ، اتمی

O

Objective	هدف
Obtained	بدست آورده
Obvious	هویدا
Occupational	حرفه ای
Occur	واقع شدن
Odd	تک، عجیب
Offset	انحراف ، خنثی کردن
Ongoing	مداوم ، در حال پیشرفت
Option	خصیصه اختیاری، انتخاب
Orientation	جهت یابی
Outcomes	نتایج

Maintenance	نگهداری، ابقاء
Major	عمده
Manipulation	دستکاری
Manual	دستی، کتاب راهنما
Marginal	حاشیه ای ، مرزی
Mature	بالغ ، رشد کردن
Maximum	حداکثر
Mechanism	مکانیزم ، طرز کار
Media	رسانه ها
Mediation	عبادت ، تعمق
Medical	پزشکی
Medium	رسانه ، متوسط
Mental	فکری ، روحی
Method	شیوه
Migration	کوچ
Military	نظامی
Minimal	کمین
Minimizes	کمینه ساختن
Minimum	حداقل ، کمترین
Ministry	وزارتخانه
Minorities	اقلیت ها
Mode	سبک ، طرز
Modified	اصلاح شده، تعدیل کرده
Monitoring	دیده بانی
Motivation	انگیزش ، محرک
Mutual	دو جانبه

Portion	بخش
Posed	سوال پیچ کرده،
Positive	مثبت ، یقین
Potential	عامل بالقوه
Practitioners	شاغل مقام طبابت یا وکالت
Preceding	مقدم ، اسبق
Precise	دقیق ، جامع
Predicted	پیش بینی شده
Predominantly	مسلط ، برجسته
Preliminary	مقدماتی
Presumption	احتمال
Previous	مقدم، سابقی
Primary	اولیه ، ابتدایی
Prime	درجه یک ، عمده ، اول
Principal	رئیس ، مدیر مدرسه
Principle	قاعده کلی
Prior	اسبق
Priority	حق تقدم
Procedure	روش ، روند
Process	فرایند
Professional	متخصص
Prohibited	تحریم کردن
Project	طرح، نقشه
Promote	ترقی دادن
Proportion	تناسب، قرینه

Output	تولید ، بازده
Overall	رویهمرفته ، لباس کار
Overlap	روی هم افتادن
Overseas	متعلق به ماوراء دریاها

P

Panel	تابلو ، صفحه هیئت
Paradigm	نمونه
Paragraph	پاراگراف
Parallel	موازی
Parameters	پارامتر
Participation	شرکت کردن
Partnership	مشارکت، انبازی
Passive	منفعل ، بیحال
Perceived	ملاحظه کردن
Percent	در صد
Period	دوره ، نقطه
Persistent	پایا ، سمج
Perspective	دید انداز
Phase	مرحله ، جنبه ، صورت
Phenomenon	پدیده ، اثر طبیعی
Philosophy	فلسفه
Physical	فیزیکی ، جسمانی
Plus	مثبت ، اضافی
Policy	اداره یا حکومت کردن

Relaxed	راحت کردن
Release	رها کردن ، پخش
Relevant	مناسب، مربوط
Reliance	اعتماد، اتکا
Reluctant	بی میل
Removed	زدوده ، برداشته
Required	مورد نیاز
Research	پژوهش
Resident	مقیم، مستقر
Resolution	تصویب ، ثبات قدم
Resources	منابع ، وسایل
Response	واکنش ، جوابگویی
Restore	ترمیم کردن
Restraints	جلوگیری
Restricted	محصور
Retained	حفظ کرده ، ابقا کرده
Revealed	آشکار شده
Revenue	درآمد ، منافع
Reverse	معکوس
Revision	تجدید نظر
Revolution	انقلاب
Rigid	سفت و محکم ، جامد
Role	طومار ، نقش
Route	مسیر ، راه

Prospect	جنبه ، منظره
Protocol	آداب و رسوم
Psychology	روانشناسی
Publication	انتشار ، نشریه
Published	طبع و نشر کردن
Purchase	خریداری کردن
Pursue	دنبال کردن

Q

Qualitative	کیفی ، مقداری
Quotation	نقل قول، عبارت

R

Radical	اصلاحات اساسی
Random	تصادفی
Range	تغییر کردن، محدوده
Ratio	نسبت ، سهم
Rational	منطقی ، عقلانی
Reaction	واکنش ، انفعال
Recovery	بهبودی، بازیافت
Refine	پالا ئیدن
Regime	رژیم
Region	بوم، منطقه
Registered	لیست شده ، ثبت شده
Regulations	تنظیم، آیین نامه
Reinforced	تقویت کردن
Rejected	رد شده

S

Scenario	زمینه یا طرح راهنمای فیلم صامت
Schedule	برنامه ، فهرست
Scheme	طرح ، تدبیر
Scope	قلمرو ، مطمح نظر ، هدف
Section	مقطع
Sector	قطاع
Security	امنیت، تامین
Select	گزیدن
Sequence	توالی، دنباله
Series	دنباله، مجموعه
Sex	جنسیت، روابط جنسی
Shift	توطئه ، تغییر مسیر دادن
Significant	مهم، حاکی از
Similar	همسان، شبیه
Simulation	تشبیه ، تظاهر
Site	مکان ، محل
So-Called	به اصطلاح
Solely	منحصراً
Somewhat	تا حدی
Sought	طلب شده
Source	منبع
Specific	خاص
Specified	تعیین شده
Sphere	دایره معلومات ، احاطه کردن
Stability	ثبات
Statistics	آمار ، ارقام
Status	وضعیت
Straightforward	بی پرده ، سر راست
Strategies	فنون لشکر کشی، استراتژی
Stress	فشار ، قوت ، تاکید
Structure	سبک، ساختمان
Styles	سبک
Submitted	ارائه شده
Subordinate	تابع ، مرئوس
Subsequent	مابعد، متعاقب
Subsidiary	کمکی ، متمم
Substitution	جانشینی
Successive	متوالی ، پی در پی
Sufficient	کافی ، بسنده
Sum	حاصل جمع
Summary	خلاصه
Supplementary	تکمیلی
Survey	برآورد، مساحی کردن
Survive	زنده ماندن
Suspended	معوق گذاردن
Sustainable	قابل تحمل

Symbolic	نمادی ، کنایه ای

T

Tapes	نوار ، نوار ضبط صوت
Target	هدف ، نشانه
Task	امر مهم، وظیفه
Team	تیم ، دسته ، گروه
Technical	فنی ، صناعت
Techniques	اصول مهارت
Technology	فنون ، شگرد شناسی
Temporary	موقتی
Tension	تنش ، کشمکش
Termination	پایان دهی
Text	متن، مفاد
Theme	فرهشت ، ریشه ، مدار
Theory	فرضیه
Thereby	در نتیجه
Thesis	پایان نامه
Topic	موضوع ، عنوان
Trace	پی بردن به کردن ، ترسیم
Traditional	روایت متداول ، سنن ملی
Transfer	انتقال ، واگذاری
Transformation	دگرگونی
Transition	تحول
Transmission	مخابره ، ارسال
Transport	وسیله نقلیه ، ترابری
Trend	تمایل
Trigger	ماشه ، راه انداختن

U

Ultimately	بطور نهایی
Undergo	تحمل کردن
Underlying	اصولی یا اساسی
Undertaken	بعهده گرفته شده
Unified	متحد کردن
Uniform	یکسان ، یکنواخت
Unique	بی همتا
Utility	مفیدیت ، کاربردپذیری

V

Validity	اعتبار
Variables	متغییرات
Vehicle	وسیله نقلیه
Version	شرح ویژه
Via	از طریق
Violation	تخلف ، نقض عهد
Virtually	بطور مجازی
Visible	قابل رویت
Vision	الهام، بصیرت
Visual	دیداری ، بصری
Volume	جلد، حجم
Voluntary	داوطلبانه

W

Welfare سعادت

Whereas در حالیکه

Whereby که به وسیله آن

Widespread شایع

Farsi-English Verb List

ا

آراستن	to adorn, decorate, arrange
آزردن	to annoy, torment
آزمودن	to test
آفریدن	to create
آلودن	to contaminate
آمدن	to come
آموختن	to learn, to teach
آمیختن	to mix, associate
آوردن	to bring
آویختن	to hang, suspend
افتادن	to fall
افراختن	to elevate, hoist, exalt
افراشتن	to elevate, hoist, exalt
افروختن	to kindle
افزودن	to add, to increase
افشردن	to press, to squeeze
افکندن	to throw, project
انباشتن	to fill up, store, hoard
انداختن	to cast
اندوختن	to amass, accumulate, save
اندودن	to plaster, coat
انگاشتن	to think, imagine
انگیختن	to provoke, stimulate, instigate
ایستادن	to stand, to stand up

ب

باختن	to lose, to play
بافتن	to weave, braid, fabricate
بخشیدن	to grant, grant forgiveness
بر چیدن	to gather, pick up, remove
بر خاستن	to rise
بر شمردن	to enumerate
بر گزیدن	to choose, to select
بر گشتن	to return, to turn back, to turn around
بردن	to carry, to lead
بریدن	to cut
بستن	to close, tie
بودن	to be
بیختن	to sift, bolt

پ

پالودن	to filter, refine
پختن	to cook
پذیرفتن	to accept, admit, adopt
پراکندن	to scatter, disperse
پرداختن	to polish, pay, proceed
پروردن	to rear, foster, cherish
پریدن	to fly, jump
پنداشتن	to think, suppose, imagine
پوشیدن	to put on, wear
پیمودن	to travel, measure
پیوستن	to join

ت

تاختن	to rush, assault
تافتن	to twist, shine, scorch
تبدیل شدن	to become changed
تبدیل کردن	to change
تغییر کردن	to change, vary
توانستن	to be able

ج

جستن	to seek, to find
جستن	to jump, to leap

خ

خاستن	to rise
خریدن	to buy
خوابیدن	to sleep

to want	خواستن
to read, to call, to recite	خواندن
to eat	خوردن
	د
to give	دادن
to have	داشتن
to know	دانستن
to tear	دریدن
to sew	دوختن
to milk	دوختن
to see	دیدن
	ر
to drive	راندن
to seize, snatch	ربودن
to grow	رستن
to be delivered, to escape	رستن
to arrive, reach	رسیدن
to spin	رشتن
to sweep	رفتن
to go	رفتن
to pour, to throw, to shed	ریختن
	ز
to hit	زدن
to rub off, scour	زدودن
to live	زیستن
	س
to construct	ساختن
to entrust, deposit	سپردن
to praise	ستودن
to mix, to form, to create	سرشتن
to sing, compose, recite	سرودن
to burn	سوختن
	ش
to hurry	شتافتن
to become	شدن
to wash	شستن
to break	شکستن
to count, to reckon	شمردن
to be acquainted with, to recognize	شناختن
to hear	شنیدن
	ف
to send	فرستادن
to command	فرمودن
to sell	فروختن
to deceive	فریفتن
to press, squeeze	فشردن
to throw, to project	فکندن
to understand	فهمیدن
	ک
to be decreased, to decrease, to diminish	کاستن
to plant, to sow	کاشتن
to do	کردن
to plant, to sow	کشتن
to kill	کشتن
to draw	کشیدن
to dig, excavate, pull off	کندن
to knock, strike, beat, trample, shake	کوفتن
	گ
to melt	گداختن
to put, to let	گذاشتن
to pass	گذشتن
to take	گرفتن
to flee	گریختن
to weep	گریستن

to carry out, perform	گزاردن
to choose, to prefer	گزیدن
to bite, to sting	گزیدن
to turn, turn around, circulate, ramble, search, become	گشتن
to open	گشودن
to say	گفتن
to appoint	گماشتن
م	
to remain	ماندن
to resemble	مانستن
to die	مردن
to sit	نشستن
ن	
to paint, draw, write	نگاشتن
to look, see, view	نگریستن
to show, appear, seem	نمودن
to place, lay, store	نهادن
to hide, to be hidden	نهفتن
to caress, to strum	نواختن
to write	نوشتن
ی	
to find, to obtain	یافتن

1000 Most Common Words in Farsi

الف

Weather	اب و هوا
Cloud	ابر
Room	اتاق
Event	اتفاق
Occur	اتفاق افتادن
Atom	اتم
Effect	اثر
Allow	اجازه دادن
Probable	احتمالی
Felt	احساس کرد
Feel	احساس کردن
Continue	ادامه دادن
Claim	ادعا
Duck	اردک
Camp	اردو
Value	ارزش
Yes	اری
By	از
From	از
Of	از
Through	از وسط
Since	از وقتی که
Basic	اساسی
Horse	اسب
Tool	اسباب
Is	است
Master	استاد
Bone	استخوان
Rest	استراحت
Use	استفاده کردن
Name	اسم
Noun	اسم
Sky	اسمان
Cook	اشپزی کردن
Original	اصل
Real	اصل
Main	اصلی
Suggest	اظهار کردن
Believe	اعتقاد داشتن
Notice	اعلان
Fell	افتاد
Drop	افتادن
Create	افریدن
Ocean	اقیانوس
Most	اکثر
Oxygen	اکسیژن
Present	اکنون
If	اگر
Pattern	الگو
But	امّا
Prepare	اماده کردن
Test	امتحان
Score	امتیاز
Spell	املاء
Safe	امن
Teach	اموختن
Hope	امید
That	ان
Choose	انتخاب کردن
Pick	انتخاب کردن
Select	انتخاب کردن
Expect	انتظار
There	انجا
Fig	انجیر
Fit	اندازه
Measure	اندازه
Size	اندازه
Energy	انرژی
Human	انسان
Finger	انگشت
Ring	انگشتر
Them	انها
They	انها
Those	انها
He	او
It	او
She	او
Him	او را
Sing	اواز خواندن
First	اول
Whether	ایا
State	ایالت
Cause	ایجاد کردن
Stood	ایستاد
Stand	ایستادن
Stop	ایستادن
Station	ایستگاه
This	این
Either	این یا ان
Here	اینجا
Inch	اینچ
These	اینها
Water	آب
Blue	آبی
Fire	آتش
Oh	آخ
End	آخر

Final	آخرین
Last	آخرین
Person	آدم
Wish	آرزو
Free	آزاد
Experiment	آزمایش
Ease	آسوده کردن
Sun	آفتاب
Came	آمد
Come	آمدن
The	آن
Iron	آهن
Magnet	آهن ربا
Dear	آهو
Song	آواز
Brought	آورد
Bring	آوردن

ب

With	با
Together	با هم
Dad	بابا
Wind	باد
Sail	بادبان
Rain	باران
Open	باز
Market	بازار
Visit	بازدید
Game	بازی
Act	بازی کردن
Garden	باغچه
Wing	بال
Above	بالا
Up	بالا
Raise	بالا بردن
Climb	بالا رفتن
Over	بالای سر
Band	باند
Bank	بانک
Must	باید
Jump	بپر
Baby	بچه
Child	بچه
Children	بچه ها
Discuss	بحث کردن
Steam	بخار
Bad	بد
Body	بدن
Against	بر
Equal	برابر
Brother	برادر
For	برای
Meet	برخورد
Win	بردن
Opposite	برعکس
Snow	برف
Power	برق
Shine	برق زدن
Electric	برقی
Plan	برنامه
Cut	بریدن
Big	بزرگ
Great	بزرگ
Large	بزرگ
Major	بزرگ
Soon	بزودی
Next	بعد
Then	بعد
After	بعد از
Else	بقیه
Do	بکن
Corn	بلال
High	بلند
Loud	بلند
Tall	بلند
Lift	بلند کردن
Block	بلوک
Thus	بنابر این
Port	بندر
Seem	بنظر آمدن
To	به
Toward	به طرف
Appear	به نظر آمدن
Excite	به هیجان آمدن
Better	بهتر
Should	بهتر است
Best	بهترین
Quotient	بهر
Interest	بهره
Smell	بو
Was	بود
Be	بودن
Were	بودن
Been	بوده
Out	بیرون
Twenty	بیست
More	بیشتر
Rather	بیشتر
Between	بین

پ

Foot	پا
Leg	پا
Paragraph	پاراگراف
Feet	پاها
Pound	پاوند
Capital	پای تخت
Base	پایه
Fall	پاییز
Down	پایین
Spread	پخش کردن
Father	پدر
Full	پر
Fill	پر کردن
Throw	پرت کردن
Ask	پرسیدن
Bird	پرنده
Fly	پرواز کردن
Develop	پرورش دادن
Pose	پز
So	پس
Low	پست
Post	پست
Boy	پسر
Son	پسر
Suffix	پسوند
Back	پشت
Behind	پشت
Step	پله
Cotton	پنبه
Five	پنج
Window	پنجره
Broad	پهن
Wide	پهن
Skin	پوست
Wear	پوشیدن
Money	پول
Pay	پول دادن
Steel	پولاد
Found	پیدا شد
Find	پیدا کردن
Old	پیر
Dress	پیراهن
Ago	پیش
Offer	پیشنهاد

ت

Until	تا
Summer	تابستان
History	تاریخ
Dark	تاریک
Fresh	تازه
Hill	تپه
Trade	تجارت
Experience	تجربه
Bed	تخت خواب
Board	تخته
Egg	تخم مرغ
Scale	ترازو
Order	ترتیب
Fear	ترس
Afraid	ترسیده
Close	تزدیک
Thank	تشکر
Decide	تصمیم گرفتن
Determine	تعیین کردن
Consider	تفکر کردن
Gun	تفنگ
Share	تقسیم
Divide	تقسیم کردن
Lone	تک
Repeat	تکرار
Complete	تمام
Done	تمام
Whole	تمام
Finish	تمام کردن
Exercise	تمرین
Practice	تمرین
Clean	تمیز
Fast	تند
Bottom	ته
Provide	تهیه کردن
Supply	تهیه کردن
Able	توانا
Can	توانستن
Ball	توپ
Mass	توده
Produce	تولید کردن
Sharp	تیز
Piece	تیکه

ث

Prove	ثابت کردن
Record	ثبت کردن
Rich	ثروتمند

ج

Place	جا
Seat	جا
Stead	جا
Track	جاده

Locate	جای پیدا کردن
Separate	جدا
New	جدید
Current	جریان
Flow	جریان
Process	جریان
Except	جز
Part	جزء
Syllable	جزء کلمه
Island	جزیره
Search	جستجو
Box	جعبه
Match	جفت
Pair	جفت
Case	جلد
Forward	جلو
Front	جلو
Add	جمع
Plural	جمع
Collect	جمع کردن
Gather	جمع کردن
Sentence	جمله
Material	جنس
Fight	جنگ
War	جنگ
Forest	جنگل
South	جنوب
Range	جهت
Answer	جواب
Reply	جواب
Young	جوان
Fine	جوب
Chick	جوجه
Stream	جوی

چ

Print	چاپ
Chart	چارت
Well	چاه
Why	چرا
Fat	چربی
Wheel	چرخ
Turn	چرخیدن
Eye	چشم
Spring	چشمه
Check	چک
How	چگونه
Grass	چمن
Many	چندین
Several	چندین
Such	چنین
What	چه
When	چه وقت
Four	چهار
Stick	چوب
Wood	چوب
Set	چیدن
Object	چیز
Thing	چیز
Crease	چین

ح

Crop	حاصل
Ready	حاضر
Now	حالا
Condition	حالت
Tone	حالت
Even	حتی
Guess	حدس
Consonant	حرف صامت
Vowel	حرف صدایی
Motion	حرکت
Move	حرکت
Sense	حس
Insect	حشره
Protect	حفظ کردن
Fact	حقیقت
Solution	حل
Solve	حل کردن
Support	حمایت
Carry	حمل کردن
Charge	حمله
Yard	حیاط
Animal	حیوان

خ

Soil	خاک
Gray	خاکستری
Off	خاموش
Lady	خانم
Home	خانه
House	خانه
Family	خانواده
Serve	خدمت کردن
Spend	خرج کردن
Bear	خرس
Bought	خرید
Buy	خریدن
Dry	خشک
Line	خط
Rail	خط اهن

Danger	خطر
Bat	خفاش
Laugh	خنده
Cool	خنک
Dream	خواب
Sleep	خواب
Want	خواستن
Read	خواندن
Shall	خواهد
Will	خواهد
Sister	خواهر
Good	خوب
Self	خود
Car	خودرو
Eat	خوردن
Glad	خوشحال
Happy	خوشحال
Pretty	خوشگل
Joy	خوشی
Blood	خون
Road	خیابان
Street	خیابان
Rise	خیز
Very	خیلی
Often	خیلی اوقات

د

Enter	داخل شدن
Gave	داد
Shout	داد زدن
Give	دادن
Contain	دارا بودن
Has	دارد
Story	داستان
Had	داشت
Have	داشتن
Hot	داغ
Hot	داغ
Student	دانشجو
Seed	دانه
Circle	دایره
Girl	دختر
At	در
Door	در
In	در
About	در باره
During	در مدت
Degree	درجه
Pitch	درجه
Temperature	درجه حرارت
Tree	درخت
Study	درس خواندن
True	درست
Course	درضمن
Valley	دره
Lie	دروغ گفتن
Sea	دریا
Lake	دریاچه
Receive	دریافت کردن
Arm	دست
Hand	دست
Touch	دست زدن
Enemy	دشمن
Office	دفتر
Exact	دقیق
Minute	دقیقه
Doctor	دکتر
Heart	دل
Dollar	دلار
Miss	دلتنگ شدن
Reason	دلیل
Tail	دم
Nose	دماغ
Follow	دنبال کردن
Teeth	دندان
World	دنیا
Ten	ده
Village	ده
Mouth	دهان
Decimal	دهدهی
Two	دو
Again	دوباره
Distant	دور
Far	دور
Period	دوره
Friend	دوست
Double	دولا
Second	دوم
Ran	دوید
Run	دویدن
Saw	دید
Sight	دید
Look	دیدن
Observe	دیدن
See	دیدن
Late	دیر
Other	دیگر
Wall	دیوار

ذ

Bit ذره
Mind ذهن

ر

Chief رئیس
Radio رادیو
Right راست
Drive رانندگی کردن
Method راه
Way راه
Guide راهنما
Row ردیف
Arrange ردیف کردن
Arrive رسیدن
Reach رسیدن به
Grew رشد کرد
Grow رشد کردن
Went رفت
Go رفتن
Gone رفته
Dance رقص
Color رنگ
Paint رنگ
Led رهبری کرد
River رودخانه
Day روز
Bright روشن
Clear روشن
Cover روکش
Copy رونوشت
On روی
Tiny ریزه
Root ریشه

ز

Language زبان
Trouble زحمت
Hit زدن
Yellow زرد
Winter زمستان
Earth زمین
Floor زمین
Ground زمین
Land زمین
Wife زن
Woman زن
Women زنان
Life زندگی
Live زندگی کردن
Bell زنگ
Call زنگ زدن
Early زود
Quick زود
Much زیاد
Beauty زیبایی
Under زیر

س

Coast ساحل
Made ساخت
Build ساختن
Invent ساختن
Plain ساده
Simple ساده
Clock ساعت
Hour ساعت
Time ساعت
Watch ساعت
Quiet ساکت
Silent ساکت
Populate ساکن شدن
Year سال
Green سبز
Light سبک
Star ستاره
Column ستون
Difficult سخت
Hard سخت
Speech سخنرانی
Head سر
Top سر
Lead سرب
Soldier سرباز
Speed سرعت
Fun سرگرمی
Cold سرما
Lot سرنوشت
Try سعی
Travel سفر
Trip سفر
White سفید
Dog سگ
Cell سلول
Age سنّ
Rock سنگ
Stone سنگ
Heavy سنگین
Three سه
Ride سوار شدن
Mount سوار کردن

Question	سوال
Hole	سوراخ
Surprise	سورپریز
Burn	سوزاندن
Third	سوم
Planet	سیاره
Black	سیاه
Apple	سیب
System	سیستم
Chord	سیم
Wire	سیم

ش

Branch	شاخه
Include	شامل کردن
Shoulder	شانه
King	شاه
Perhaps	شاید
Evening	شب
Night	شب
Similar	شبیه
Character	شخص
Happen	شد
Describe	شرح دادن
Term	شرط
East	شرق
Company	شرکت
Start	شروع
Began	شروع کرد
Begin	شروع کردن
Wash	شستن
Six	شش
Poem	شعر
Hunt	شکار کردن
Sugar	شکر
Broke	شکست
Break	شکستن
Figure	شکل
Form	شکل
Shape	شکل
Crowd	شلوغی
You	شما
Count	شمار
Number	شماره
Numeral	شماره
North	شمال
Sand	شن
Swim	شنا
Know	شناختن
Heard	شنید
Hear	شنیدن
City	شهر
Town	شهر
Milk	شیر
Glass	شیشه

ص

Flat	صاف
Morning	صبح
Talk	صحبت
Spoke	صحبت کرد
Speak	صحبت کردن
Desert	صحرا
Field	صحرا
Correct	صحیح
Hundred	صد
Noise	صدا
Sound	صدا
Voice	صدا
Page	صفحه
Cross	صلیب
Chair	صندلی
Industry	صنعت
Face	صورت

ض، ط، ظ

Multiply	ضرب کردن
Level	طبقه
Nature	طبیعت
Natural	طبیعی
Side	طرف
Favor	طرفداری کردن
Gold	طلا
Rope	طناب
Length	طول
Long	طولانی
Surface	ظاهر
Noon	ظهر

ع، غ

Usual	عادی
Grand	عالی
Phrase	عبارت
Wonder	عجب
Hurry	عجله
Strange	عجیب
Love	عشق
Organ	عضو
Join	عضو شدن
Picture	عکس
Mark	علامت

Sign	علامت
Symbol	علامت
Science	علم
Operate	عمل کردن
Common	عمومی
Element	عنصر
Change	عوض
Food	غذا
Feed	غذا دادن
West	غرب
Anger	غضب
Slave	غلام
Roll	غلتیدن
Wrong	غلط

ف

Send	فرستادن
Sent	فرستاده
Chance	فرصت
Imagine	فرض کردن
Differ	فرق داشتن
Vary	فرق داشتن
Govern	فرمانداری کردن
Dictionary	فرهنگ
Sell	فروختن
Press	فشردن
Season	فصل
Space	فضا
Verb	فعل
Just	فقط
Only	فقط
Poor	فقیر
Idea	فکر
Thought	فکر
Think	فکر کردن
Metal	فلز
Blow	فوت کردن

ق

Continent	قاره
Law	قانون
Rule	قانون
Before	قبل
Walk	قدم زدن
Deal	قرارداد
Red	قرمز
Century	قرن
Cent	قرون
Division	قسمت
Section	قسمت
Segment	قسمت
Shell	قشر
Train	قطار
Brown	قهوه ای
Strong	قوی
Cost	قیمت

ک

Job	کار
Work	کار
Paper	کاغذ
Enough	کافی
Quite	کاملا
Truck	کامیون
Coat	کت
Suit	کت شلوار
Book	کتاب
Where	کجا
Which	کدام
Left	گذاشت
Tie	کراوات
Did	کرد
Make	کردن
Fraction	کسر
Stretch	کش دادن
Kill	کشتن
Boat	کشتی
Ship	کشتی
Country	کشور
Draw	کشیدن
Pull	کشیدن
Shoe	کفش
Total	کل
Class	کلاس
Hat	کلاه
Thick	کلفت
General	کلی
Key	کلید
Less	کمتر
Help	کمک کردن
Few	کمی
Some	کمی
Edge	کنار
Control	کنترل کردن
Log	کنده
Than	که
Quart	کوارت
Beat	کوبیدن
Short	کوتاه
Little	کوچک
Small	کوچک

Colony	کولونی
Mountain	کوه
Who	کی
Whose	کی

گ

Gas	گاز
Cow	گاو
Lay	گذاشتن
Let	گذاشتن
Put	گذاشتن
Pass	گذراندن
Past	گذشته
Cat	گربه
Round	گرد
Neck	گردن
Caught	گرفت
Got	گرفت
Took	گرفت
Catch	گرفتن
Get	گرفتن
Take	گرفتن
Warm	گرم
Heat	گرما
Group	گروه
Team	گروه
Cry	گریه
Said	گفت
Told	گفت
Say	گفتن
Tell	گفتن
Flower	گل
Rose	گل سرخ
Lost	گم شده
Least	کمترین
Huge	گنده
Deep	گود
Ear	گوش
Listen	گوش دادن
Meat	گوشت
Corner	گوشه
Plant	گیاه

ل

Necessary	لازم
Need	لازم داشتن
Require	لازم داشتن
Tire	لاستیک
Shore	لب دریا
Clothe	لباس پوشیدن
Smile	لبخند
Instant	لحظه
Moment	لحظه
Please	لطفا
Word	لغت
Spot	لک
Tube	لوله
Slip	لیز خوردن
List	لیست

م

We	ما
Us	ما را
Mother	مادر
Parent	مادر یا پدر
Matter	ماده
Substance	ماده
Machine	ماشین
Property	مال
Their	مال انها
Her	مال او
His	مال او
Own	مال خود
Your	مال شما
Our	مال ما
Mine	مال من
My	مال من
Rub	مالیدن
Stay	ماندن
Month	ماه
Moon	ماه
Fish	ماهی
Liquid	مایع
Subject	مبحث
Born	متولد
As	مثل
Example	مثل
Like	مثل
Triangle	مثلث
Single	مجرد
Particular	مخصوص
Especially	مخصوصا
Mix	مخلوط
While	مدت
School	مدرسه
Modern	مدرن
Me	مرا
Square	مربع
Man	مرد
People	مردم
Die	مردن

Dead	مرده
Men	مردها
Death	مرگ
Farm	مزرعه
Race	مسابقه
Area	مساحت
Equate	مساوی
Direct	مستقیم
Straight	مستقیم
Certain	مسلّم
Path	مسیر
Busy	مشغول
Problem	مشکل
Famous	مشهور
Sure	مطمئن
Mean	معنی داشتن
Shop	مغازه
Store	مغازه
Position	مقام
Compare	مقایسه کردن
Gentle	ملایم
Nation	ملت
Melody	ملودی
Might	ممکن
Possible	ممکن
Bar	ممنوع کردن
I	من
Proper	مناسب
Wait	منتظر
Fair	منصف
Region	منطقه
View	منظره
Meant	منظور داشت

Subtract	منها
Party	مهمانی
Hair	مو
Care	مواظبت
Agree	موافق بودن
Engine	موتور
Wave	موج
Music	موسیقی
Success	موفقیت
Molecule	مولکل
Among	میان
May	میتوان
Could	میتوانست
Knew	میدانست
Table	میز
Would	میکرد
Does	میکند
Mile	میل
Million	میلیون
Fruit	میوه
Captain	ناخدا
Thin	نازک
Sudden	ناگهان
Letter	نامه

ن

Bread	نان
Product	نتیجه
Result	نتیجه
Save	نجات دادن
String	نخ
Soft	نرم
Near	نزدیک
Indicate	نشان دادن

Show	نشان دادن
Sat	نشست
Settle	نشست کردن
Sit	نشستن
Oil	نفت
Silver	نقره
Design	نقشه
Map	نقشه
Point	نقطه
Don't	نکن
Kept	نگاه داشت
Hold	نگاه داشتن
Keep	نگاه داشتن
Held	نگه داشت
Play	نمایش
Represent	نماینده بودن
Salt	نمک
Won't	نمیکند
Nine	نه
No	نه
Nor	نه
Drink	نوشابه
Wrote	نوشت
Write	نوشتن
Written	نوشته
Kind	نوع
Type	نوع
Force	نیرو
Half	نیم

هـ

Any	هر
Each	هر
Every	هر

Both	هر دو
Never	هرگز
Thousand	هزار
Am	هستم
Are	هستند
Eight	هشت
Seven	هفت
Week	هفته
Push	هل دادن
Also	هم
Too	هم
Same	همان
Neighbor	همسایه
All	همه
Always	همیشه
Ever	همیشه
Art	هنر
Skill	هنر
Still	هنوز
Yet	هنوز
Air	هوا
Plane	هواپیما
Nothing	هیچ چیز
	و
And	و
Depend	وابسته
Unit	واحد
Wild	وحشی
Card	ورق
Sheet	ورق
Weight	وزنه
Center	وسط
Middle	وسط
Instrument	وسیله
Connect	وصل کردن
Leave	ول کردن
Though	ولی
Special	ویژه
	ی
Or	یا
Remember	یاد اوردن
Learn	یاد گرفتن
Note	یادداشت
Ice	یخ
A	یک
An	یک
One	یک
Once	یکبار
Slow	یواش

Section 4
Answers

1.1	b
1.2	c
2.1	b
2.2	a
3.1	c
3.2	c
4.1	a
4.2	d
5.1	a
5.2	b
6.1	d
6.2	a
7.1	b
7.2	d
8.1	c
8.2	b
9.1	c
9.2	d
10.1	a
10.2	b
11.1	c
11.2	d
12.1	d
12.2	a
13.1	d
13.2	b
14.1	a
14.2	a
15.1	b
15.2	c
16.1	a
16.2	b
17.1	a
18.1	b
18.2	d
19.1	a
19.2	b
20.1	d
20.2	d
21.1	a
21.2	c
22.1	b
22.2	d
23.1	a
23.2	b
24.1	a
24.2	a
25.1	b
25.2	c
26.1	a
26.2	b
27.1	c
27.2	a
28.1	d
28.2	c
29.1	b
29.2	c
30.1	a
30.2	b
31.1	d
31.2	a
32.1	a
32.2	b
33.1	c
33.2	d
34.1	a
34.2	b
35.1	c
35.2	c
36.1	a
36.2	d
37.1	d
37.2	c
38.1	a
38.2	a
39.1	b
39.2	d
40.1	a
40.2	b
41.1	d
41.2	d
42.1	a
42.2	b
43.1	a
43.2	c
44.1	b
44.2	d
45.1	b
45.2	d
46.1	a
46.2	a
47.1	b
47.2	c
48.1	b
48.2	b
49.1	b
49.2	c
50.1	c
50.2	c
51.1	d
51.2	d
52.1	a
52.2	a
53.1	a
53.2	a
54.1	c
54.2	b
55.1	b
55.2	d
56.1	a
56.2	c
57.1	a
57.2	b
58.1	a
58.2	b
59.1	b
59.2	d
60.1	d
60.2	c
61.1	a
61.2	c
62.1	a
62.2	b
63.1	b
63.2	d
64.1	a
64.2	d
65.1	d
65.2	c
66.1	a
66.2	b
67.1	b
67.2	d
68.1	c
68.2	c
69.1	c
69.2	d
70.1	c
70.2	b
71.1	c
71.2	b
72.1	a
72.2	b
73.1	b
73.2	d
74.1	c
74.2	b
75.1	c
75.2	a
76.1	a
76.2	b
77.1	d
77.2	c
78.1	b
78.2	d
79.1	a
80.1	b
80.2	a
81.1	c
81.2	a
82.1	c
83.1	b
83.2	a
84.1	d
84.2	a
85.1	b
85.2	b
86.1	c
87.1	a
87.2	b
88.1	d
88.2	a
89.1	b
89.2	a
90.1	b
90.2	d
91.1	b
91.2	c
92.1	a
92.2	a
93.1	d
93.2	b
94.1	b
94.2	a
95.1	a
95.2	b
96.1	b
96.2	a
97.1	d
97.2	b
98.1	c
98.2	b
99.1	b
99.2	c
100.1	a
100.2	b
101.1	a
101.2	b
101.3	c
101.4	b
101.5	b
102.1	c
102.2	a
102.3	b
102.4	a
103.1	c
103.2	b
104.1	b
104.2	a
104.3	b
104.4	c
104.5	b
105.1	a
105.2	b
105.3	b
106.1	c
106.2	c
107.1	b
107.2	a
107.3	b
108.1	a
108.2	b
108.3	d
109.1	c
109.2	d
109.3	b
110.1	a
110.2	c
110.3	a
111.1	c
111.2	c
111.3	b
112.1	a
112.2	b
113.1	b
113.2	b
114.1	a
114.2	c
115.1	a
115.2	c
116.1	a
116.2	b
117.1	c
117.2	a
118.1	c
119.1	a
119.2	c
120.1	a
120.2	d
121.1	c
121.2	a
122.1	b
122.2	b
123.1	a
124.1	b
124.2	c
125.1	a
125.2	d
126.1	b
126.2	a
127.1	b
127.2	c
128.1	a
128.2	c
128.3	a
128.4	b
129.1	a
129.2	c
130.1	b
130.2	a
130.3	c
131.1	b
131.2	b
131.3	a
132.1	c
133.1	b
133.2	a
133.3	a
134.1	b
134.2	b
135.1	a
135.2	b
136.1	d
136.2	a
136.3	b
137.1	c
137.2	c
137.3	a
137.4	b
138.1	c
138.2	a
138.3	b
139.1	a
139.2	b
139.3	b
140.1	b
140.2	a
140.3	b
140.4	c
141.1	b
141.2	a
142.1	a
142.2	c
142.3	a
143.1	a
143.2	a
143.3	b
144.1	d
144.2	b
144.3	a
145.1	c
145.2	a
145.3	b
145.4	c
146.1	a
146.2	b
146.3	c
146.4	d
146.5	d
147.1	a
147.2	b
147.3	a
147.4	a
148.1	a
148.2	b
148.3	a
149.1	c
149.2	d
150.1	a
150.2	c